D0865794

JACHTHOND

Don DeLillo

JACHTHOND

Vertaald door
Marijke Koch

ANTHOS | AMSTERDAM

Voor Eydie en Phil

ISBN 90 414 0448 1
© 1978 by Don DeLillo
© 2000 Nederlandse vertaling by Ambo I Anthos *uitgevers*, Amsterdam en Marijke Koch
Oorspronkelijke titel: *Running Dog*
Oorspronkelijke uitgever: Alfred A. Knopf, Inc., New York
Omslagontwerp: Studio Jan de Boer
Omslagillustratie: Tom McGhee / Trevillion Picture Library
Foto auteur: Chris van Houts

Verspreiding voor België:
Verkoopmaatschappij Bosch & Keuning, Antwerpen

Je komt hier geen gewone mensen tegen. Niet als de avond gevallen is in deze straten, onder de luifels van de oude pakhuizen. Natuurlijk weet je dat. Daar gaat het juist om. Daarom ben je hier ook. Van de rivier komt de wind in vlagen aanwaaien en doet de stoffige lucht boven afbraakterreinen opdwarrelen. Zwervers stoken vuurtjes in roestige olievaten bij de pieren. Je ziet ze op een kluitje bij elkaar staan, gehuld in veelsoortige jassen en truien, of een of andere combinatie, opgevist uit het afval – wat ze maar te pakken konden krijgen. Naast de pakhuizen staan vrachtwagens geparkeerd en in sommige zitten mannen in het duister te roken, wachtend op de homoseksuelen die deze kant op komen vanuit de bars ten noorden van Canal Street. Je begint vlugger te lopen, maar niet omdat je zo gauw mogelijk de kou wilt ontvluchten. Je houdt van die straffe wind. Als je een hoek omslaat loop je er even tegenin, en je voelt hoe je dijen zich aftekenen tegen het lekker strakke weefsel van je jurk. Op de open plekken glimt gebroken glas als witte mica. De rivier heeft vanavond een doordringende, muskusachtige geur.

Ten oosten van je ontwaar je nu vier letters met een spuitbus op de zijmuur van een gebouw opgebracht. In allerlei stijlen gekrabbeld. ANGW. Maar die komen je op de een of andere manier bekend voor, ze branden een gat in de tijd. En over een afstand van ruim twintig jaar komt het nu weer terug. Het bezoek aan Salzburg. Je neven, de spelen, het museum. Vier letters, gegraveerd in een ceremoniële hellebaard. Je vader legde uit: *Alles nach Gottes Willen.*

Wapens zijn sindsdien goddeloos geworden. Wapens hebben hun religie verloren. En kinderen zijn opgegroeid om tot de ontdekking te komen dat ze vreemd ver van die tijd verwijderd zijn geraakt. Je voelt dat het nu bijna gaat gebeuren, je moet nog één hoek om, dan is er iemand, en dan is er dat stilzwijgende onderhandelen dat niets heeft uit te staan met handelswaar of zelfs met dienstverlening; alleen met wat je werkelijk bent: een van die zielen die 's nachts op de versiertoer zijn en met elkaars voorwaarden instemmen. Met elke stap die je zet stijgt je duistere opwinding.

Alles naar Gods wil. De God van het Lichaam. De God van Lippenstift en Zijde. De God van Nylon, Geur en Schaduw.

De jongeman zat aan het stuur van een personenauto van de politie die in noordelijke richting door Hudson Street reed. Naast hem zat zijn partner te dutten. Toen Del Bravo naar het westen afsloeg in de richting van de rivier, verwachtte hij daar een bepaald tafereel aan te treffen. Stapels kisten en kartonnen dozen. Een steiger aan de voorzijde van een oud gebouw. Vrachtwagens en bulldozers. Zwervers rondom een vuurtje. Hij wist uit ervaring dat hij dat zou zien.

Hij had er geen vrouw verwacht. Ze kwam met elegante passen zijn kant uit. Ze had lang, donkerblond haar, en toen ze twintig meter bij hem vandaan was en dichterbij kwam, zag hij dat ze aantrekkelijk was. Haar zwarte mantel hing open en eronder droeg ze een felrode jurk.

Een beroeps zou nooit zo stom zijn om in zo'n verlaten gebied te tippelen. Ze was zonder meer opvallend. Als ze al beroeps was, dan was de straat niet haar werkplek. Een geheim nummer. Een wit flatgebouw in de East Fifties. Voor Del Bravo, die gas terugnam, was ze een tegenstrijdigheid in deze omgeving. Mooi om te zien, dat wel, maar ook een beetje verontrustend – ze paste hier niet.

Toen ze de auto was gepasseerd, zag hij in de achteruitkijkspiegel dat ze het afbraakterrein naderde met die aardige, levendige, sexy passen. Een echte beroeps, vermoedde hij. De radio kraakte. Hij bedacht dat hij het blok rond kon rijden om haar aan het eind van dezelfde lange straat nog een keer te zien. Hij had toch niets beters te doen en hij wilde haar nog eens goed bekijken.

'Word wakker, Gannett.'

'Wat is er aan de hand?'

'Let op, G.G. Ik wil je even iets laten zien.'

'Waar zijn we?'

'Wacht nog even tot ik hier de hoek omsla.'

'Ik geloof dat ik droomde.'

'Waar is ze verdomme nou?' zei Del Bravo.

'Ik droomde van stenen. Allemaal grote keien op een strand. Het waren enorme rotsblokken. Ik was er, maar ik was er niet.'

De straat lag er verlaten bij. Del Bravo kroop met de auto vooruit. Geen mens te zien. Hij was in een paar seconden om het blok heen gereden. Afgaand op de snelheid waarmee ze liep had ze nu zo ongeveer bij dit deel van de straat moeten zijn.

Het vuurtje brandde onbewaakt. Er hadden enkele mannen om dat vuurtje op die lege plek gestaan. Het fikte nog aardig. Niemand. Hij zag hierin een bijna-tegenstrijdigheid. Er dwarrelde een dikke wolk stof in het licht van de koplampen. Het leek van een steiger langs de eerste verdieping halverwege de straat te komen. Een mogelijke tegenstrijdigheid. Een paar minuten geleden was er geen stof. Nu wel. Het gebouw was beslist onbewoond. De werkploeg was naar huis.

'Je was er en je was er niet.'

'Dat droom ik af en toe,' zei Gannett.

'Ik wil hierbinnen even een kijkje nemen.'

'Waarom, Robby?'

'Geef me de zaklantaarn eens.'

Del Bravo liep door een smal steegje tussen het vanbinnen gesloopte gebouw en dat aan de oostkant ervan. Hij zag dat de ramen aan de achterkant dichtgespijkerd waren, evenals aan de straatkant. Hij liep naar de voorzijde van het gebouw en keek nog eens aandachtig naar de steiger. Hij voelde stof in zijn ogen en mond. Gannett keek vanaf zijn plaats voor in de auto toe en haalde zijn neus af en toe op.

'Je bent toch zeker niet van plan om daarop te klimmen, want ik voel er weinig voor om uit te stappen om je een handje te helpen.'

'We weten allebei verdomd goed wat de enige hulp is die jouw handje kan geven.'

'Waar ben je naar op zoek, Robby, dan kan ik tenminste een beetje interesse tonen.'

'Als ik bij die steunbalk kan, dan ben ik er zo bovenop en eroverheen.'

Del Bravo trok zich omhoog langs een reeks met elkaar verbonden stangen en balken tot hij op de steiger voor de eerste verdieping stond, ongeveer zes meter boven de grond. Daar bevond zich een raam dat niet was dichtgespijkerd en dat werd gebruikt om het puin uit het gebouw naar buiten te brengen. Del Bravo scheen met de zaklantaarn naar binnen. Stapels vloerplanken bijeengebonden. Grote brokken gips. De binnenmuren allemaal weg. De waterleiding ontmanteld. Hij hoorde Gannetts stem beneden.

'De vloer zal wel niet te vertrouwen zijn.'

Toen hij door het raam naar binnen stapte, scheen de zaklantaarn door wolken gipsstof heen op haar. Hij haalde een .38 revolver met korte loop uit de schouderholster onder zijn houthakkersjack en liet

7

de lichtstraal over de vloer schijnen. Hij baande zich langzaam een weg, onmiddellijk op zijn hoede voor uitstekende spijkers, en verontrust door de lucht, de geesten, een veld van onbepaalde zintuiglijke waarnemingen.

Ze lag op haar rug, duidelijk zichtbaar in de grijze mist; haar hoofd was naar één kant geknikt. Er vloeide nog bloed uit haar, vanuit haar middel, onder de ribbenkast. De hoeveelheid stof, en de manier waarop haar hoofd was gedraaid, en de toestand van haar kleren, wezen erop dat er was gevochten. Heel even maar, vanzelfsprekend.

Del Bravo zocht in de buurt van het lichaam naar een wapen. Gips en houtstof drongen zijn neusgaten binnen. Hij rook ook parfum, en zweet, en hij zag dat haar mascara was uitgelopen en dat er hier en daar barstjes in de dikke laag poeder op haar gezicht zaten. Geen polsslag. Het bloed vloeide. Hij zocht zich een weg terug naar het raam.

'Bel het bureau, G.G.'

'Waar gaat het om?'

'Lijk, één, vrouwelijk.'

Hij onderzocht de hele plek, over voorwerpen heen stappend, en ervoor wakend niets te veranderen aan hun positie. Hij borg de revolver weer weg en hurkte bij de dode vrouw neer. Hij hoorde Gannett de steiger opklimmen. De mantel van de vrouw was door de gebeurtenissen die hier hadden plaatsgevonden van haar schouder gegleden, en haar jurk van glanzende rode stof was aan de linkerkant van haar lichaam wat opgeschort. Haar beha was van achteren losgeraakt en hij zag dat eronder alleen opvulsel zat.

Zittend op handen en knieën richtte hij het schijnsel van de zaklantaarn op de plek onder de beha waar hij donkere stoppels van pas geschoren haar zag. Zonder het lichaam aan te raken bescheen hij met de zaklantaarn langzaam haar handen, gezicht, haargrens, hals en benen.

Gannett verscheen hijgend en vloekend in het open raam. Del Bravo verlichtte een pad voor hem, en zag hoe zijn partner voorovergebogen naderbij kwam, hoewel het plafond vijf meter hoog was. Gannett hurkte naast hem.

'Wat hebben we hier?'

'Wat we hier hebben is óf een dame met een hormoonprobleem... kom niet te dichtbij.'

'Wat denk je, Robby, een mes?'

'Ik denk zeer zeker een mes.'

'Het ziet er niet naar uit dat er meer dan één keer is gestoken. Ik zie maar één snee.'

'Of een man met een eigenaardige voorkeur voor bepaalde kleren,' zei Del Bravo.

'Als je je zaklantaarn onder het haar kan laten schijnen.'

'Niet aankomen.'

'Ik zou zeggen een messteek. De hoeveelheid bloed verbaast me.'

'Geavanceerde methode.'

'Hoe zou jij dit noemen, Robby?'

'Ik word niet betaald om messteken te tellen.'

'Ik heb een hekel aan die natte.'

'Je hebt nogal wat natte gezien, hè?'

'Bij mij is het meestal de vrouwspersoon die de messteken toedient. Ik weet niet hoe vaak ik ergens binnenkom en er zit een vrouw op de bank, ze kijkt een beetje slaperig, weet je wel, en op de keukenvloer ligt de onofficiële echtgenoot met zo'n achtentachtig messteken. En de vrouw valt zo ongeveer in slaap. Misschien worden ze moe. Al die messteken – daar worden ze moe van. Je wilt haar eigenlijk met een deken toedekken en de radio uitzetten.'

'Ik geloof dat ik ze buiten hoor,' zei Del Bravo.

'Ik weet niet hoe het komt, maar bij mij ligt het lijk altijd in de keuken. Altijd in de keuken.'

'Arme mensen zijn het liefst in de buurt van het eten.'

'Serieus, wat denk jij dat hier het geval is, een messteek?'

'Ze gaan liever niet ver van het eten vandaan, zelfs niet midden in een steekpartij.'

'Als het een messteek is, dan hebben ze een orgaan geraakt.'

'Dat lijkt me te kloppen. Daar ben ik het wel mee eens.'

'Al dat bloed,' zei Gannett.

'En het is een familiekwestie.'

'Familie?'

'Niet aankomen, G.G.'

'Klopt,' zei Gannett. 'Een nicht.'

Ongeveer een half uur later stond Del Bravo op de stoep in zijn handen te blazen. Hij droeg de gele helm die gewoonlijk achter in de auto lag. Vlakbij stonden een ambulance, twee personenauto's en twee surveillancewagens. Het was een komen en gaan van vingerafdrukexperts en fotografen. Een hulpsurveillancewagen stopte. Even later zag een brigadier in uniform Del Bravo staan en kwam naar hem toe.

'Doorlopen, man, plek van de misdaad.'

'Wat?'

'Dit terrein is afgesloten.'

Met een vermoeide zucht haalde Del Bravo zijn politiepenning uit zijn zak en spelde hem op zijn jasje.

'Wat is dat toch tegenwoordig? Iedereen is vermomd.'

'Ik weet het, brigadier.'

'Vertel me dan eens hoe mensen in godsnaam kunnen weten wie van de politie is. Al die verkleedpartijen. De politie kent elkaar niet. Junks, autodieven, baarden, helmen. Blinde man met hond – hij zou zich om kunnen draaien en op je schieten. Vroeger kon je het aan de kleren zien. Maar dat kan niet meer.'

'Je kunt het aan de geslachtsdelen zien,' zei Del Bravo tegen hem.

Gannett voegde zich bij hen. Er kwam damp uit zijn mond, en hij hield zijn armen voor zijn borst gekruist.

'We hebben de trap over het hoofd gezien,' zei hij.

'Waar heb je het over, welke trap?'

'Vroeger was hier een restaurant. Langs de buitenmuur aan de west-kant is een diensttrap die naar de keuken gaat. Ben je niet aan de west-kant geweest?'

'Ik ben langs de oostkant gekomen,' zei Del Bravo.

'Zo hebben ze in ieder geval het slachtoffer naar boven gebracht. Wij klimmen op steigers. Zij zijn met hem de trap opgelopen en de deur door. Boven aan de trap is een deur, Robby. Die was niet op slot.'

'Ik heb de achterkant onderzocht. Ik heb de oostkant onderzocht, de voorkant en de achterkant.'

'Drie van de vier,' zei de brigadier.

Met zijn armen nog gekruist stak Gannett een hand onder elke ok-sel.

'Ik zou nu niet graag in Florida zitten.'

'Ga nog even in de auto slapen. Misschien droom je er wel van.'

'Ja, ja, van het strand.'

'Hij droomt van keien,' vertelde Del Bravo de brigadier.

'Keien op een strand.'

De brigadier wachtte op de rest van het verhaal.

'Ik ben er maar ik ben er niet,' zei Gannett.

I

KOSMISCHE EROTICA

I Op zijn zesenzestigste begon Lightborne een wandelstok te gebruiken op zijn vele wandelingen door West Broadway en het galeriedistrict in Soho. Hij was deze lenteavond nog maar net op weg toen zijn rechterschoenzool – hij droeg instappers – begon te klepperen. Dat ondermijnde enigszins het effect dat hij met zijn wandelstok beoogde. Hij keerde voorzichtig lopend op zijn rechterhak terug naar huis.

Nadat hij een gebouw met gietijzeren zuilen en kozijnen was binnengegaan, nam hij een vrachtlift naar de derde verdieping – het was een tochtig geval dat hem vervulde met angst en afschuw. Op de enorme ijzeren deur van zijn zolderruimte stond in rode verf het volgende te lezen:

KOSMISCHE EROTICA
GALERIE LIGHTBORNE

Hij liep door de galerie en voorbij een afscheiding naar het gedeelte van de zolderruimte waarin hij woonde. De meubels waren donker, zwaar, en met gekrulde motieven versierd. Een bijzettafeltje helde lichtelijk naar één kant. De voorpoten van een bureau stonden op luciferboekjes zodat het niet kon wiebelen. Uit een lade van het bureau haalde Lightborne een flesje Elmers-lijm waarmee hij probeerde zijn rechterschoenzool vast te plakken.

Er zouden om halfnegen een stuk of twintig mensen komen. Ze vormden de kerngroep van zijn clientèle en hij zou ze een paar nieuwe dingen laten zien. Waarschijnlijk zou er maar één nieuw gezicht bij zijn: Moll Robbins, een journaliste die van plan was een serie artikelen over seks als lucratieve handel te schrijven.

De rest bestond uit verzamelaars, een paar mensen die verzamelaars vertegenwoordigden, en de onvermijdelijke timide amateurs die gefascineerd waren door het ongewone van al deze zaken. Lightborne had geen last van de laatsten. Doorgaans zagen ze hem als een excentrieke geleerde, een bron van erotische folklore, en ze nodigden hem vaak uit voor allerlei gelegenheden en gaven hem allerlei cadeautjes.

Toen hij klaar was met zijn schoen, pakte hij een nagelschaartje en knipte een paar haartjes van zijn bakkebaarden weg. Daarna begon hij zijn haar in een soort kippenkontje te borstelen. Lightbornes haar was zilvergrijs met enkele gelig verkleurde slierten erdoor en hij droeg het het liefst lang. Ten slotte deed hij een veterdas om en trok een ribfluwelen jasje met een ceintuur aan. Niet dat hij zich om zijn uiterlijk hoefde te bekommeren. Deze bijeenkomsten in zijn galerie waren altijd informeel. De verzamelaars vonden dat prettiger. Hij serveerde ze Wink in papieren bekertjes.

Toevallig arriveerde Moll Robbins voor de anderen. Ze droeg een spijkerbroek en een dikke trui; een lange magere vrouw die liep alsof ze met trage passen voortsloop. Een grote leren schoudertas hing van haar rechterschouder.

Lightborne leidde haar rond in de galerie, die niet de gebruikelijke klinische ruimte was met rechte hoeken en uitgekiende hoogteverschillen. In plaats daarvan had zij meer weg van een antiquairwinkel in tamelijk slechte staat. Er stonden tafeltjes vol met bronzen en porseleinen beeldjes, stapeltjes tekeningen en etsen, boeken en houtsneden, vazen en kopjes. Er waren enkele sokkels waarop de interessantere beelden stonden en aan de muur hing een aantal olieverfschilderijen, en ook vergrote foto's van de voorkant van hindoetempels en de opgerichte fallussen uit Pompeï. Langs de muur stonden bakken met tekeningen, nog meer gravures, nog meer foto's en verder nog enkele vitrines vol met ringen, armbanden en kettingen.

Moll Robbins dwaalde er een beetje onzeker tussen rond, betastte het deksel van een porseleinen theepot (een Chinese keizer met concubine blijkbaar), staarde naar een muntstuk onder glas (Grieken, mannelijk, spelend).

'Het is eigenlijk onschuldig, hè?'

'Het beweegt niet,' zei Lightborne.

'Het beweegt niet?'

'Beweging, actie, frames per seconde. In dat tijdperk leven we, in voor- en tegenspoed. Wat u hier ziet lijkt een beetje futloos. Het zit er maar. Een en al massa en lichaamsgewicht.'

'Pure zwaartekracht.'

'Ja zeker, iets is pas werkelijk erotisch als het kan bewegen. Mannen gaan uit hun dak van een vrouw die haar benen over elkaar slaat. Ze beweegt, begrijpt u. Beweging, handeling, verandering van houding. Dat heeft erotiek tegenwoordig nodig om compleet te zijn.'

'Daar zit wel wat in, lijkt me.'

Toen iedereen er was, sloot Lightborne de reusachtige deuren en begon een rondje langs zijn gasten te maken. Moll trok haar trui uit en hing hem over het stijve lid van een gipsen dominee. Het viel haar op dat Lightborne de meeste aandacht besteedde aan een goedverzorgde en keurig geklede man, begin dertig, zo te zien een zakenman, het type junior zakengigant die er behagen in schept zijn ondergeschikten afgemeten bevelen te geven.

Ze praatte met verschillende mensen, die ze op een subtiele manier ontwijkend vond – niet echt onwillig om over hun belangstelling voor erotica te praten, maar niet bereid diep op het onderwerp in te gaan. Het leek wel of ze haast hadden, alsof ze voor hun geestesoog iets zagen waardoor ze werden afgeleid; het soort mensen van klasse dat op paarden wedt, maar heimelijk doodnerveus.

Lightborne stelde haar voor aan de man met wie hij had staan praten. Glen Selvy. Daarna werd hij door enkele andere mensen meegetroond.

'Waardoor raakte u geïnteresseerd, meneer Selvy?'

'Waardoor raakt een mens geïnteresseerd in seks?'

'We zijn niet allemaal verzamelaars,' zei ze.

'Gewoon een hobby. Lijnen, gratie, symmetrie. De schoonheid van het menselijk lichaam. Enzovoort, enzovoort.'

'Geeft u veel geld uit aan verzamelen?'

'Nogal.'

'U moet aardig wat van kunst weten.'

'Ik heb er een keer een cursus over gevolgd.'

'U heeft er een keer een cursus over gevolgd.'

'Ik heb daar genoeg geleerd om te weten dat Lightborne zijn beste stukken niet laat zien.'

'Wat kunt u me over Lightborne vertellen dat hij me zelf niet zou willen vertellen?'

Selvy glimlachte en liep weg. Later, toen de meeste mensen vertrokken waren, praatte Lightborne met Moll in zijn woonruimte. Hij beantwoordde alle vragen die ze stelde en vertelde dat hij in 1946 was begonnen toen hij in Caïro aan lager wal was geraakt en een ring had kunnen bemachtigen waarop de Egyptische god van de vruchtbaarheid in zeer wellustige staat was afgebeeld. Hij verkocht de ring door aan een ex-nazi voor een aardig bedrag en hoorde later dat hij uiteindelijk aan de vinger van koning Farouk was beland. Daarna leidde het ene contact naar het andere en reisde hij door Midden-Amerika, Japan, het Midden-Oosten en Europa via een wereldwijd netwerk, kopend en verkopend en afdingend.

'Hoe zit het met uw vriend Selvy? Ik vind hem intrigerend. Hij lijkt me niet helemaal het type. Wat voor soort verzameling heeft hij?'

'Daarover zult u mij met geen woord horen.'

'Wat bedoelt u?' zei ze.

'Sommige mensen komen hier om te kijken. Sommigen om te kopen. Sommigen om voor anderen te kopen.'

'Als een façade.'

'Ja.'

'Om te kopen namens een persoon of een groep die zijn of haar of hun identiteit niet wereldkundig wil maken.'

'Dat is grammaticaal nogal slordig maar verder klopt het wel,' zei Lightborne.

'Weet u voor wie Selvy koopt?'

'Ik heb slechts een vermoeden.'

'Iemand die ik ken misschien?'

'Selvy doet dit werk nu ongeveer drie maanden. Is er aardig goed in. Beschikt over de basiskennis.'

'Meer wilt u niet zeggen.'

'In deze handel gonst het altijd van de geruchten, juffrouw Robbins. Ik hoor hier en daar wel eens wat. Die-en-die heeft een bronzen beeld ontdekt in een of andere verzegelde kerker op Kreta. Hermafrodiet: Grieks-Romeins. Ik hoor voortdurend van alles. Ik vang iets op. De lucht is vol vibraties. Soms bevatten die een greintje waarheid. Dikwijls is het niet meer dan een avondbriesje.'

Glen Selvy stak zijn hoofd om het schot om afscheid te nemen. Lightborne nodigde hem uit nog een kop koffie mee te drinken. De koffie stond in een hoek van het vertrek op een elektrisch plaatje te pruttelen. Selvy keek op zijn horloge en ging in een grote stoffige leunstoel zitten.

'Mijn man in Guatemala zegt dat ik deze reis bijzondere kunstwerken mag verwachten.'

'' 't Wordt tijd,' zei Selvy.

'Met zijn eigen handen uit graftombes opgegraven.'

'Heeft hij dan nog meer tombes gevonden?'

'De jungle is dichtbegroeid,' zei Lightborne geheimzinnig.

'Mijn opdrachtgever is ervan overtuigd dat je pre-Columbiaanse spul nep is. Wil je horen wat hij over het handwerk zegt?'

'Zeg tegen hem dat er deze reis...'

'Deze reis is anders.'

'Anders,' zei Lightborne.

Hij schonk drie koppen koffie in. Moll meende een zekere onthechtheid in Selvy's stem en gedrag te bespeuren. Zijn reacties waren een beetje mechanisch. Misschien vond hij dit allemaal dodelijk vervelend.

'Intussen,' zei Lightborne, 'kan ik je een dame met een octopus laten zien.'

'Een andere keer.'

'Het is een porseleinen tafelstuk.'

'Serieus, staat daarachter nog iets verstopt? Zo niet, dan ga ik nu.'

'Je zegt serieus. Heb ik je goed verstaan?'

'Goed verstaan.'

'Ik vertelde daarnet aan de jongedame over geruchten. De rol die geruchten spelen in dit soort zaken. Een half jaar geleden heb ik bijvoorbeeld een gerucht gehoord over iets wat wel eens van belang kon blijken te zijn voor een aantal mensen, misschien ook voor jouw werkgever. Het eigenaardige van dit gerucht is dat ik het dertig jaar geleden al eens heb gehoord, eerst in Caïro en Alexandrië, waar ik kennissen van diverse pluimage had, en later datzelfde jaar, als ik me goed herinner, toen ik in Parijs was gaan wonen. Het gaat om een film. Om precies te zijn, de originele film.'

Lightborne bood zwijgend suiker aan.

'Ik vertelde de jongedame dat beweging, dus gewoon in staat zijn om van houding te veranderen, een belangrijk erotisch kenmerk is. Waarschijnlijk is film bij uitstek het grootste verschil tussen oude en nieuwe erotische kunststijlen. De film. Het bewegende beeld. Ervan uitgaand dat je film tot kunst rekent.'

'O, ik wel,' zei Moll.

'Van hetzelfde niveau als schilderen, beeldhouwen, enzovoort.'

'Absoluut.'

'Goed dan,' zei Lightborne. 'Enkele maanden vernam ik steeds opnieuw iets over deze curieuze film. Vakmensen. Verzamelaars, kunsthandelaars, agenten. Dat is een wereld vol geruchtenverspreiders. Wat moet je anders? Maar toen hielden de geruchten op. Toen verstomde het gezoem. Ik geloof niet dat iemand het in de gaten had. Het gerucht was sowieso onwaarschijnlijk. Haast niemand nam het serieus. Dus toen hoorde ik dertig jaar lang niets. Geen woord erover. En ineens werd een half jaar geleden het gerucht weer opgerakeld. Ik heb er drie mensen over gehoord, geen van drieën heeft contact met de andere twee. Precies hetzelfde gerucht. Er bestaat een film. Ongemonteerde opnames. Eén exemplaar. Het origineel. Gefilmd in Berlijn, april, in het jaar 1945.'

Lightborne knikte om te kennen te geven hoezeer hij door zijn eigen commentaar werd meegesleept. Hij liep naar de ijskast en pakte een doos grahambiscuits. Hij bood ze de anderen aan. Ze sloegen het af. Hij ging weer zitten.

'In de bunker,' zei hij.

Hij pakte een biscuitje uit de doos en dompelde het in zijn koffie.

'Waar gaat het precies over,' zei Moll.

'De bunker onder de Rijkskanselarij.'

'En wie is er in die film te zien?'

'Daarover zijn de berichten vaag. Maar blijkbaar is het iets met seks. Het is het gefilmde document van een orgie, begrijp ik, die daar ergens in die reeks ondergrondse ruimtes plaatsvond.'

Selvy staarde naar het plafond.

'Ik geloof het zelf niet,' zei Lightborne. 'Ik ben de eerste om hier sceptisch tegenover te staan. Maar er zit iets eigenaardigs aan. Ondanks een kloof van dertig jaar stemt het huidige gerucht woord voor woord overeen met het oorspronkelijke. En de enkelen die het geloven, op zijn minst als een mogelijkheid, kunnen dat wel op gedegen historische gronden doen. Ik verdiep me toevallig veel in die periode.'

Robbins en Selvy keken toe hoe de doorweekte onderste helft van het biscuitje in Lightbornes hand losliet en in zijn kop viel. Lightborne pakte een lepeltje om de bruine brij eruit te vissen.

'Ik dacht dat het in ieder geval de moeite waard was om het verhaal zo ver mogelijk te traceren, met een beetje geluk misschien zelfs tot de bron. Op een gegeven moment bracht iemand in deze handel, iemand die ik vertrouw, me in contact met een bepaald persoon en we maakten een afspraak. Hij zei niet hoe hij heette en ik heb er niet naar gevraagd. Een man van in de dertig. Met een licht accent. Zenuwachtig, erg gespannen. Hij zei dat hij wist waar de film zich bevond. Zei dat er nooit kopieën van zijn gemaakt. Daarvoor stond hij garant. Zei dat de lengte hem min of meer kwalificeerde als een speelfilm. Daarna werd hij neerslachtig. Ik zie zijn gezicht nog voor me. Een vertoning, zei hij, die zeker een plaats verdient tussen de vreemdste en spookachtigste ooit gegeven. Hij zei ook nog dat ik niet teleurgesteld zou zijn in de identiteit van degenen die eraan deelnamen. Desondanks wilde hij geen rechtstreeks antwoord geven op mijn vraag of hij zelf de film had gezien of dat we te maken hadden met iets wat hij van horen zeggen wist.'

Lightborne roerde in zijn koffie.

'We hebben afgesproken dat ik als verkoopagent zou optreden. Ik heb de contacten, ik ken de markt min of meer. We waren het er verder over eens dat, met het niveau van seksexploitatie tegenwoordig, het zeer zeker geen enkele moeite zou kosten om groepen machtige en rijke mensen te vinden die verschrikkelijk blij zouden zijn met de kans een bod te doen op de distributierechten van zoiets interessants. Denk je eens in. Het ultieme stuk decadentie van de eeuw.'

'En het beweegt,' zei Moll.

Lightborne leunde achterover, sloeg zijn benen over elkaar en hield de kop en schotel tegen zijn buik aan.

'Welnu dan,' zei hij, 'een kleine handelaar in erotische snuisterijen, waarvan sommige van goede kwaliteit, sommige minder goed, en opeens krijg ik de kans om als tussenpersoon te fungeren in een geweldige pornografische klus. Ik gooi een balletje op, maak hier en daar in het land verdekte toespelingen, naar deze vent in Dallas, en die vent in Stockholm. Precies op het moment dat er iets staat te gebeuren, terwijl de markt warmloopt, verdwijnt mijn man ineens. Ik heb geen idee hoe ik met hem in contact kan komen. Hij wilde altijd per se met mij contact opnemen. Dus ik bel wat mensen, ik doe navraag, ik hang wat rond op onze gebruikelijke ontmoetingsplaatsen. Ten slotte hoor ik van dezelfde man die ons oorspronkelijk met elkaar in contact had gebracht. X is dood, vertelt hij me. Niet alleen dood – vermoord. Niet alleen vermoord – uit de weg geruimd onder uiterst vreemde, buitengewoon eigenaardige omstandigheden.'

'Hoezo eigenaardig?' zei Moll.

'Hij droeg vrouwenkleren.'

Selvy keek naar Moll Robbins, terwijl hij Lightborne een teken gaf dat hij even zijn mond moest houden.

'Wat zit er in die tas die u bij u hebt?'

'Nikon F2,' zei ze.

'Die blijft daar, oké?'

'Dat weet ik nog niet, u hebt een vrij aantrekkelijk profiel, meneer Selvy. Dat zou het wel eens goed kunnen doen aan het eind van een verhaal, gewoon als onderbreking van al die gedrukte tekst.'

'Die blijft erin of u vertrekt.'

'En een Sony-cassetterecorder,' zei ze.

'Haal die er alstublieft even uit, die wil ik graag zien.'

'Meneer Lightborne, dit is uw huis. U heeft mij hier uitgenodigd. U heeft me geen beperkingen opgelegd.'

Selvy raapte de leren tas van de vloer, opende hem, haalde de cassetterecorder eruit, keerde hem om en verwijderde de batterijendoos, opende die, haalde de vier batterijtjes eruit en legde ze op het tafeltje naast hem.

'Wat een routine,' zei ze. 'U bent vast reuze handig in huis.'

'Geen woorden, geen foto's.'

'Dat was niet nodig, hoor. Ik zou uw alledaagse stem heus niet tegen uw wil hebben opgenomen.'

Lightborne reageerde op het hele gebeuren door met zijn kop en schotel naar het aanrecht te lopen om ze af te wassen. Toen hij weer terugkwam, schoof hij de doos biscuitjes naar Moll. Deze keer pakte ze er een, en ze brak het keurig doormidden voor ze een hapje nam.

'Na deze deprimerende gang van zaken,' zei Lightborne, 'verstomde de hele zaak en heerste er absolute stilte. Maar ik wilde je er wat achtergrondinformatie over geven, Glen, omdat gisteren nog een zuchtje mijn oor bereikte. Als de zaak weer aan het rollen komt, vind ik dat je werkgever ervan op de hoogte dient te zijn.'

'Zeker, absoluut.'

'Wat u betreft, juffrouw Robbins, u zult een breedsprakige oude man moeten vergeven.'

'Ik vond het juist wel interessant.'

'Voor wie werkt u?' vroeg Selvy.

'*Jachthond*,' zei ze.

Hij zweeg even.

'Ooit het blad voor ontevredenen.'

'We waren inderdaad nogal radicaal.'

'Nu veilig ingebed in de heersende stroming.'

'Ik zou het niet veilig noemen.'

'Maakt deel uit van het almaar groeiende centrum.'

'We gebruiken vaak het woord "fuck".'

'Dat bedoel ik juist.'

'Bedoelt u dat juist? Ik besefte niet dat u dat juist bedoelde. Ik wist niet dat u iets bedoelde.'

Selvy stond op, nam afscheid van Lightborne en boog daarna naar Moll Robbins, terwijl hij met zijn hielen klikte. Ze liep mee naar de galerie om haar trui te pakken van het stijve aanhangsel waar ze hem eerder had gedeponeerd, en liep weer terug om Lightborne te bedanken voor zijn tijd. Hij keek toe hoe ze de batterijen weer in de cassetterecorder stopte.

'Ik vroeg me af,' zei ze.

'Ja?'

'Heeft hij altijd zo veel haast? Het lijkt wel of hij een vliegtuig moet halen. Of misschien een forensentrein.'

'Glen is niet het type dat voor een babbel wat blijft hangen.'

'Als ik erachter kom voor wie hij koopt, en als het iemand is die interessant en belangrijk is, en als ik die informatie gebruik voor een van de artikelen die ik schrijf, dan zou dat voor u natuurlijk niet zo gunstig zijn, vermoed ik?'

'Het zou evenmin ongunstig zijn,' zei Lightborne. 'De verzamelaar die Glen vertegenwoordigt heeft niet veel interesse getoond in de spullen die ik heb laten zien. Volgens Glen staat hij misschien op het punt bij me weg te gaan.'

Ze liepen naar de galerie en Lightborne ging rond om de lichten uit te doen. Hij keek vanaf een meter of zeven naar Moll.

'U had het over treinen en vliegtuigen.'

'Ik vroeg me alleen maar hardop iets af,' zei ze.

'Als u naar Glen toe zou willen, het is maar een gok, dan zou u waarschijnlijk gaan vliegen. Maar als u niet van vliegen houdt, zou u de trein kunnen nemen.'

'Korte vluchten vind ik niet erg. Als ze langer dan een uur duren, word ik rusteloos.'

'Ik denk dat u er geen probleem mee zou hebben.'

'Treinen zijn leuk. Ik houd van treinen.'

'Drieënhalf uur in de trein kan een tikkeltje vermoeiend zijn.'

'Misschien heeft u gelijk.'

'Hoewel – Penn Station. Als het oude gebouw er nog stond. Dan zou het de moeite waard zijn. Om er rond te lopen. Een prachtig stuk architectuur.'

'Ik vroeg me nog iets af,' zei ze.

'Wat dan?'

'Wat voor kleren zou ik nodig hebben?'

'Het zou er een beetje warmer kunnen zijn.'

'Een beetje warmer, zegt u.'

Het laatste licht ging uit en Moll stond in de schaduw van de open deur en kon Lightborne niet meer zien.

'Ik doe maar een slag, begrijp dat wel.'

'U bent geen weerkundige,' zei ze.

'Ik weet alleen wat God wil dat ik weet.'

Toen ze weg was, deed Lightborne de deur op slot en liep terug naar de woonruimte, waar hij zijn jasje uittrok, zijn veterdas afdeed en zijn overhemd uittrok. Hij ging naar de wastafel, nam zijn scheermes uit het kastje en trok de dop van een spuitbus Gillette Foamy. Hij zag dat er wat roest aan de binnenrand zat. Hij had de volgende ochtend vroeg een afspraak en dacht tijd te sparen als hij zich nu scheerde.

Moll Robbins hield een taxi aan in Houston Street en vijfentwintig minuten later zat ze in haar flat in de West Seventies te telefoneren met Grace Delaney, haar hoofdredactrice.

'Hebben we nog steeds een kantoor in Washington?'

'Het heet Jerry Burke.'

'Wat is zijn nummer?'

Ze legde de hoorn op de haak en draaide een ander nummer.

'Jerry Burke?'

'Met wie spreek ik?'

'Ik hoor dat jij kind aan huis bent in de wandelgangen.'

'Hoe laat is het?'

'Je spreekt met Moll Robbins in New York, Jerry. Ik geloof niet dat we elkaar kennen, maar misschien kun jij me helpen.'

'Je schrijft filmrecensies.'

'Zo af en toe, ja, maar het gaat nu om iets heel anders. Ik hoop dat je me kunt helpen iemand op te sporen.'

'Je zat er volkomen naast met de nieuwe *King Kong*.'

'Ongetwijfeld, Jerry, maar moet je horen, ik zoek een man die Glen Selvy heet, hij is blank, begin dertig, twee meter lang. Het is mogelijk dat hij ginds iets bij de overheid doet. Er bestaat vast wel een of ander reusachtig adresboek met namen van klaplopers bij de overheid waar deze man in voorkomt. Als jij er eens naar wilt kijken of er navraag naar wilt doen, of zoiets, zou ik voor eeuwig bij je in de schuld staan, tot op zekere hoogte, vanzelfsprekend.'

'Twee meter?'

'Ik dacht dat dat misschien belangrijk was.'

'Waarom moet ik weten hoe lang hij is?'

'Speurwerk,' zei ze. 'De details.'

Glen Selvy reed van het vliegveld naar een vier verdiepingen hoog flatgebouw in een overwegend zwarte buurt dicht bij de Navy Yard. Hij woonde er al een paar maanden, maar de flat zag eruit of er net iemand ingetrokken was. Hij was uiterst karig gemeubileerd. Naast het bed stond een aantal nog onuitgepakte kartonnen dozen. Er was een staande lamp met het snoer nog netjes opgerold aan de voet. Dit tijdelijke aspect sprak Selvy aan. Het had op de een of andere manier het voordeel dat je daardoor minder verantwoordelijkheden had. Als je telkens maar tien minuten had om te vertrekken, kon er niet van je worden verwacht dat je je aan dezelfde beperkende regels hield als andere mensen.

Toen hij zijn jasje uittrok, kwam er een kleine holster aan zijn broekriem te voorschijn waarin een lichtgewicht Colt Cobra .38 kaliber zat. De Smith & Wesson .41 magnum, met een 152 mm looplengte en op maat gemaakte greep, bewaarde hij in een doos naast zijn bed.

Aan het eind van de volgende dag werd Moll door Jerry Burke gebeld. 'Ik heb een aantal bestanden doorgenomen. Zonder enig resultaat. Maar toen herinnerde ik me het Banenboek weer. *Beleid en onderstenende posities.* Er staan een heleboel overheidsbanen in. Beschrijvingen. Namen van ambtenaren.'

'Prachtig,' zei ze.

'Jouw man komt er niet in voor.'

'Verdomme.'

'Maar toevallig keek ik ook een aanhangsel van een nieuwsblad van de senaat in en daarin staat iets wat Overplaatsingen in verband met het Congres heet en stikvol namen staat en naast elke naam staat een alfabetische code die naar bladzij zo-en-zo verwijst. Maar goed, op dat ene lijstje vond ik een Howard Glen Selvy. Volgens de letters van zijn code werkt hij voor senator Lloyd Percival.'

'Jerry, dat is geweldig.'

'Hij is een soort administratieve kracht van het tweede plan.'

'Percival is de laatste tijd toch in het nieuws?'
'Het is eigenlijk al een tijdje aan de gang, maar in besloten comité-sessies. Hij doet onderzoek naar iets wat PAC/AAU heet. Dat is zogenaamd een coördinerende arm van de hele inlichtingenmachinerie van de VS, uitsluitend een officiële administratieve en budgettaire onderneming. Waar Percival ook naar op zoek mag zijn, het is in ieder geval nog niet uitgelekt.'
'Geheime zittingen.'
'Dagelijks,' zei hij.
'Wat betekenen de letters?'
'Welke letters?'
'PAC/AAU,' zei ze.
'Ik wil wedden dat maar weinig mensen in Washington die vraag kunnen beantwoorden.'
'Maar weinig mensen op de hele wereld, wed ik.'
'Personeels Advies Comité, Afdeling voor Afschriften en Uitbetalingen.'
'Moet wel slecht zijn met zo'n naam.'
'Waarom zou Percival zich er anders mee bemoeien?'
'Is hij het rechtlijnige type?'
'Daar hebben we het nu niet over,' zei Burke. 'Wat ik graag zou willen weten is waarom jij belangstelling voor die vent Selvy hebt.'
'Gewoon omdat het zo'n leuke knul is,' zei ze.

2

Glen Selvy liep in driedelig pak langzaam de vier-
honderd meter lange sintelbaan rond. Overal waren
vogels, ze vlogen rond boven zijn hoofd en tripten
mechanisch in het gras.
Vijftig meter verderop reed een zwarte limousine
de rustige straat naast het atletiekveld in. Selvy liep ernaartoe en zag
het achterportier openzwaaien. Plotseling dwaalde zijn geest af naar
een anonieme kamer, een bed met een naakte vrouw die op een kussen
lag, een vrouw die hij niet kende, en toen seks – haar lichaam en het
zijne, meedogenloze, rauwe, vernietigende seks, bang bang bang.
Lomax had een voorkeur voor gehuurde limousines. Selvy vond het
prima, want zijn eigen auto was een kleine Toyota. Je kon er rustig van
uitgaan dat de chauffeur niet met de auto was ingehuurd; het was natuurlijk iemand die Lomax kende. Misschien dacht Lomax dat onop-
vallendheid er niet langer toe deed. Of dat in een stad als Washington
een limousine niet zo snel opviel. Misschien had het met Lomax zelf te
maken. Zijn persoonlijke stijl. Afwijken van de geijkte patronen.
Lomax was gedrongen en droeg zijn haar in jaren-zestigstijl; hij begon een beetje te grijzen bij de slapen. Hij had de gewoonte zijn haar
te bekloppen, het glad te strijken en licht te strelen, maar het zat nooit
in de war. Selvy zag dat hij vandaag in golftenue was. Er leunden golf-
clubs tegen het portier aan de andere kant.
'Ik heb gisteren iets gehoord,' zei Selvy. 'Lightborne kende Christoph Ludecke. Voordat Ludecke werd vermoord, hebben Lightborne
en hij elkaar een paar keer ontmoet.'
'In welk verband?'
'Ludecke beweerde dat hij aan een of andere film kon komen waar
blijkbaar de hele machtsstructuur van de obscene industrie dolgraag
de rechten op zou hebben. Dus Lightborne stond op het punt als
agent bij de verkoop op te treden.'
'Hulp uit onverwachte hoek,' zei Lomax.

'Ja, natuurlijk, Lightborne. Wie had gedacht dat Lightborne ermee te maken zou hebben? Daardoor wordt alles duidelijk.'

'Echt waar?'

'De link tussen de senator en Christoph Ludecke. Nu begrijpen we die. Hij wist op de een of andere manier dat Ludecke die film bezat. Zijn telefoonnummer, of een van zijn telefoonnummers, zijn meest onvindbare nummer, is hoe dan ook in het boekje van Ludecke terechtgekomen. Dat is het feit waar het allemaal om draait, de kern van zijn betrokkenheid. Percival wilde de film hebben voor zijn verzameling.'

'Verzamelt hij films?'

'Dit zou de eerste zijn geweest.'

'Wat is er zo speciaal aan?' vroeg Lomax.

'Het is een authentieke nazi-orgie.'

'Geweldig.'

'Zogenaamd opgenomen in de bunker waar Hitler zijn laatste dagen sleet.'

'Schitterend,' zei Lomax. 'Gewoon schitterend.'

Naast de weg kronkelde een stroompje oostwaarts. In een park voerde een groepje jonge Aziaten de gestileerde bewegingen van tai-ji uit, een reeks oefeningen die in zekere zin militair aandeden. Het tempo was gelijkmatig en vloeiend, en hoewel ze met hun achten waren, viel er nauwelijks een individuele afwijking in hun routine te bespeuren. Bijna als in slowmotion strekte elke man een van zijn armen uit, terwijl hij de andere naar achteren bracht en bij de elleboog gebogen hield; zijn beide handen hield hij uitgestrekt, met de vingers tegen elkaar aan, alsof de armen wapens met scharnieren waren en de handen geen aanhangsels aan het eind ervan maar de puntige uiteinden van die wapens. Bewegingen en tegenbewegingen. Het voorste been gebogen, het achterste gestrekt. Actief, passief. Vooruit en slepend. Er stak een windje op, de lichtste takken aan de bomen rezen iets omhoog en hun blaadjes trilden in de onrustige lucht. Acht lichamen bewogen langzaam in een ronddraaiende lotusschop. Voorbij een rijtje olmen kwam het beekje weer te voorschijn; hier in de zon stroomde het sneller.

'We hebben meer dan genoeg bewijsmateriaal om tegen de senator te gebruiken.'

'Ik bepaal het beleid niet,' zei Lomax.

'We hebben de obscene verzameling om tegen hem te gebruiken. Zijn belangstelling voor die film betekent gewoon dat we de duimschroeven nog wat steviger kunnen aandraaien.'

'Ik voer beleid uit, ik maak het niet. Ik verzamel feiten.'

'We weten dat hij voorwerpen heeft die eens aan Göring toebehoorden.'

'De mensen stellen mij vragen. Ik construeer een antwoord dat als antwoord moet dienen.'

'En ook van andere kopstukken.'

'Als de tijd rijp is, dan is-ie rijp. Als hij die onderzoeken voortzet, vertellen we hem wat we weten en hoe we dat zullen gebruiken. Zijn kiezers zullen woedend zijn. Stel je de media eens voor. Voor meer dan een miljoen aan erotische kunst.'

'Hij kan niets tegen ons beginnen.'

'Maar ik stel het beleid niet vast,' zei Lomax. 'Ik win alleen maar informatie in.'

'Wie stelt het beleid vast? Vertel dat de beleidsmaker maar. Over Percival hebben we al het materiaal dat we nodig hebben. Intussen blijf ik de papieren wat heen en weer schuiven op zijn kantoor.'

'Dubbele dekking,' zei Lomax.

Zoals dat tegenwoordig heette, was Selvy een zogenaamde observator. Hij observeerde senator Percival. Tegelijkertijd had hij met Percival een geheim verbond. Niemand op het kantoor van de senator was ervan op de hoogte dat Selvy niet was aangenomen om met de papierstroom te helpen, maar om voor Percival kunst te kopen.

'Maar je moet het niet obsceen noemen,' zei Lomax.

'Noemde ik het obsceen?'

'Dat zei je daarnet, zijn obscene verzameling.'

'Ik neem aan dat je de foto's hebt gezien.'

'Interessante foto's,' zei Lomax. 'Je wordt er beter in.'

'Minder haast deze keer.'

'Het menselijk lichaam heeft niets beschamends, weet je. Er zitten een paar leuke verrassingen tussen die verzameling. Een paar heel mooie dingen. Ik zou zeggen dat die kerel smaak heeft. Je moet het niet obsceen noemen. Je zei obsceen.'

Drie Ierse setters renden rond en buitelden over elkaar heen in een weitje naast Reservoir Road toen een ervan opeens een andere kant op rende. Een groepje schoolmeisjes was aan het hockeyen; ze droegen mooie uniformen, en hun gelach en geschreeuw leken door te dringen tot de limousine over een speciale leegte, een plek zonder vervormende materie, zodat de klank van de stemmen voor wie het hoorde menselijker was, het levendige timbre van geanimeerd spel.

'We hebben de vrouw gevonden,' zei Lomax.
'Waar is ze?'
'Op reis.'
'Waarheen?'
'Europa.'
Het was de tijd van het jaar dat de Japanse kersenbomen in bloei stonden.

Moll vond Washington geestelijk benauwend. Overheidsgebouwen gaven haar dat gevoel. Het gewicht der geschiedenis of iets dergelijks. Rondleidingen. Schoolboeken. De laatste zondag van de zomervakantie. Ik voel me niet lekker, moeder.

Ze droeg teensandalen, een ruimvallende katoenen jurk en een shawl om haar heupen; ze droeg dit soort kleren als ze het gevoel had dat ze zich anders moest voordoen dan ze was. Voor een afspraakje met een man van wie ze vermoedde dat ze hem niet zou mogen, bijvoorbeeld. Ze vond zichzelf aantrekkelijk, maar in deze stijl veel minder. Ze gebruikte kleren op deze manier om haar ware zelf te beschermen en de ontwikkelingen af te wachten.

Haar donkere haar, gewoonlijk krullend en kroezend en droog, leek vandaag elektrischer dan ooit. Gefrituurd haar. Het kwam waarschijnlijk door de vochtigheid in de lucht, de conditie van haar haar was dermate extreem dat het een stijl zou kunnen zijn.

Op haar enigszins behoedzame manier liep ze door een gang in de Senaatsvleugel achter een groepje journalisten aan dat probeerde met Lloyd Percival in de pas te blijven. De senator, die nog oranje schmink droeg van zijn optreden op tv eerder die dag, beantwoordde alleen bepaalde vragen, en dan nog slechts kortaf, vanuit zijn mondhoek pratend. Hij was zestig, een forse man, die een beetje gezet begon te worden. Hij had iets over zich alsof hij het zwaar had en zijn vermoeide oogjes knipperden boven losse huidplooien.

Hij sloeg rechtsaf, liep met flinke passen langs een reusachtige mahoniehouten klok waarop een oorlogszuchtige arend zat, sloeg toen opnieuw rechtsaf in de richting van een trap, waar de journalisten als op een geheim teken de achtervolging opgaven en zich verspreidden, zodat Moll in haar eentje achter hem aan liep tot in een lift die alleen door senatoren en hun medewerkers werd gebruikt. Daarna weer een gang in en een hoek om. Ze bleef een meter of twee achter hem, net genoeg om zijn aandacht op haar aanwezigheid te vestigen.

'Zeg het maar.'
'Moll Robbins.'
'Van de pers of voor een uitzending.'
'Tijdschrift *Jachthond*.'
'*Jachthond*,' zei hij.
'Ja.'
'Verschijnen jullie nog steeds?'
'Nauwelijks.'
'Kapitalistische lakeien en jachthonden.'
'Dus er zijn nog mensen die zich dat herinneren,' zei ze.
Hij duwde een grote deur open, keek naar binnen, daarna achterom naar Moll, hield zijn hoofd schuin, aarzelde even, haalde toen zijn schouders op en zei: 'Wat maakt het uit, kom maar binnen.'
Het was een reusachtig, luxueus herentoilet. Er was verder niemand. Geboende tegels, glimmende kranen. Een flauwe geur van balsemdennen en limoenen. Percival boog zich over een wastafel.
'Ik moet die schmink eraf halen.'
'Ik heb het gezien,' zei ze.
'Wat, de uitzending?'
Ze wachtte tot hij zijn hoofd weer optilde zodat hij haar boven het stromende water kon verstaan.
'Die man leek verward.'
'Wie, de presentator?'
Ze wachtte tot hij zijn hoofd weer optilde.
'Ja.'
'Die is altijd verward. Die vent bestaat uit niets anders dan imago. Hij kan helemaal niet over zoiets als PAC/AAU praten. Hij bestaat uit een stel elektronische stippels. Die vent is zo volks dat hij zijn nieuwsprogramma in een huiskamer zou moeten presenteren met pantoffels aan en een pijp rokend voor een knappend haardvuur.'
Moll pakte een handdoek van een plank en legde die in zijn uitgestoken hand.
'Ze zouden een lieve oudere dame moeten inhuren om hem de rampenbulletins op een dienblad te brengen, tegelijk met zijn rozijnenkoekjes en warme chocolademelk.'
'Ziet u, bij *Jachthond* dachten we dat we het anders zouden aanpakken.'
'Hoe anders, dat zou ik wel eens willen weten.'
Onder het praten had Moll vaag het gevoel dat een Gedenkwaardi-

29

ge Gebeurtenis Nu Plaatsvond, en ze kon zichzelf al horen terwijl ze die voor vrienden beschreef: *We zijn dus in dat herentoilet van de Senaat van de VS en hij zit met zijn hoofd in een wasbak van Florentijns marmer en ik kijk even of er misschien staatsemblemen op de pisbakken zitten, bijvoorbeeld Delaware pist hier, en deze is van Kansas...* Aan het eind van een lange rij hokjes werd een WC doorgetrokken. De deur van het toilet ging open en een oudere zwarte man kwam naar buiten terwijl hij zijn broek dichtmaakte. Moll zag hem dichterbij komen.

'Hoe maakt u het vandaag, senator?'

'Zo goed als maar kan, Tyrell, gegeven de omstandigheden.'

'Ik weet wat u bedoelt,' zei Tyrell.

Hij haalde een borstel uit zijn witte jasje en bewoog ermee door de lucht achter Percivals schouders en ter hoogte van zijn rug, terwijl hij voor het eerst Moll aankeek, althans openlijk. Het was een blik, gecombineerd met een arrogant schouderophalen, waaruit sprak: ik weet niet wat je hier komt doen, maar dit is niet de juiste plaats om het te doen.

Op de gang liep de senator in een rustiger tempo.

'We houden van een ontspannen benadering,' zei ze.

'Mijn zogenaamd menselijke kant.'

'Het is vrij algemeen bekend dat u veel van uw vrije tijd in uw huis in Georgetown doorbrengt. Misschien is dat een goede plek om te praten.'

'Ik heb medewerkers die mensen zoals jij doorlichten. Waarom ben jij niet doorgelicht?'

'Wilt u daar met me praten, senator?'

'*Jachthond* – jezus, ik weet het niet.'

'Onze problemen zijn uitsluitend van financiële aard. We krijgen weinig klachten over de inhoud of de lay-out.'

'Plaatsen jullie naaktfoto's?'

'Af en toe.'

'Van mannen en vrouwen?'

'Vrouwen.'

'Schaamhaar?'

'Geretoucheerd.'

Blijkbaar waren ze bij een deur gekomen die op de straat uitkwam.

'Ik ben blij te horen dat de oude waarden nog niet zijn verdwenen,' zei hij.

Ze knipperden met hun ogen tegen het zonlicht.

'Ik wil het niet over de besloten hoorzittingen hebben. Ik wil met u over uw andere activiteiten praten, senator. Uw leesgewoontes, uw gezin, uw ideeën over het leven in deze tijd. Uw hobby's, wat u in uw vrije tijd doet, waarmee u zich ontspant.'

Ze nam een taxi naar het vliegveld en ongeveer een minuut voor het vliegtuig naar de startbaan taxiede om op te stijgen, liep Glen Selvy door het gangpad langs haar plaats. Hij zag haar en knikte. Een kwartier na vertrek kwam hij terug en zei dat er achter in het vliegtuig een rij lege stoelen was en hij vroeg haar of ze er met hem wilde gaan zitten.

Ze antwoordde hem op haar allersloomst, ontleedde hem met haar ogen, maar na enige tijd volgde ze hem.

'Reis je vaak naar Washington?'

'Filmgala in het Kennedy Center. Ik schrijf af en toe recensies. Ben je in New York om Lightborne te zien?'

'Ja, ik heb misschien wel tijd om Lightborne te zien.'

'Aardige ouwe zak,' zei ze.

De laatste tien minuten van de vlucht dommelde ze. Toen het vliegtuig landde, schrok ze abrupt wakker. Ze stak haar hand uit om die van Selvy te pakken op de armleuning. Hij keek haar aan met een nietszeggende blik en gaf haar het gevoel dat hij haar de hele tijd dat ze sliep op precies deze manier had geobserveerd. Ze kwam tot de ontdekking dat ze dat prettig vond.

Ze namen samen een taxi en zaten lange tijd in een file vast. Ten slotte bereikten ze *midtown* bij het laatste daglicht. Moll stelde voor een jazzclub te zoeken waar ze jaren geleden vaak heen ging, ergens in het afgeknotte landschap van East 3rd Street. De club bleek er al lang niet meer te zijn, maar ze vonden een kroeg in een straat verderop waar ze wat gingen drinken.

Selvy deed zijn das af en zijn jasje uit en rolde zijn hemdsmouwen op. Hij begon met Jim Beam puur. Hij nam eerst een heel klein slokje, waarna hij de rest in één keer atletisch achteroversloeg. Zijn grijns en blos van genot waren welverdiend. Moll begon met whisky met water. Omdat ze zich schuldig voelde over het water, ging ze over op ijs.

Ze praatten een tijdje over allerlei drankjes die ze op verschillende plaatsen waar ze in de wereld waren geweest hadden gedronken. Een man met een verband om zijn hoofd die bij hen in de buurt zat, zei dat hij te dronken was om in zijn eentje naar huis te gaan, en dat betekende dat ze hem thuis moesten brengen. Dat was de code van Frankie's Tropical Bar, zei hij. De man was een Dominicaan. Hij zei dat het hem niet uitmaakte of ze hem naar zijn eigen huis of naar het hunne brachten, zolang ze hem maar thuisbrachten. Hij zei dat hij wist wie Trujillo had vermoord.

'Ik geloof in codes,' zei Selvy.

Ze gingen naar buiten om een taxi te zoeken. De man met het verband om zijn hoofd botste tegen een dikke vrouw op. Ze gaf hem een mep op zijn mond. Hij zocht om zich heen naar een wapen. Hij zag een fiets en tilde hem op. In het donker zag hij niet dat de fiets met een ketting vastzat aan een hek. Hij kwam op de vrouw af met de bedoeling haar met de fiets in elkaar te rammen of hem naar haar toe te gooien. Hij werd achterover naar het hek toe getrokken en viel boven op de fiets, waarbij zijn handen tussen de spaken kwamen.

Moll pakte Selvy bij de arm en leidde hem langs een rij auto's die stonden te wachten tot het licht op groen zou springen. Achter aan de rij vonden ze een taxi en ze stapten in. Ze reden *uptown* en daarna in westelijke richting. Selvy zette haar voor haar flatgebouw af en reed weer door – ergens heen.

De volgende ochtend vroeg stond hij bij haar voor de deur. Hij liep met een nietszeggende uitdrukking op zijn gezicht naar binnen en keek in de woning rond.

'Welkom in Falconhurst,' zei ze.

Bruine muren. Espressoapparaat. Verzilverde telefoon. Acryl trapje. Zwart bankje. Bolvormige televisie. Witte, plastic saxofoon.

'De muren zijn bruin.'

'Ik heb nog mulatkleurig overwogen.'

'Chocoladebruin.'

'Maar ten slotte dacht ik: wat maakt het uit.'

'De vorige huurder was zeker homo?'

'Die muren zijn nog van hem,' zei ze.

'Je zou een paar planten op dat trapje moeten zetten.'

'Ik ben dodelijk voor planten.'

'O, ben jij d'r zo een?'

'Ze sterven in mijn omhelzing.'

Ze droeg een rugbynachthemd dat tot op de vloer hing. Aan haar voeten had ze tennisschoenen met losse veters. Ze dacht dat het hemd haar lengte op een interessante manier deed uitkomen. Ze zag dat Selvy de ijskast opendeed en er een fles cola uit pakte, die hij in twee snelle teugen leegdronk. Hij had zich niet geschoren en er ging iets dreigends van hem uit. Hij stond met zijn rug naar de ijskast en zijn armen over elkaar naar haar te kijken.

Moll bedacht dat hij niet veel meer weg had van de man die ze voor het eerst in Kosmische Erotica had gezien, de onderdirecteur met de afgemeten manieren. Door de avond vol drank had hij een vreemde bleke uitstraling gekregen, iets meedogenloos. Het was bijna een soort vaardigheid, dit vermogen om een donkere kracht in zijn karakter te suggereren. Ze had die gevoeld toen ze in Frankie's Tropical Bar zaten te drinken, maar de nawerking was nog indrukwekkender – die soberheid van hem, een keiharde neiging alles opzij te schuiven, het soort vastberadenheid waar ze in de loop van een gemiddelde dag niet tegenop liep.

Howard Glen Selvy. Administratief medewerker van het tweede plan. Assistent van de assistent.

De kleine slaapkamer bood uitzicht op een stukje bouwgrond dat had kunnen doorgaan voor een zentuin van afval. Terwijl ze aan de rand van het bed neerknielde, legde Selvy van achteren zijn handen onder haar lange nachthemd en streek langs haar kuiten, waarbij hij haar hemd optilde. Moll boog achterover om haar knieën op te tillen en hij trok het hemd eroverheen. Zijn handen gleden naar haar dijen en heupen toen de telefoon ging, en vandaar naar haar buik en borsten. Met zijn onderarmen drukte hij tegen haar ribben aan en tilde hij haar een beetje op. Ze kruiste haar armen om het hemd over haar hoofd te trekken, terwijl de telefoon bleef rinkelen, en daarna ging ze midden op het bed zitten om naar hem te kijken terwijl hij zich uitkleedde, wat hij op een merkwaardig efficiënte manier deed, alsof het een oefening was die op een dag zijn leven zou kunnen redden.

Hun vrijen had een element van vastberadenheid en doelgerichtheid. Hij was mager en lenig. Ze krabde zijn schouders en drukte zich met meer dan haar normale intensiteit tegen zijn lichaam aan. Hij begon een beetje te zweten en dieper te ademen, en zijn baardstoppels schuurden langs haar gezicht en hals. Ze trok haar linkerhand van zijn onderrug af en strekte haar arm naar achteren. Ze tikte met haar knokkels tegen de koperen stijl aan het hoofdeinde op het ritme van Selvy's ademhaling, en daarna ook van zichzelf, tot de geluiden die ze maakten in elkaar overvloeiden.

Ze waren samengerold in een bal, compact en zwoegend. Ze dacht: wie is deze klootzak.

Ze zat in haar blootje in de eethoek, met haar benen gestrekt, op een antieke kerkbank, of althans een gedeelte van zo'n bank. Selvy leunde tegen een boekenkast, hij droeg een lange onderbroek en dronk weer cola. De lange onderbroek was haar ontgaan toen hij zich uitkleedde; hij had hem kennelijk tegelijk uitgetrokken met de broek waaronder hij verborgen zat. Ze vond dat hij er geweldig uitzag, zoals hij daar leunde met zijn hoofd wat opzij om te drinken, in dat archaïsche ondergoed – een Engelse lansier aan de vooravond van Balaclava. Ze nam nog een hapje yoghurt en keek naar de telefoon toen die opnieuw begon te rinkelen.

'Is dat het kantoor?'

'Ja,' zei ze.

'Wat wil je gaan doen?'

'Tennissen.'

'Prima.'

'Alleen is dat niet mogelijk tenzij je uren wacht of lid wordt van een privé-club of ineens heel rijk wordt en je eigen baan op je dakterras laat aanleggen.'

'Belachelijk.'

'Weet jij soms waar we kunnen spelen?'

'Gisteravond nadat ik je hier had afgezet, reed de taxi naar een paar banen in een afgelegen deel van Central Park, zo'n dertig meter van de weg, maar ergens waar je niet met de auto mag stoppen. We kunnen erheen lopen. Dat kan makkelijk hiervandaan. Geen enkel probleem.'

'Je bent gek.'

'Heb je nog een racket?'

'Geen mens die in Central Park gaat tennissen, gaat gewoon de deur uit en slaat dan linksaf.'

'Kom op, kleed je aan.'

Ze lepelde nog een laatste hapje yoghurt uit de beker die ze tussen haar dijbenen hield en liep toen de slaapkamer in om iets aan te trekken. Ze hoorde Selvy een nummer draaien. Toen ze zich had aangekleed, stond hij bij de deur van haar slaapkamer te wachten. Hij ging naar binnen om zijn kleren aan te trekken en zij belde haar baas, Grace Delaney, op kantoor.

'Ik kon niet opnemen toen je belde.'

'Blijkbaar.'

'Ik geloof dat Percival wel wil. En ik geloof ook dat hij met me wil praten in zijn huis in Georgetown, waar de verzameling wel móét zijn.'

'Je denkt toch zeker niet dat hij je zelfs maar in de buurt ervan zal laten komen.'

'Dat denk ik wel, Grace.'

Ze zong: 'Berg je dromen nog een dagje op.'

'Nee, hij doet het wel, ik heb met hem gesproken, we hebben een soort verstandhouding met elkaar opgebouwd.'

'Waarom fluister je nu?'

'We zijn samen naar het herentoilet geweest.'

'Bespaar me de details.'

'Tot straks misschien.'

'Wie is er bij je waardoor je nu moet fluisteren?'

'Ik zorg voor een zieke vriend.'

'Wat mankeert hem? Een druiper?'

'Altijd weer een genot om met jou te praten, Grace.'

Met de rackets in de hand liepen ze het park door in noordoostelijke richting. Selvy wees haar op een open plek tussen een paar bomen voorbij een kinderspeelplaats. Er waren twee banen, allebei verlaten.

'Ben je ooit dronken geworden van sake?'

'Ja zeker,' zei hij.

'Ik heb mezelf een keer in een van die hogesnelheidstreinen, ik geloof naar Kyoto, bijna doodgedronken.'

'Hollandse jenever is daar heel geschikt voor.'

'Waar?'

'Ik was in Zandvoort voor de Grand Prix.'

'Grand Prix in volleybal, denk ik.'

'Wat bedoel je?'

'Kijk maar,' zei ze.

'Dat zijn toch geen tennisbanen?'

'Dat zijn volleybanen,' zei ze.

Ze besloten om er toch te gaan tennissen. Omdat de netten zo hoog waren, sloegen ze uitsluitend onderhands, en ze moesten heel wat keren duiken en door hun knieën buigen, waarbij ze een vreemde lichaamstaal gebruikten. Een klein meisje zat naar hen te kijken boven op een glijbaan een eindje verderop. Na een tijdje ontwikkelden ze een krankzinnig ritme. De spelers kregen gevoel voor het spel. Ze leken ervan te genieten om binnen deze beperkingen te spelen en begonnen nauwkeuriger de score bij te houden.

Moll rende een bal achterna een heuveltje af en toen ze weer bij de baan terug was, zag ze Selvy zo'n veertig meter verderop met het racket in de hand het grasveld oversteken naar een zwarte limousine die op het gras stond geparkeerd. Het achterportier ging open en hij stapte in. Ze zag hoe de auto van de stoeprand afhobbelde en weer op de weg kwam, naar links zwenkte en sneller ging rijden, achter een heuveltje langs tot hij uit het zicht verdween.

Het kleine meisje boven op de glijbaan keek ook toe vanaf een wat beter perspectief. Moll keek naar haar en haalde haar schouders op. Het meisje wees met haar wijsvinger in de richting die de auto was gereden. Ten slotte liet ze haar arm weer zakken en kwam ze langs de glimmende glijbaan naar beneden en ze liep weg naar een groepje ouders en kinderen.

Moll stond een tijdje met twee tennisballen in haar ene hand en het racket in de andere de omgeving af te speuren. Een van de kinderen schreeuwde onder het spelen en toen Moll zich omdraaide naar waar het geluid vandaan kwam, zag ze Selvy naar haar toe lopen over een geasfalteerd pad tussen twee rijen banken. Hij was nog vijftig meter van haar vandaan toen ze zachtjes zei: 'Je hebt je racket vergeten.'

Ze zat weer op de kerkbank en deze keer droeg zij Selvy's lange onderbroek. Hij kwam nog een beetje nat de badkamer uit met een handdoek om zijn middel, en hij grijnsde toen hij haar in zijn ondergoed zag.

'Ik heb die handdoek net gebruikt.'
'Geeft niet,' zei hij.
'Pak een schone handdoek.'
'Ik voel me prima. Ik ben tevreden. Laat me met rust.'

Hij ging tegenover haar aan tafel zitten, en pulkte met zijn duimnagel aan het etiket op de fles Wild Turkey die ze had klaargezet.

'Misschien zijn wij het begin van een beweging van een nieuw soort mensen,' zei ze. 'Elkaars kleren dragen.'

'Dat is waarschijnlijk al eens gedaan.'

'Maak contact met elkaars gevoelens door kleren uit te wisselen. Ik kan me voorstellen dat het uitgroeit tot iets belangrijks. Enorme bijeenkomsten op honkbalvelden en in concertzalen. Mensen die zich bij de beweging aansluiten, moeten een formulier invullen waarop ze opgeven welke maat kleren ze dragen. We moeten er een naam voor bedenken.'

Hij leunde over de tafel en schonk een centimeter bourbon in het glas op haar schoot. Daarna vulde hij zijn eigen glas, haalde wat vleeswaren uit de ijskast en ging weer zitten.

'Persoonlijkheid Uitwisselen door middel van Kleding,' zei ze.

'Heb je mosterd?'

'PUK.'

'Je zit in het verkeerde vak,' zei hij. 'Je zou eigenlijk reclame moeten maken, marketing doen.'

'Mijn vader was een soort god op advertentiegebied.'

'Dat is te zien.'

'Je bedoelt de flat. Ik ben eigenlijk helemaal niet zo consumptie-georiënteerd of merkbewust. Dat was maar een fase waar ik ongeveer een jaar geleden doorheen ging. Ik kocht toen een heleboel glanzende spullen en misschien heb ik er nu wel weer spijt van. Maar om op mijn vader terug te komen – hij ontwierp de lilliputtercampagne voor Maytag. Daar is hij onsterfelijk mee geworden.'

'Die is me denk ik ontgaan.'

'Was een lilliputter in je Maytag.'

'Die is me inderdaad ontgaan.'

'We hadden altijd ruzie. Het was vreselijk. Hij was in mijn ogen het allerlaagste reptiel in de hele verziekte maatschappij. Ik woonde in die tijd met Penner samen. Ik zag mijn vader twee keer per jaar en dan hadden we knallende ruzies over de consumptiemaatschappij en revolutie en de rest. Ik herinner me dat ik in die tijd *Zabriskie Point* zag en daarin komt op het eind die scène voor waarin het huis wordt opgeblazen en al die felgekleurde producten in slowmotion in de lucht vliegen. God, dat maakte dat hele jaar weer goed voor me. Dat was het hoogtepunt van dat jaar, wanneer het ook was. En ik probeerde de ouwe Ted Robbins zover te krijgen dat hij die film ging zien, gewoon uit rancune, uit kleinzielige boosaardigheid, al die dozen waspoeder en pakjes soep en wattenstokjes en eyeliner en dat grote huis – boem!'

'Wie is Penner?'

'Herinner je je Gary Penner nog? De vernietigingsexpert die het hele land afreisde om dingen op te blazen. Bel-een-bom.'

'Ja,' zei Selvy.

'Gevreesd van kust tot kust. De FBI zat achter hem aan. Hij was de geheime obsessie van J. Edgar. Ik heb zeven maanden met Penner samengewoond. Het was de bloeitijd van *Jachthond*. We drukten ongeveer één keer per maand verklaringen van Penner af waarin hij liet doorschemeren welke bank of ander doelwit in welke stad aan de beurt zou zijn. In feite schreef ik die verklaringen. Ja, het was een rare tijd. We maakten rare tijden door. Penner was een heel vreemde vogel. Ik bedoel dat hij zo volkomen opging in explosieven dat geen mens het kon snappen. Hij was bovendien de gemeenste hufter die je ooit van je leven zou willen ontmoeten.'

'Maar jij vindt gemene hufters juist leuk.'

'Ja, gelukkig val ik op gemene hufters.'

'Hoe is hij aan zijn eind gekomen?'

'Een of andere vrouw heeft hem ten slotte doodgeschoten. Motel in Arizona. Ongeveer een jaar nadat we uit elkaar waren gegaan. *Jachthond* drukte een overlijdensbericht af met een rouwrand eromheen.'

Selvy voelde dat hij moest niesen en stond op. Hij liep weg van de tafel met eten, trok vlug de handdoek van zijn middel en bracht die net op tijd naar zijn neus. Daarna wierp hij de handdoek in de richting van de openstaande deur van de badkamer. Ze keken elkaar aan. Zij sloeg alle bourbon in haar glas, op de laatste druppels na, naar binnen. Daarna stopte ze haar duim onder het elastiek van de onderbroek, trok hem van haar buik weg en goot de laatste druppels in de opening. Ze zag dat Selvy geïnteresseerd en ondanks zichzelf reageerde. Ze stond op, zette het glas op tafel en liep naar de slaapkamer, waarbij ze hem in het langslopen even aanraakte.

Toen Moll weer wakker werd, was het vroeg in de avond. Er viel een milde regen. Het leek of de regen in de lucht hing in plaats van echt neer te komen. Ze had het een beetje koud en zocht op de vloer naar de lakens en de sprei. Ze begon die voorzichtig over Selvy's lichaam te leggen om hem niet wakker te maken, tot het tot haar doordrong dat hij naar haar keek. Ze beet in zijn schouder en likte zijn tepels. Hij bewoog en veranderde met gesloten ogen van houding, terwijl ze zijn oogleden en wenkbrauwen kuste en met haar vingertoppen over zijn borstkas liep.

'Ik weet van wie die limousine was,' zei ze.

Hij lag met zijn hoofd naar het plafond gekeerd en zijn ogen dicht.

'Toch van senator Percival?'

Met haar vinger ging ze langs een plukje haar achter zijn linkeroor.

'Ik weet dat je voor hem werkt, Glen. Hij is een ijverig verzamelaar van erotische kunst. Jij kijkt voor hem rond en koopt voor hem.'

Haar hand op zijn borst rees en daalde op het ritme van zijn gelijk-matige ademhaling.

'Dat kan hij zelf natuurlijk niet doen. Jij doet het voor hem, je volgt zijn instructies, neem ik aan, en maakt gebruik van overheidsbescher-ming. Kijk, we gebruiken Percival wel of niet in de serie die ik schrijf, maar als jij me kunt helpen om bij de verzameling te komen, zou dat geweldig zijn, fantastisch. Zo niet, dan begrijp ik het. Misschien lukt het me zelf.'

Ze zag hem zijn ogen opslaan.

'Ik ken zelfs je voornaam,' zei ze.

Voor ze wist wat er gebeurde, knielde hij tussen haar benen en tilde haar naar zich toe met zijn handen op haar heupen zodat ze een boog vormde, en toen kwam hij helemaal in haar, stotend, met zijn handen drukte hij haar lichaam dichter tegen zich aan. Haar hoofd lag op het kussen, haar bekken was een eind boven het bed en haar knieën staken omhoog. Ze zag hem grimassen maken en strelen en toen moest ze haar ogen sluiten, de zichtbare wereld loslaten om dit lege grensgebied binnen te gaan; zijn nagels brandden in haar heupen.

Toen ze weer wakker werd was het midden in de nacht. Ze droom-de vaag over van alles in een hele reeks beelden, en ze sliep weer in, en werd opnieuw wakker. Ze zag telkens Selvy voor zich in een militaire omgeving, meestal een barak. Hij stond er in een witte boxershort, met een hondenpenning om zijn hals. Misschien vermengde ze dit beeld met dat van Monty Clift in *From Here to Eternity*. Ze zag Selvy voor zich terwijl hij zich honderd keer opdrukte in een korte witte broek. Ze zag hem voor zich terwijl hij op een brits zat en zijn laarzen glanzend poetste. Ze zag hem voor zich terwijl hij baantjes rende, met zijn geweer in de hand en in gevechtstenue, vochtig van het zweet.

Ze hoefde zich niet naar hem om te draaien of een arm uit te steken over het bed om te weten dat hij er niet meer was.

3 Mensen die hier niet elke dag komen, vallen gewoonlijk stil wanneer de trein door Harlem rijdt. Het is niet zozeer de schok of de somberte die hen doet zwijgen als wel pure fascinatie. Het plezier dat ruïnes bieden. Het genot waarmee het oog op leerzame vergezichten valt. Het is zo interessant om naar te kijken, zo rustig en kleurrijk, vooral als je er op deze afstand doorheen rijdt.

Selvy stapte op het Bronxvillestation uit en nam een taxi in Palmer Road. De taxi sloeg linksaf naar een viaduct en reed een rustige straat in de minder welgestelde buurt in. Klara Ludecke woonde hier in een klein, aantrekkelijk huis.

Hij had geen specifieke instructies. Ze had in Europa rondgereisd. Waarom en waar precies. Hij hield zich liever niet met bijzaken bezig, zoals de moord op haar man, het ging hem alleen om de connectie van de dode man met de senator en de bewijslast die dat opleverde.

Haar gezicht was bijna volmaakt rond, maar wel mooi. Ze was enigszins breedgebouwd, een jaar of dertig waarschijnlijk, en ze sprak met een accent dat aangenaam in het gehoor lag, ook wanneer het halverwege het traject op een vreemde manier in bepaalde woorden opdook. Ze ging hem voor naar een donkere zitkamer waar ze afwachtend, met haar handen gevouwen op haar knieën, in een stoel met een rechte rugleuning ging zitten.

'U bent op reis geweest, mevrouw Ludecke.'

'Naar Aken, in West-Duitsland.'

'Uw man is daar geboren.'

'Ja, in 1944, geloof ik.'

'Waarom bent u speciaal op dit moment op reis gegaan? Uw man is onlangs vermoord. U heeft één keer met de politie gesproken en daarna bent u verdwenen.'

'Daar woont nog familie van mijn man. Die wilde ik graag opzoe-

ken. U zult wel begrijpen dat ik behoefte had om bij mensen te zijn die van hem hielden. Ik kon de dingen niet goed aan.'
'U bent weer teruggekomen – waarom?'
Ze maakte een weids gebaar als om het huis, bezittingen, wettelijke verplichtingen, zaken waarvan ze zich moest ontdoen, aan te duiden.
'U bent niet van plan hier te blijven.'
'Dat zou ik niet kunnen.'
'Gaat u weer terug naar Duitsland?'
'Ik weet het nog niet. Misschien op den duur wel. De familie van mijn man woont er tenminste. Zijn vader is zeven maanden geleden overleden, maar er zijn broers en zusters die heel aardig voor me waren, en Christophs moeder ook.'
'Uw man was systeemanalist – is dat correct?'
'U bent niet een van de politieagenten met wie ik heb gesproken toen het was gebeurd.'
'Nee,' zei hij.
'Wie bent u?'
Aan de holster aan zijn riem zat een apparaatje geklemd dat een veldkrachtmeter wordt genoemd. Hij haalde het te voorschijn, trok de kleine antenne eruit en stemde daarna de meter af om de frequentieband af te zoeken. Terwijl hij de naald controleerde, onderzocht hij de noordkant van de kamer. Hij pakte een Wereldalmanak uit 1961 uit de boekenkast. In de nauwe opening tussen de rug en het omslag zat een klein geluidsapparaatje geklemd. Selvy haalde de halfgeleider uit de oscillator. Hij keek Klara Ludecke aan. Ze wist niet of ze verbaasd of kwaad moest zijn.
Hij pakte zijn portefeuille en liet haar een aantal identiteitsbewijzen zien waaruit bleek dat hij in dienst was van iets wat de vs-Interventietroepen, Interne Projecten, werd genoemd.
'Speciale onderzoekseenheid.'
'Wat is er zo speciaal aan mij?'
'Uw man is niet onder wat ik normale omstandigheden zou willen noemen, gestorven, mevrouw Ludecke.'
'Wanneer is moord wel normaal?'
'Afgezien van het feit dat hij werd vermoord, waren er nog wat ongebruikelijke bijzonderheden.'
'Abnormale, zou u ze misschien liever willen noemen.'
'Woorden.'
'Abnormale,' zei ze nogmaals.

'Ja, waarom niet?'

'Dat zou iedereen vinden. Een groteske dood. En het is interessant dat u met geen woord rept over de mensen die hem hebben vermoord. Omstandigheden die zo abnormaal zijn, dat dit kleine detail helemaal over het hoofd wordt gezien.'

'Nee, dat is niet zo.'

'Misschien behoort dit aspect van de misdaad niet tot uw speciale onderzoek. Interesseert het u niet? Te routineus voor specialisten. Die vraag verveelt u?'

'Ik zou het graag met u over kennissen willen hebben.'

'Heus?'

'Uw man moest af en toe naar Washington voor zijn werk.'

'Dat klopt. Washington en omgeving.'

'Vooral Washington.'

'Dat zou ik niet willen beweren.'

'Volgens het oorspronkelijke politieonderzoek...'

'De politie,' zei ze. 'De politie weet niets. Seksmisdrijf, dat is het enige dat zij weten. Het zijn de mensen van het speciale onderzoek die weten wat wel of niet belangrijk is. Zij weten waar ze moeten zoeken. Hoe diep of hoe oppervlakkig. De politie. Ze fotograferen het lichaam. Ze tekenen krijtstrepen op de vloer. Ze gaan hun dossiers na op zoek naar perverselingen en moordenaars van perverselingen. Daaraan hebben ze genoeg. Op die gebieden hebben ze o zo veel ervaring. Wie ben ik om daarover te klagen?'

Klara Ludecke sloeg haar ogen op tot ze op dezelfde hoogte waren als de zijne.

'Hoe speciaal kan dit onderzoek zijn als u nog niet eens iets over Radiale Matrix hebt gevraagd?' vroeg ze.

Selvy pakte een rond plastic voorwerp van de koffietafel voor hem, een presse-papier met een landschap erop, een driedimensionaal landschap van glooiende heuvels, en bekeek het even aandachtig. Hij zag de vrouw opstaan uit haar stoel en de donkere zitkamer door lopen en de even donkere gang, waar ze de voordeur opende, die ze vasthield zonder haar blik van de muur tegenover haar af te wenden toen hij langs haar de zon tegemoet liep.

Later die dag nam hij samen met Lloyd Percival de lift omlaag naar de Capitol-metrolijn.

'Wanneer moet je bij Lightborne zijn?'

'Morgenavond,' zei Selvy. 'Veiling.'

'Wat, nog meer spul uit Guatemala?'

'Blijkbaar.'

'We krijgen de laatste tijd niets anders dan stijve pikken te zien. Wat ik niet voor één enkele slappe pik over zou hebben. Zou een totaal nieuwe benadering kunnen zijn. Jezusmina, wat is er met het esthetische element gebeurd? Zeg dat maar tegen Lightborne. Subtiliteit, complexiteit, simpele charme. Het lijkt of hij ons alleen maar spullen van de rommelmarkt laat zien.'

'Dat weet hij, senator.'

'Ik heb net iets van vrienden in Amsterdam gehoord. Iemand heeft van gips en polystyreen een kopie gemaakt van een Bernini die ik altijd heb bewonderd.'

'*De extase van de Heilige Teresa.*'

'Ja, een jonge Nederlandse beeldhouwer.'

'Lightborne heeft een dominee van hem.'

'Wat voor soort dominee?'

'Een dominee met een stijve pik, senator.'

'Waarom vroeg ik het eigenlijk nog?'

'Hoe dan ook.'

'Hoe dan ook, wat deze Nederlandse vent heeft gedaan, is dat hij de plooien van de Heilige Teresa's habijt om haar dijen omhoog heeft geschoven en haar knieën een eind uit elkaar gezet zonder iets aan de oorspronkelijke positie van haar voeten te veranderen. Godsamme, 't zat er al in. Hij benadrukt het alleen. Haar extase was altijd al seksueel.'

Ze waren de laatsten die instapten in het kleine elektrische wagentje, dat onmiddellijk vertrok.

'Bernini zou het er misschien niet mee eens zijn.'

'Niet zo pietluttig, Glen.'

'Om het nog maar niet eens over de Heilige Teresa te hebben.'

'Ben jij preuts?'

'Mogelijk.'

'Interessante vent. Je bent een interessante vent.'

'Wat heeft hij met de engel gedaan?'

'Hij heeft slechts ietsje aan de positie van de pijl veranderd.'

'Zodat het fallischer is.'

'Ietsje maar,' zei Percival.

'Het heilige en het wereldse.'

43

'Een speciale vorm van erotiek, denk je niet? Dat heb ik zelf altijd aantrekkelijk gevonden. Het behaagt Onze-Lieve-Heer dat slechts weinigen van ons zich met dergelijke aantrekkelijkheden kunnen inlaten.'

Ze stapten uit de metro en namen de lift naar de tweede verdieping van het Dirksengebouw.

'Een tijdschrift wil mijn menselijke kant laten zien.'

'Welk tijdschrift?'

'*Jachthond.*'

'Blijf uit hun buurt,' zei Selvy. 'Het is vanzelfsprekend niet mijn afdeling.'

'Waarom?'

'Ze zullen u beschadigen.'

'Hoe weet jij dat?'

'Ze zijn op zoek naar controverse. Ze liggen op apegapen en hebben een shot nodig. Ook als ze het stuk schrijven zoals ze hebben beloofd, zult u tussen autopsierapporten, foto's van kogelwonden, wie vermoordde Brown, wie vermoordde Smith, wie vermoordde Jones in staan. Ze doen in fantasie.'

Ze liepen een gang door naar het kantoor van de senator.

'Het is natuurlijk niet jouw afdeling.'

'Absoluut niet,' zei Selvy.

'Jouw taak is puur administratief.'

'De redactrice is labiel. Grace Delaney. Een zuipschuit. Besteedde vroeger al haar tijd aan het bijeenbrengen van borg voor grootgeschapen *Black Panthers.*'

Lightborne leunde voorover en trok een paar centimeter voor de spiegel een gezicht om te zien of er tussen zijn tanden nog sporen zichtbaar waren van de tosti die hij als avondmaaltijd had gegeten. Hij draaide de koudwaterkraan open, maakte zijn wijsvinger nat en ging er een paar keer mee langs zijn opeengeklemde tanden.

Hij maakte een plek vrij in de galerie, waar hij klapstoelen en een bank plaatste, en hij besloot ten slotte dat het niet nodig was er de leunstoel neer te zetten. Hij ging rond om de lichten aan te doen. Hij vond in de zak van zijn jasje een licht verbogen Tareyton King en blies er een paar keer op om er microscopisch kleine stofjes van te verwijderen. Daarna ging hij op zoek naar een lucifer met de sigaret tussen duim en middelvinger, een eigenaardige gewoonte die hij had overgenomen van een adellijke Engelsman met wie hij ooit zaken had gedaan. Omdat er nergens een lucifer te bekennen was, deed hij ten slotte de elektrische kookplaat aan. Hij stond te wachten tot hij warm werd toen de eerste bieders arriveerden.

Even later zaten er elf mensen in de galerie terwijl Lightborne nog hier en daar wat schikte. Glen Selvy pakte een stoel uit de woonruimte en ging tegen een muur zitten, op enige afstand van de anderen. Lightborne liet een houten vruchtbaarheidsbeeldje zien. Hij wees op de kenmerken en gaf informatie over de periode, het minutieuze handwerk dat eraan te pas was gekomen, waar en hoe het was gevonden. Een zongebruinde man die Wetzel heette, was de enige die een bod deed.

Een koperen beeldje met een lesbisch thema werd ook zonder opbod verkocht. Wetzel kwam in het bezit van een bronzen sater – ooit het eigendom van Fulgencio Batista, zei Lightborne – nadat hij op stimulerende wijze tegen drie anderen had geboden.

Lightborne duwde een hutkoffer op rollers naar de veilingplek. Hij maakte de riemen los, opende de koffer met een enorme sleutel en daarna haalde hij er, met behulp van een paar mannen vooraan, een één meter lange fallus van vulkanische steen uit die omhoogwees vanuit een voet gevormd door een paar testikels, groter dan bowlingballen.

Het beeld was hier en daar afgebrokkeld, er zaten gaten in en het was verkleurd. Het had karakter. Lightborne nodigde de kopers uit om het beeld eens goed te bekijken en de meesten gingen daarop in. Daarna gaf hij in het kort een uitleg van het voorwerp en begon het bieden.

Wetzel zei: 'Dat ding is net zo pre-Columbiaans als een wasknijper van Oldenburg.'

'Wie had het over pre-Columbiaans? Ik zei dat het is opgegraven uit een graf in de jungle. Wie zei wanneer precies?'

'Je man heeft het ding in zijn achtertuin uitgehakt.'

'Hij weet graven te vinden die niemand anders kent,' zei Lightborne. 'Die liggen in de dichtstbegroeide gebieden. Je kunt daar alleen maar al hakkend en te voet bij komen.'

'Hakkend,' zei Wetzel.

'Professor Shatsky zou hier komen getuigen dat het authentiek is. Hij is blijkbaar laat.'

'Shatsky.'

'Van het Joods Museum.'

'Wat weet het Joods Museum nu in godsnaam van pikken uit Guatemala? Deze pik is niet eens besneden.'

Lightborne maakte een verzoenend gebaar.

'Niet te Angelsaksisch,' zei hij.

Een uur later was het afgelopen. Een complete mislukking. Lightborne schonk Canadese whisky in een borrelglas en nam een teugje. Hij haalde een doos koekjes met marshmallowvulling te voorschijn en at er drie, die hij wegspoelde met kleine hoeveelheden whisky. Flessen Shasta en Wink stonden op enkele tafels in de galerie. In een asbak lag nog de sigaar van de een of ander te smeulen. Lightborne haalde de kromme Tareyton uit zijn jaszak en stak hem aan met de bittere sigaar. Hij sloot de deur af, deed de lichten uit en glipte achter de afscheiding.

Een zestigwattpeertje boven de wastafel zwaaide zachtjes heen en weer in het briesje dat door een open raam naar binnen woei. Lightborne schonk nog wat whisky in en ging bij de telefoon zitten. Hij draaide het nummer van de centrale en vroeg een persoonlijk gesprek met iemand in Dallas aan, op rekening van de ander.

Na enige tijd werd zijn telefoontje geaccepteerd door Richie Armbrister, bekend als het wonderkind van pornoland, een tweeëntwintigjarige meester in distributie en marketing, die in een gebarricadeerd pakhuis in het centrum van Dallas woonde en werkte.

Armbrister zwaaide de scepter over een netwerk van honderdvijftig bedrijven, die tot hun activiteiten en bezittingen een keten boekwinkels, stripbars en peepshows door het hele land rekenden; massage-instituten en studio's waar ook de klant naakt ging in het zuidwesten van de vs en West-Canada; winkels met leren attributen en mechanische apparaten ten westen van de Mississippi; seksboetieks, topless bars, topless biljartclubs door het hele zonnige zuiden; een autoverhuurbedrijf met topless chauffeuses in New Orleans. Hij ging zelden met vakantie en had geen enkele hobby.

'Lightborne, hoe gaat het met je? Ik vind het altijd leuk om met een man met veel kennis te praten, want ik zit hier maar met al die tweederangsfiguren die voor me werken.'

'Ik hoor dat de zaken wat moeilijker worden, Richie. Ik bedoel in juridische zin; al die succesvolle vervolgingen.'

'Ze vinden mij nooit. Ik heb te veel papieren her en der verspreid. Geloof me, ik verschuil me goed. Bezittingen in vier staten. Nepbe-

46

drijven. Als mens besta ik niet. Ik sta nergens genoteerd. Ik verberg me achter al dat papier.'

'Legale façades, prachtig.'

'Dus zeg het maar,' zei Armbrister, en zijn hoge stem leek op het punt te breken.

'Herinner je je nog die zaak waar we het een paar maanden geleden over hadden?'

'Natuurlijk.'

'Die is weer opgedoken,' zei Lightborne. 'Ik heb een telefoontje gekregen dat positief klonk.'

'Je vond het bemoedigend.'

'Het kan net zo goed niks zijn.'

'Ik ben nog steeds geïnteresseerd. De lengte van een speelfilm. Niet eerder vertoond. Tot nu toe is die markt me niet gegund. Tegenspoed. Een reeks kleine voorvallen. Georganiseerde misdaad, weet je. De maffia. Die houdt zich bezig met speelfilms.'

'Het kan ook dat het niks voorstelt, Richie.'

'Maar je zit op het goede spoor.'

'Het spoor komt dichtbij. Zonder te overdrijven, zou ik zeggen: dichtbij.'

'Wat heb je nodig, Lightborne?'

'Ik wil geld kunnen laten zien.'

'Al mijn geld zit vast in contanten.'

Lightborne begreep dat er van hem werd verwacht dat hij daarom lachte, wat hij met moeite voor elkaar kreeg.

'Hé, ik heb een vliegtuig gekocht,' zei Richie. 'Ik ben van plan voor zaken naar Europa te gaan. We hebben het hele passagiersgedeelte gesloopt en opnieuw ingericht. Het is een groot toestel, er kunnen eenendertig mensen in, een DC-9. Misschien stop ik op de terugweg wel in New York. Dan zullen we het eens serieus over die zaak hebben.'

'Ik ken Europa goed,' zei Lightborne, maar het klonk weinig overtuigend.

'We gaan eerst naar Engeland om er de situatie met de theaters te bekijken. Daarna naar Hamburg of Stockholm, ik weet niet meer welke van de twee, vanwege de winkels, om te zien of we er onze rubberproducten kunnen verkopen. Daarna misschien door naar Amsterdam voor bondagespullen, kijken hoeveel verstand ze er daar van hebben.'

Lightborne voelde zich ineens dodelijk vermoeid en wilde zich alleen nog maar op zijn bed uitstrekken om te slapen. Hij staarde in het duister, knikte op de maat van de stem aan het andere eind van de lijn. Eerst een opmerking, vervolgens een korte verwachtingsvolle pauze, en daarna Richies maniakale lach die over het hele continent kwam aanzeilen.

'Ha ha,' zei Lightborne, zodra hij kans zag.

De volgende dag liep hij een treinwagon ingericht als restaurant in de buurt van Chinatown binnen. Hij was een paar minuten te laat; zwaar ademhalend liep hij het hele vertrek door en ging naast Selvy aan de toog zitten.

'We hebben het over film gehad, herinner je je nog?'

'Ja,' zei Selvy.

'Zou hij daar interesse in hebben?'

'O ja, daar zou hij zeker interesse in hebben.'

'Zeg maar tegen hem dat het misschien doorgaat.'

'Dat zal ik zeggen.'

'Zeg tegen hem dat hij die vroegere missers moet vergeten.'

'Het gaat door. Ik zal het tegen hem zeggen.'

'Zeg maar tegen hem dat dat spul uit de jungle niks is.'

'Dit is iets heel anders,' zei Selvy.

'Het betreft natuurlijk nog steeds iets waar ik niets van gezien heb. Het betreft nog steeds een mogelijkheid.'

'Je was juist zo sceptisch toen we het er de laatste keer over hadden.'

Lightborne bestelde soep en schoof afwezig de rand van een luciferboekje onder zijn vingernagels.

'Het is algemeen bekend dat een gestage stroom vrouwen de beveiligingskamers van de ss in de bunker in en uit liepen,' zei hij. 'Alles bij elkaar waren er honderden mensen in de bunker. Het vergde een uitgebreide organisatie om het land, wat er nog van het land over was, van daaruit te bestieren.'

'Met al die mensen zouden er dingen kunnen gebeuren, bedoel je.'

'Als we het aan de andere kant over de oude kerel zelf hebben, dan word ik weer heel sceptisch.'

'Hitler.'

'Hij was te zwak om aan iets dergelijks deel te nemen. Hij was gedeeltelijk verlamd, en hij zat een groot deel van de tijd onder de pijnstillers. Zijn laatste dagen was hij er behoorlijk slecht aan toe. Eva Braun. Eva Braun was beslist geen kandidaat voor massale seksuele activiteiten. Niet het type. Ze hield natuurlijk van films. Ze heeft ooit voor een fotograaf gewerkt. Maar dat doet er verder weinig toe.'

'Erg weinig,' zei Selvy.

'Aan de andere kant waren er de vroege jaren toen hij met Geli Raubal was. Zijn nichtje. Het verhaal gaat dat hij haar dwong om voor vieze tekeningen te poseren. Close-ups en zo.'

'Wie maakte de tekeningen?'

'Dat deed hij.'

'Hitler.'

'Dus er was wel sprake van pornografische belangstelling. Het feit dat in Berlijn en Obersalzburg voortdurend films voor hem werden gedraaid, soms wel twee op een dag. Die nazi's hadden iets met film. Ze zetten alles op film. Zelfs executies, op zijn persoonlijk verzoek. Film speelde een cruciale rol in het nazi-tijdperk. Mythes, dromen, herinneringen. Volgens sommigen hield hij ook van obscene films. Zelfs uit Hollywood, met meisjes met benen.'

'Je bent een pleidooi aan het houden. Je helt ertoe over.'

'Het kan best niks zijn.'

'Je hebt die periode bestudeerd.'

'Heb ik dat gezegd?'

'Ik geloof dat ik me dat herinner – ja, dat heb je gezegd.'

'Zie je, hij is enorm fascinerend. Het hele nazi-tijdperk. De mensen kunnen er maar niet genoeg van krijgen. Als het om nazi's gaat, is het vanzelf erotisch. De gewelddadigheid, de rituelen, het leer, de laarzen. Dat hele gedoe met uniformen en versierselen. Hij sloeg zijn nichtje met een zweep, wist je dat?'

'Hitler.'

'Volgens de verhalen gebruikte hij een rijzweep.'

Lightborne verbrokkelde een cracker en liet hem in zijn tomatensoep vallen.

'Niet dat ik niet nog steeds sceptisch ben,' zei hij. 'Ik blijf erg sceptisch.'

'Over het bestaan van de film zelf of alleen over de mensen erin, hun rang en zo?'

'Over allebei, plus nog iets: de commerciële vooruitzichten van een dergelijk document. Ik noem het een document om het waardiger te maken. Bestaat er wel behoefte aan iets dergelijks? Is dit wat mensen willen van pornografie? Misschien is het te historisch. Misschien is het werkelijk een document. Ik vraag me dat af. Wat willen mensen? Is er een sterk element van fantasie bij betrokken? Zullen mensen door dit soort materiaal een beter orgasme hebben?'

Selvy moest onwillekeurig lachen.

'Wat een mooie wandelstok heb je,' zei hij.

'Eindelijk is hij iemand opgevallen. Jij bent de eerste. Tot nu toe zag geen mens hem. Ik heb er goed geld voor betaald. Hij is van Afrikaans hout – hier. Kijk, het handvat is een aap.'

'Mooie stok, erg mooi.'

Lightborne vroeg om de rekening en zag dat zijn metgezel alleen een kop koffie voor zich op de toog had staan.

'Laat maar zitten,' zei Selvy. 'Hij betaalt.'

'En volgens jou is hij misschien wel geïnteresseerd.'

'O, hij zal zeker geïnteresseerd zijn. Dat weet ik.'

De routine. Taxi, vliegveld, vliegtuig, vliegveld, auto. Onderweg hield hij zich afzijdig van andere mensen, hij zat op gangplaatsen, stond aan het eind van wachtende rijen, was op een onopvallende manier oplettend, als laatste aan boord, als eerste eraf. Hij vond een parkeerplaats op Potomac Avenue en liep het gebouw in. Hij omzeilde twee jongetjes die op de trap voor zijn flat zaten te spelen.

'Hé, ben jij de huisbaas?'

'Nee.'

'Waar kom je vandaan?'

'Hé, witte.'

'Wat kom je hier doen?'

'Hé, witte.'

'Waar kom je dan vandaan?'

Hij nam een douche en wachtte. Hij vond het niet erg om te wachten. Hij moest om 15.00 uur ergens zijn. Niemand die hij kende, of die hij in die tussentijd zou kunnen spreken, zou ooit een vermoeden kunnen hebben van de aard van hetgeen waarmee hij bezig was. Dat speelde zich af beneden het niveau van het dagelijks leven. Daarom was het van geen belang waar hij woonde. Dat maakte niets uit, het was alleen maar inkleuring van het werkelijke leven, van de lege meditaties, de routine, het handwerk, de fijne scheidslijn die behouden moest blijven ter voorbereiding op – hij wist niet wat. Ter voorbereiding op wat?

Hij leefde in zijn vrije tijd. Hij schiep zijn eigen omgeving waarin hij kon functioneren; hij kreeg weinig aanwijzingen van buitenaf, hij bespeurde geen beleid. Stelselmatig bracht hij verslag uit in een huis dicht bij de Staatsdrukkerij, waar hij een onderhoud over praktische aspecten had, of een leugendetectortest onderging.

Hij was een observator. Hij observeerde zijn man. Er was niets cynisch in zijn kijk op de wereld. Hij voelde zich niet bezoedeld door de vunzigheid van zijn vak. Het was een bestaan van berekening. Hij gaf er de voorkeur aan zijn leven tot tijdelijke huurflats te beperken.

Diezelfde middag om drie uur stond Selvy in M Street voor een restaurant, Palacio de Mexico, toen de limousine aan kwam rijden en het achterportier langzaam openzwaaide. Op de plaats naast de chauffeur zat een volwassen sint-bernardshond, en dwars over de achterbank waren drie sint-bernardpups elkaar aan het molesteren. Lomax had zich op een van de klapstoeltjes weten te manoeuvreren en gebaarde naar Selvy om op het stoeltje ernaast plaats te nemen.

'Ik heb ze laten rennen,' zei Lomax.

'Dat doen ze nog steeds.'

'Ze hadden beweging nodig. Die grote honden. Het is idioot om ze in de stad te houden. Misschien koop ik ergens een stukje land.'

'Fairfax County.'

Lomax nam een van de jonge hondjes op zijn schoot en begon het over zijn nek te aaien. De auto reed langs het regeringsgebouw.

'Ik ben bij Klara Ludecke geweest,' zei Selvy.

'En?'

'Ze wil weten waarom ze weduwe is geworden.'

'Nogal logisch.'

'Dat vond ik ook. Nogal logisch dat ze dat een keer zou vragen.'

'Heeft zij contact met Percival?'

'Dat betwijfel ik.'

'Enig idee wat ze daarginds in het vaderland ging doen?'

'Familie, zei ze.'

'Ik heb iets vernomen,' zei Lomax.

De auto reed nu in westelijke richting en nam een scherpe bocht voor hij de Keybrug opreed. Er volgde een lange stilte.

'Waarom zou zij het over Radiale Matrix hebben?' zei Selvy.

Lomax wierp het hondje weer op de achterbank.

'Had ze het daarover?'

'Ze had het over Radiale Matrix.'

Lomax haalde een doosje keeltabletten uit zijn zak en stak er een in zijn mond. De auto reed in zuidelijke richting op de 29, de Lee Highway. Lomax klom naar de achterbank en begon met de drie hondjes te spelen. Hij liet ze over zijn hoofd en zijn nek kruipen. Voorin zat de volwassen hond recht voor zich uit te kijken.

'De logische nieuwsgierigheid van de dame werpt een vraag op,' zei Selvy. 'Het valt niet onder mijn bevoegdheid, maar ik heb het me de laatste tijd toch afgevraagd.'

'Deze kleine Mo wordt verdomd nog sterker dan een hert.'

'Wie heeft Ludecke vermoord?'

'Ik denk aan Percival,' zei Lomax.

Dat vond Selvy zo dom dat het bijna imbeciel was. Hij keek naar Lomax die zich probeerde te ontdoen van de baldadige honden. 'De senator is alleen maar een chique obsceniteitenverzamelaar. Hij kickt er alleen indirect op. Moord is veel te gewelddadig voor zo iemand, zelfs op contractbasis.'

'Blijf Percival observeren.'

'Die lijn van onderzoek zal niets meer opleveren. Hij wilde de Berlijnse film hebben. Hij wist dat Ludecke hem had. Meer niet.'

'Ik houd het bij Percival,' zei Lomax. 'En je moet het geen obsceniteiten noemen. Je noemt het nog steeds obsceen.'

Selvy keek uit het raam naar een houten huis met een plastic zwembad op het grasveld en onder de veranda aan de voorzijde ongeveer een halve vadem brandhout.

'Er is een heel klein kansje dat een of ander tijdschrift met een artikel over de verzameling van de senator komt.'

'Jezus,' zei Lomax.

'Daar gaat onze voorsprong.'

'Zeg dat wel.'

'Dus?'

'Ik bel je nog.'

'Intussen,' zei Selvy.

'Intussen ga jij naar New York.'

De limousine reed een benzinestation in, vanwaar zij de weg overstak en weer terugreed naar Washington.

'Ik kom er net vandaan,' zei Selvy.

Beide mannen wisten dat dit geen klacht was. Het was een indirecte vorm van berusting, een verklaring waarmee Selvy zijn bereidheid toonde om met het patroon samen te vallen, om een gebeuren tot aan zijn laatste ontknoping te volgen.

Op de terugweg bleef Lomax, achterovergezakt op het klapstoeltje, tegen de honden praten.

4 Het kantoor was vol, rommelig en zonnig; het was een flink vertrek met een open haard die het niet deed. Grace Delaney zat aan een teakhouten bureau en draaide langzaam met haar stoel naar het raam achter haar rug. Moll droeg haar onderwerp voor, zette met allerlei gebaren haar voorstel kracht bij. Ze deed haar best zich niet door de sirenes van de surveillancewagens op Second Avenue van haar apropos te laten brengen. Mannen met geweren. Dat was het aspect van de dingen waaraan niemand iets kon veranderen. Ze kreeg de indruk dat Delaney meer belangstelling had voor het uitzicht.

'Dat is het hele verhaal, Grace. Fini. Das Ende. Ik kan in George-town zijn voor de dauw op de roos ligt of iets in die geest.'

De kantoren van *Jachthond* waren over drie verschillende locaties verdeeld. Twee verdiepingen in een herenhuis aan de East Side. Enkele vertrekken in een kantoortoren aan het andere eind van de stad. En het huis van iemand in Sunnyside, Queens.

Vanzelfsprekend was dit kantoor in het herenhuis, aan de achterzij-de, op de bovenste verdieping, op de zuidkant en met uitzicht op he-melbomen en tuintjes. Grace Delaney was een met zorg geklede, slan-ke en hoekige vrouw, en haar gezicht en handen gaven vaak de indruk alsof ze schilferden. Nu zat ze met haar rug naar Moll uit het raam te kijken. Moll zat op het drankkastje te wachten tot Grace iets zou zeggen.

'Goed dan. Wat het persoonlijke niveau betreft. Het is nou niet be-paald iets waarvan ik een kick krijg.'

'Wat wil je dan, een naakte torso in zijn vriesvak?'

'Het is niet politiek. Er zijn geen vertakkingen.'

'Daarin vergis je je, Grace.'

'Mogelijk. Bewijs het maar eens.'

'Hij heeft een man bij zijn staf die het land afreist om die spullen voor hem te kopen. Dat betekent reiskosten plus het salaris van die vent.'

'Wat voelt die zon verrukkelijk.'

'Geld van de belastingbetalers natuurlijk.'

'Je wordt saai, Moll.'

'Is seks saai?'

'Ik denk omdat ik er geen samenzwering in zie.'

'Hoezo?'

'Het gevoel dat er sprake is van een kwade opzet.'

'Nou ja, Percival onderzoekt die PAC/AAU-operatie. Daar zal wel kwade opzet aan te pas komen, neem ik aan.'

'Dat bedoel ik nu juist, ik mis de ironie.'

Ze draaide met haar stoel tot ze Moll weer aankeek.

'Ons onderzoek naar Percivals zaken zal op den duur precies hetzelfde opleveren als het onderzoek van de senator naar PAC/AAU. De symmetrie ontbreekt.'

'Grace, we weven geen Perzische tapijten.'

Delaney haalde een zilveren flacon uit haar bureau en nam twee slokken, waarbij ze haar hoofd mechanisch op en neer bewoog.

'Samenzwering is ons thema. Verdomme, dat weet je toch. Connecties, verbanden, geheime verbintenissen. Het hele concept achter de serie die je doet is dat het een grote en ingewikkelde zaak is, waar niet alleen pornohandelaars bij betrokken zijn, niet alleen de maffia, niet alleen de politie en justitie, maar ook uiterst respectabele zakenelementen, vooral onroerendgoedbelangen, die welbewust een overeenkomst hebben gesloten om de wet te overtreden. Of is dat misschien nieuws voor je?'

'Dat weet ik wel.'

'Als je het goed bekijkt, zie je dat Percival helemaal niets met deze dingen heeft te maken. Hij is een kunstverzamelaar met een hang naar het erotische. Als ik daar al een mening over heb, dan toch alleen dat hij het voor zijn lol doet.'

'Wat moet ik zeggen?'

'In mijn ogen is het onbelangrijk.'

'Je bedoelt dat ik ermee moet stoppen.'

'Ik zie er geen vertakkingen in.'

'Laat me nog één keer met die man praten.'

'Hij zal je niet eens in de buurt van zijn verzameling laten komen.'

'Misschien kan ik er wel zonder zijn hulp bij.'

'Hoe dan?'

'Geheime bron.'

'Dicht bij de senator?'

'Dichtbij genoeg.'

'Ik heb zo mijn twijfels.'

'Laat me eraan werken.'

'Dom gansje,' zei Delaney. Door de hese en enigszins intieme klank van haar stem klonken haar beledigingen soms als koosnaampjes. Ze zat dikwijls als een poes obsceniteiten te spinnen. Zorgvuldig gekleed en omringd door foto's en lay-outs, verkreukelde papieren bekertjes, propvolle asbakken, cellofaan mobielen, boeken en her en der verspreid liggende tijdschriften, lukte het haar een indruk te wekken van standvastigheid, die de kern vormt van geslaagde geheimhouding. Moll zag haar lotion over haar polsen en de ruggen van haar handen gieten, die ze er langzaam, zelfs dromerig, in begon te wrijven. Zelfs in Sunnyside wisten ze wat dat betekende. Het was Graces manier om iemand weg te sturen.

Later die middag hield Moll een taxi aan waarmee ze langs de Little Carnegie reed, waar een speciaal Chaplinprogramma werd vertoond. Toen ze thuiskwam zat Selvy op haar te wachten en ze besloot niet te vragen hoe hij was binnengekomen. Slechte smaak, dergelijke vragen. Het zou inbreuk maken op de ambivalentie van hun relatie.

Haar trui knetterde toen ze hem over haar hoofd trok. Statische elektriciteit. Elektriciteit in haar vingertoppen. Ze kreeg een schok toen hij haar aanraakte. Ze vielen samen op het bed. De lichte schokken hielden pas op toen hun lichamen op één, ingewikkeld geheel begonnen te lijken. Ze schudde haar hoofd, nu bevrijd van kledingstukken; ze begon hem te berijden en snoof een mengeling van opstijgende geuren op.

Hun blikken kruisten elkaar. Een verkennende blik. Ze voelde zijn controle, zijn wil, een bijna tastbaar iets, zoals de rechtlijnige vastbeslotenheid van de kaartspeler, en de furieuze juistheid van diens overwinning.

Ze streek met haar vinger langs zijn mond. Toen tilde hij haar op, en stootte met zijn heupen, duwend, zo hoog dat ze vooroverviel, één hand aan elke kant van zijn hoofd om zich in evenwicht te houden. Ze bleven lange tijd in die houding en kwamen langzaam tot een hoogtepunt, zonder verdere uitbarstingen en heftigheid. Ze zwaaide op handen en knieën boven hem heen en weer; vanwege de droge lucht likte ze haar lippen af om ze vochtig te maken.

Steunend op een elleboog keek hij naar haar toen ze de kamer uit liep. Toen ze terugkwam had ze een blikje bier bij zich, dat ze deelden.

'Je loopt als een derdehonkman.'

'Ik loop voorovergebogen.'

'Alsof je een leven lang te dicht bij de thuisplaat bent geweest, waar je verwachtte dat degene die aan slag is een stootslag zou geven, maar je bleef achterdochtig, klaar om óf de ene óf de andere kant op te rennen.'

'Waarom achterdochtig?'

'Hij zou weg kunnen slaan.'

'Zo loop ik dus. Als een derdehonkman. En mijn lichaam dan?'

'Goede handen,' zei hij. 'Strakke borsten. Van een tweedehonkman.'

'Er schiet me net iets te binnen.'

'Die zullen je niet in de weg zitten als je je voor het dubbelspel omdraait.'

'We gaan naar de film. Ik herinner het me ineens weer. Er draait een Chaplinprogramma in de Little Carnegie en we hebben nog vierenhalve minuut om het begin te halen.'

De dictator in uniform.

Op beide revers pronkt het hakenkruis. Hij heeft een grote pet op, met op de klep ook het hakenkruis. Hij draagt laarzen die tot aan zijn knieën reiken.

De beroemdste snor ter wereld.

De dictator spreekt de massa toe. Met dichtgesnoerde keel steekt hij scheldkanonnades af. In een taalkundige nevenfamilie van het Duits. De microfoons deinzen terug.

Het verhaal gaat onder andere over een kleine kapper en een mooi meisje.

Een baby plast op de hand van de dictator. SA-troepen marcheren zingend langs.

De dictator zit op zijn bureau en houdt een grote globe in zijn hand. Een klassieke filosofische houding. Een dromerige blik in zijn ogen. Hij is doordrongen van de enorme romantiek van verwerven en veroveren.

De beroemde scène.

Op muziek uit Lohengrin *voert de dictator een onwezenlijk ballet uit, waarbij hij de aardbol – een ballon – allerlei kanten op laat stuiteren en hij zelf vrolijk achterovertuimelt.*

De dictator huilt even.

Intussen bekijkt de kleine kapper aandachtig zijn spiegelbeeld dat op het kale hoofd van een man verschijnt.

De dictator verwelkomt een dictatoriale rivaal in zijn land. De man arriveert in een tweedimensionale trein. De leiders salueren lange tijd voor elkaar.

Ze ontdekken dat de privileges van het dictatorschap makkelijker te bepalen zijn als er maar één dictator is.

Er wordt een bal gehouden in het paleis. De dictator en zijn rivaal eten aardbeien en mosterd. Er wordt een verdrag ondertekend. De mannen gaan samenwerken.

De dictator gaat op eendenjacht en valt uit zijn boot.

Verwisseling van identiteit.

De kapper, of neozwerver, die een dubbelganger van de dictator is, neemt min of meer het gezag over, en spreekt de massa toe.

Een burleske, een impersonatie.

In een buurtrestaurant zei Moll: 'Het grappige is dat het in mijn herinnering een stomme film is, maar dat is hij natuurlijk niet. Ik was zelfs de toespraak aan het eind vergeten. Ongelooflijk. Maar de visuele herinnering blijft me het meeste bij, denk ik. Ik zal je eens vertellen wat ik echt nooit ofte nimmer vergeet van films.'

'Wat dan?'

'Met wie ik een bepaalde film zag.'

'Met wie je een bepaalde film zag.'

'Ik vergeet nooit met wie ik naar een bepaalde film ben geweest, het doet er niet toe hoeveel jaar geleden dat was. Dus Selvy, sta jij nu in het filmbezoekdeel van mijn hersens gegrift. Jij en Charlie Chaplin zijn voor altijd met elkaar verbonden. Charlie heeft gezegd dat hij *The Great Dictator* nooit later in de oorlog, of na de oorlog, zou hebben gemaakt, omdat hij toen wist waar de nazi's toe in staat waren. Met andere woorden, de film is een beetje naïef. Verder zei hij nog iets vreemds, namelijk dat de dictator een komiek was. Maar Charlie is voor mij zo verbonden met de stomme film, dat ik totaal was vergeten dat dit een sprekende film is. Het zal een jaar of twaalf geleden zijn. Waarschijnlijk langer. Misschien vijftien.'

'Houd je mond en eet.'

'Ik ratel af en toe wel erg door.'

'Een beetje maar,' zei hij.

Tijdens het dessert zei ze: 'Laten we downtown gaan doorzakken.'

'Stevig drinken.'

'Op onze eerste pleisterplaats. Stevig drinken. Een stel arbeiders die de bloemetjes buitenzetten.'

'Hoe heet het ook weer, ik ben de naam vergeten.'

'Frankie's Tropical Bar.'

'Weten we dan waar die is?'

'Dat weet elke taxichauffeur. Hij is beroemd.'

'Die vent met het verband om zijn hoofd.'

'Die probeerde een fiets naar die dikke vrouw te gooien.'

'Nu herinner ik het me weer,' zei hij.

'Couleur locale. Goede conversatie. Feestmuziek. Ziekte.'

Om twee uur 's nachts zaten ze er nog. Aan het andere eind van de bar zaten twee mannen en een oudere vrouw. Op de trap naar de toiletten beneden zat een man wijdbeens iets te mompelen over zijn huisbaas die voor de FBI werkte. De FBI had niet alleen in zijn flat camera's en afluisterapparatuur geïnstalleerd, maar overal waar hij kwam. Zij gingen hem voor, ze wisten van tevoren al waar hij heen zou gaan, dag en nacht.

'Ben je wel eens teut geworden van absint?'

'Dat is mijn neus voorbijgegaan,' zei Moll.

'Ernstige zintuiglijke verwarring.'

'Een paar jaar geleden ging ik door een afschuwelijke bisschopswijnfase. Die begon in Zermatt en ik ben er veel te lang en in veel te veel plaatsen mee doorgegaan.'

'Dat is lang zo erg niet als een Caribou,' zei Selvy.

'Ja, die is erg goed. Maar die kun je niet in één adem noemen met een Bellini, die vooral heel goed valt als je toevallig op je terras in Portofino, met uitzicht op de baai, ligt te luieren.'

'Er gaat niks boven een Caribou.'

'Dit is saai,' zei ze. 'Wat een stom gesprek.'

'Je bent in de stad Quebec. Zie het voor je. 22 graden Celsius onder nul. Overal mensen. Het is carnaval. Je krijgt van iemand een glas pure alcohol gemengd met rode wijn. Je drinkt het op. Drie dagen later wordt je lichaam door een sneeuwblazer uitgespuugd.'

'Saai. Dom en saai.'

Grote vlekken, alsof de waterleiding hier en daar was onderbroken, bedekten een gedeelte van een van de muren. In de vloer zaten oneffenheden, onverwachte dalen en bulten. Op een stuk van de muur achter de bar was een onaffe muurschildering – palmbomen.

'Waar kom je vandaan?' vroeg Moll.

'Oorspronkelijk?'

'Oorspronkelijk, of recentelijk, wat dan ook. Of ben jij een van die mensen die zichzelf zien als een man zonder geschiedenis – geen verleden, geen familie, geen banden, geen verplichtingen. Jij bent zo iemand die zichzelf ziet als een man zonder geschiedenis.'

'Maar zo iemand ligt jou juist wel.'

'Zo iemand ligt mij, dat is waar.'

'Omdat het vaak een gemene schoft is,' zei hij.

'En ik val op gemene schoften.'

'Ze zijn meestal heel erg gemeen.'

'Ja, dat vind ik juist erg aantrekkelijk.'

De barman was een Zuid-Amerikaan met een zeer slechte huid. Hij had zijn manchetten twee keer omgeslagen. Het leek of hij op zijn tenen liep – een dikke man, met een schommelend hoofd. De bar was flauw verlicht.

'Arak,' zei ze. 'Ik ben stomdronken geweest van arak – waar?'

'Cyprus.'

'Ja Cyprus, dat klopt. Maar ik geloof niet dat ik ooit op Cyprus ben geweest. Nee, ik ben nooit op Cyprus geweest. Dus dan klopt het niet. Je hebt het helemaal bij het verkeerde eind, Selvy.'

'Het was niet op Cyprus en het was geen arak. Het was ouzo en het was op Kreta.'

'Ik ben inderdaad op Kreta geweest.'

'En het was ouzo, geen arak. Je hebt nog nooit van je leven een druppel arak gedronken.'

'Ik geloof niet dat ik ouzo lekker vind. Dus waarom zou ik er stomdronken van willen worden?'

'Omdat je dacht dat het arak was,' zei hij. 'Maar dat was het niet. En het was ook niet op Kreta. Het was op Malta.'

'Het was malt. Het was maltwhisky.'

'Correct. Dat klopt. Eindelijk ben je voor de verandering een keertje logisch.'

'Krijg ik de verzameling te zien?'

'Geen schijntje kans,' zei hij vriendelijk.

'Is die in Georgetown?'

'Vergeet het maar.'

'Hij wil me wel ontvangen. Ik weet dat hij me minstens zal willen ontvangen. Of hij me ook een echt persoonlijk interview zal toestaan, is weer een ander verhaal. Maar dat kan me eigenlijk ook niks schelen, zolang ik weet dat de verzameling zich in zijn huis in Georgetown bevindt. Ik wil er alleen maar dicht in de buurt komen, begrijp je. Ik wil weten dat ik er dichtbij ben. Dus is zij in Georgetown? Ik wil weten of ik een kansje maak.'

Selvy dronk Poolse wodka. Hij dronk zijn glas leeg en schoof het daarna een paar centimeter naar de binnenrand van de toog. De man die op de trap naar de toiletten zat, praatte nog steeds aan één stuk door over de FBI. Hij kon de camera's en afluisterapparatuur zien. Overal waar hij kwam, waren ze geïnstalleerd. Als hij nu naar een andere bar om de hoek zou gaan, zouden ze daar ook zijn. Als hij de bus uptown zou nemen, zou hij onder de stoelen en langs de metalen omlijsting van de ramen de afluisterapparaatjes en de cameraatjes zien. De mensen zeiden altijd dat hij delirium tremens had. Maar als je delirium had, zag je ratten en vogels en insecten. Hij zag cameraatjes. Piepkleine zendertjes. En ze waren overal.

De barman vulde Selvy's glas. De oude vrouw aan het andere eind van de bar begon ruzie te maken met een van de mannen met wie ze was. Het was blijkbaar haar zoon. De barman staarde naar Moll.

'Headhunter Zombie,' zei ze. 'Ik herinner het me weer. Een bar in een hotel ergens – de Nederlandse Benedenwindse? Waar liggen de Nederlandse Benedenwindse Eilanden? Je mengt papaja, perziknectar, wat donkere rum, nog een beetje donkere rum, wat lichte rum, wat limoensap, wat geschaafd ijs en ik geloof honing. Nog wat bitters erbij.'

Het eerste drievoudige salvo maaide de barman weg en deed glas in het rond vliegen. Moll voelde dat ze tegen de grond werd gesmeten. Er volgde een tweede salvo, een drievoudig gebrul, en overal waren kleine ontploffingen en vlogen voorwerpen rond. Ze realiseerde zich dat Selvy zijn hand van zijn heup haalde en dat er een pistool in zat. Dat was al eerder gebeurd, misschien twee seconden eerder, en het drong net tot haar door, en er drong ook bloed tot haar door, bloed dat van boven op de bar op haar neer droop. Ze drukte zich plat tegen de hoek aan waar de bar en de vloer bij elkaar kwamen, drukte zich zo ver mogelijk met haar hele lichaam ertegenaan. Ze zag overal glas neervallen, en ze hoorde de stem van de oude vrouw.

Selvy nam een voorwaartse positie in, hij lag languit zodat hij een zo klein mogelijk doelwit zou zijn. Hij zag een loop schitteren. Met de revolver in zijn hand geklemd bracht hij zijn vingertop naar de trekker en drukte, naar achteren en zonder haast, hij ademde uit, niet helemaal maar tot op een zeker punt, en nu hield hij zijn adem in terwijl de revolver schoot, en pas daarna ademde hij helemaal uit.

Hij keek of hij iets op het trottoir zag bewegen. Hij wist bijna zeker dat er maar één man had geschoten, die automatisch met korte salvo's had gevuurd. Heel even wist hij niet meer precies waar de man zich bevond, maar toen besefte hij dat hij in de deuropening stond, vanwaar hij probeerde iets in de chaos in de bar te onderscheiden. AR-18. Hij liet de loop omhoogsteken. De klootzak droeg oorbeschermers en een schietbril. Denkt zeker dat hij op een schietterrein is.

In antwoord op het salvo schoot Selvy twee keer. De hele bar explodeerde door lawaai, kogels, rondvliegend glas. De man die op de trap had gezeten kroop kreunend naar de deur met een spoor van bloed achter zich aan en met één slappe arm. De gewapende man stond niet langer in de deuropening, hij was weggelopen, was misschien geraakt. Selvy had sterk de indruk dat de man geraakt was.

Hij stond op en stapte over de kruipende man heen. Hij hoorde een auto wegrijden. De oude vrouw haalde naar hem uit en hij duwde haar met zijn elleboog weg waardoor ze op de grond viel. Er klonk nog steeds gebrul in zijn hoofd, maar de straat was rustig en hij nam niet de moeite om te kijken of er bloed was. Het was eigenlijk van geen belang of hij de man had geraakt. Dat ging hem niet aan. Een bijkomstigheid.

Hij stak zijn .38 weer in de bolle holster aan zijn riem. Moll liep naar het trottoir. Ze had een komische uitdrukking op haar gezicht. Ze leek zich meer te verbazen over het feit dat hij een revolver bij zich had dan over de rest – de man die de bar met een automatisch geweer had doorzeefd, de doden en gewonden.

'Ik zag hem,' zei ze. 'Op het eind heb ik gekeken. Wat droeg hij toch? Hij zag er zo vreemd uit. Hij probeerde naar binnen te kijken. Hij droeg iets over zijn oren en voor zijn gezicht.'

'Gekleurde bril. Schietbril, tegen de rondvliegende kogelsplinters. En oorbeschermers tegen het lawaai.'

'Wie was het? Er liggen doden daarbinnen. Wat is er in godsnaam gebeurd?'

'Ik geloof dat hij niet vertrouwd was met het wapen. Hij stak de loop omhoog toen hij vuurde. Dat wapen is ontworpen om juist te voorkomen dat dat gebeurt.'

'Maar wie was hij in godsnaam? Wat is er gebeurd?'

'Hij hield zijn rechterelleboog verkeerd. Die wees omlaag. Je elleboog hoort recht vooruit te steken, evenwijdig aan de grond als je dat wapen afvuurt.'

'Jezus, hou je eindelijk eens op?' zei ze. 'Wil je me eens vertellen wat er is gebeurd?'

Haar trui en bloes zaten onder het bloed van de barman. Ze stond te trillen. Hij keek haar met een scheve glimlach aan en schudde zijn hoofd. Het speet hem oprecht dat hij niet in staat was enig licht op de situatie te werpen.

Een paar kinderen kwamen uit een portiek en liepen naar Selvy, die dicht bij de kapotgeschoten pui van Frankie's Tropical Bar stond.

'Wij hebben alles gezien.'

'Hoeveel geef je ons als we getuigen?'

'We maken een deal, man.'

'Het was Patty Hearst met een machinegeweer.'

'Welnee, joh, het was Stevie Wonder. Zag je zijn koptelefoon niet? Hij schoot op de maat van de muziek.'

II

RADIALE MATRIX

I Ze parkeerde haar auto helemaal aan het eind van een doodlopende straat met uitzicht op Rock Creek. Het was een warme avond en enkele meters verderop zaten wat kinderen elkaar op een speelplaats achterna. Het rode bakstenen huis was vrij groot, en zat vast aan (wat vreemd, dacht ze) een doorsnee bruin houten huis dat hier helemaal misplaatst leek. Wat vreemd en wat interessant. Toen ze naar het bakstenen huis liep zag ze dat de deurklopper een bronzen arend was.

Lloyd Percival maakte vleiende opmerkingen. Hij wist nog wat ze bij hun vorige ontmoeting in de Senaatsvleugel aanhad, en hij zei iets over het feit dat haar haar nu minder springerig was. Ze zaten aan een kersenhouten salontafel in een ruim vertrek, dat vol stond met antieke meubels en waarvan de muren in koloniale stijl met bladgroen behang waren behangen. Het eerste uur was saai, zeker voor Moll.

'En mevrouw Percival?'

'Die is de meeste tijd daarginds, thuis. Houdt niet van Washington. Heeft ze nooit van gehouden. Ik ben bang dat we uit elkaar zijn gegroeid. Ik heb echtscheiding aangevraagd.'

'Wat doet ze?'

'Ze nestelt zich op de bank met het Warrenrapport. Ze leest nu al acht of negen jaar het Warrenrapport. Negen jaar, denk ik. De volledige uitgave. Zesentwintig delen. Ze draagt een bedjasje.'

'U heeft twee getrouwde dochters.'

En zo ging het maar door. Percival schonk zich weer in. Hij zat met opgetrokken schouders op een canapé, en zijn diepe, vriendelijke stem bromde maar door. Ondanks zijn kraaloogjes en zijn kleine hoofd, dat vanboven enigszins plat was, was hij in Molls ogen minzaam en zelfs sereen. Hij was het type man bij wie mensen zich op hun gemak voelen. Groot, ruig en bedaagd ironisch. Ze zat behaaglijk in haar stoel, gehuld in de gezellige sfeer van de kamer.

'Ik begrijp nog steeds niet waarom ik je niet heb laten doorlichten. Wij lichten mensen zoals jij door.'

'Mijn knisperige haar. Dat ontwapende u.'

'Ik weet waarover je eigenlijk wilt praten.'

'Echt waar?'

'Je wilt het niet over mijn gezin hebben, of over mijn standpunt in politieke zaken.'

'O nee?'

'Laat me iets aan dat drankje van je doen.'

'Nee, het is prima zo.'

'Je wilt het over het onderzoek hebben.'

'Nee, daar vergist u zich toch in.'

'Je wilt over PAC/AAU praten.'

'U zit er helemaal naast, senator.'

'Ik kan het je niet kwalijk nemen,' zei hij. 'Ze hebben bepaalde mechanismen. Operaties via geheime kanalen. Ze hebben zijtakken. Het is vreselijk schokkend. Je zou verwachten dat ik op mijn leeftijd immuun ben voor de dingen die deze mensen allemaal verzinnen. Dat is niet zo.'

'Senator, ik zou er eerlijk gezegd niet over piekeren om u te vragen te openbaren wat er in die besloten zittingen plaatsvindt.'

'Maar die bazin van je dan?'

'Hoezo?'

'Grace Delaney,' zei hij. 'Ik hoor weinig flatteuze berichten over haar. Ze heeft onder andere betrekkingen onderhouden met radicale groeperingen.'

'Een vrouw met een verleden. Dat maakt ons toch juist zo interessant? Met mannen is het ontbreken van een gedocumenteerd verleden blijkbaar boeiend. Dat geldt niet voor vrouwen. Het zijn de schaduwen achter ons die het hem doen.'

'Ik zou graag iets over jouw schaduwen horen.'

'Ik heb met Gary Penner samengewoond. Bel-een-bom?'

'Ja, ik herinner me wel zoiets. De naam komt me bekend voor.'

'Dat mag ook wel, senator. Hij heeft ongeveer tien jaar geleden de helft van die verrekte staat van u opgeblazen.'

Daar moesten ze samen om lachen. Percival kwam langzaam met zijn lange lijf uit de canapé overeind. Hij schuifelde naar het drankkastje en kwam terug bij de salontafel met een fles Jack Daniel's.

'Je begrijpt dat niets van wat ik je vertel aan mij mag worden toegeschreven. Het mag niet alleen niet worden toegeschreven, het is ook ongedocumenteerd, ongegrond en onwaar. Ik ontken alles van tevoren. Wie dit ook naar jou heeft gelekt, welk comitélid dat ook mag zijn, hij overtreedt niet alleen de wet – hij geeft een volkomen verkeerde voorstelling van de feiten.'

'Wat u in feite bedoelt, senator, is dat u op een gegeven moment besloot dat *Jachthond* precies het tijdschrift is waar dit soort verhaal om vraagt. Niemand anders wil er iets mee doen, omdat u niet van plan bent om ook maar enig bewijs te leveren voor de juistheid ervan.'

'Het is allemaal nooit gebeurd. Ik herhaal. Het zijn alleen maar leugens. Ik vind het uitermate onvoorstelbaar dat dergelijke dingen in de pers terecht konden komen, enzovoort, enzovoort.'

Hij vertelde haar dat PAC/AAU – het Personeels Advies Comité, Afdeling voor Afschriften en Uitbetalingen – ogenschijnlijk was opgezet als het voornaamste budgettaire bedrijf van de gehele Amerikaanse inlichtingendienst. De instantie, die uitsluitend met niet-geclassificeerde taken was belast, was opgezet als reactie op de kritiek op de steeds grotere uitgaven van de inlichtingendienst.

Geheime activiteiten behoorden niet tot hun bevoegdheid. Personeel aannemen, ontslaan, betalen, promoveren, budgetbeheer. Dit was voor de buitenwereld het terrein van PAC/AAU en het reikte niet verder dan de wettelijke, administratieve en boekhoudkundige taken. Duizenden mensen, verspreid over een aantal branches. PAC/AAU leek op het oog op de personeelsafdeling van een groot bedrijf.

Op het oog.

Maar het onderzoekscomité van de senator was erachter gekomen dat PAC/AAU een geheime branche had, het soort dekmantelorganisatie dat bekendstaat als particulier. Dat was Radiale Matrix, een wettige vennootschap met het hoofdkantoor in Fairfax County, Virginia. Radiale Matrix – de woorden betekenen op zichzelf niets – was een systeemontwerpbedrijf. Ze gaven adviezen en installeerden productie- en vervoerssystemen. Tot hun clientèle behoorden bedrijven door het hele land en in een aantal andere landen. Gedurende de afgelopen drie jaar waren ze enorm succesvol met verscheidene dochterbedrijven en nevenactiviteiten. De enige officiële connectie tussen PAC/AAU en Radiale Matrix was een contract dat de laatste had om een nieuw gecomputeriseerd salarissysteem bij de eerste te installeren.

De enige officiële connectie.

Radiale Matrix was in werkelijkheid een gecentraliseerd financieringsmechanisme voor onofficiële activiteiten tegen buitenlandse regimes, tegen elementen binnen buitenlandse regimes en tegen politieke partijen die probeerden macht te verkrijgen die strijdig was met de belangen van Amerikaanse bedrijven in het buitenland. Het was verantwoordelijk voor het doorstromen en witwassen van geld voor onofficieel branchepersoneel, autochtone agenten, terroristenorganisaties, het ronselen van deserteurs, bijdragen aan politieke partijen, het infiltreren in buitenlandse communicatienetwerken en posterijen. Enzovoort, enzovoort, enzovoort.

'Als je de achtergrond van hervormingen bestudeert,' zei Percival, 'dan zie je dat er altijd een tegenbeweging ingebouwd is. Een geheime, duistere passie. Er zijn altijd mensen bereid nieuwe geheimen te bedenken, nieuwe bureaucratieën van terreur.'

'Laat u zich omwille van mij niet meeslepen.'

'Ik moet er eerlijkheidshalve wel op wijzen dat zover ik weet, deze activiteiten van PAC/AAU redelijk kleinschalig zijn, vergeleken met de verkwistingen door de CIA die het verlangen naar hervormingen in gang hebben gezet. Vanzelfsprekend worden ze door een aantal van dezelfde mensen gerund. Waar het mij om gaat is dat deze activiteiten tegemoetkomen aan de historische tegenbeweging. Ze nemen de kleine, duistere plaatsen in. En ze zijn illegaal. Ze zijn in strijd met de geest en de letter van elke wet, elke instructie betreffende inlichtingenzaken.'

Een van de wonderen hiervan was, vervolgde de senator, dat Radiale Matrix strikt als zakelijke onderneming zo'n geweldig succes heeft geboekt. Dat was vast en zeker een verbazingwekkende ontwikkeling voor die lui bij PAC/AAU, die niet hadden verwacht dat hun bescheiden creatie zo'n enorm succes zou worden.

Moll vertelde de senator dat ze dat allemaal niet zo verbazingwekkend vond, ontwikkelingen en onthullingen in het verleden in aanmerking genomen. Daar had Percival een antwoord op.

Nog één niveau van activiteiten.

De huidige directeur van Radiale Matrix heette Earl Mudger. Hij was een voormalig commandant van een eskader gevechtsvliegtuigen (Korea) en een werknemer met een langlopend contract bij de CIA (bureau in Saigon, Air America) en was persoonlijk uitgekozen door PAC/AAU. Eind jaren vijftig had hij korte tijd niet-militaire ervaring opgedaan bij een firma die was gespecialiseerd in toevoersystemen en automatisering.

Mudger was blijkbaar de juiste man op de juiste plaats – meer dan dat zelfs, zoals bleek. Hij werd verliefd op winst. De winstmotivatie werd in deze fase van zijn carrière interessanter voor hem dan betalingsafschriften of geheime bankrekeningen of wat voor onzinnige boekhouding het ook vereist om agenten in het veld te houden en geld in handen te spelen van favoriete politieke leiders in dit of dat land.

De senator schonk zichzelf nog eens in en legde zijn voeten op de salontafel. Hij begon onduidelijker te praten.

'Het is namelijk zo dat PAC/AAU de controle is kwijtgeraakt over zijn eigen operaties. Radiale Matrix is een aparte eenheid van het informatieapparaat van de vs geworden. Niemand weet hier goed raad mee. Mudger is volstrekt autonoom. Ze zijn bang hem te dwarsbomen. Openbaar onderzoek van het geldmechanisme is onacceptabel. En dat zou kunnen gebeuren als ze hem willen uitschakelen. Er kan van alles gebeuren. Inclusief de openbaarmaking van de oorzaak dat Radiale Matrix zo'n succes is geworden.'

'Die oorzaak zou ik wel willen weten.'

'Mudger is zijn veldtraining niet vergeten. Hij past dezelfde methodes toe in zaken als destijds bij zijn spionageactiviteiten – in daadwerkelijke gevechten. Daarom is de firma zo'n overweldigend succes. De man heeft zijn eigen regels opgesteld en staat niemand anders toe die te gebruiken. Hij heeft allerlei banden – georganiseerde misdaad, enzovoort. En hij zit daar rustig op het platteland zijn winst te verhogen. Het laatste plan is diversificatie. Kennelijk is systeemplanning te saai geworden. Hij wil spreiden.'

Ze dachten hier beiden in stilte over na.

'In Mudger,' zei de senator, 'zie je een combinatie van zakelijk instinct, passie en impulsen, met politietactieken, met uiterst verfijnde vaardigheden van detectie, toezicht, afpersing, terreur en dat soort zaken.'

'Dat lijkt op wat Chaplin zei in verband met *Monsieur Verdoux*. De logische uitbreiding van zaken is moord.'

Om uitdrukking te geven aan zijn gevoelens over dit onderwerp huiverde Percival een beetje theatraal. Hij leunde naar voren om haar bij te schenken. Ze wuifde hem beleefd weg. Hij haalde een paar ijsblokjes uit het emmertje op de drankkast en bracht ze in zijn linkerhand mee. Hij keek hoe ze één voor één in zijn glas gleden. De straatverlichting was aangegaan. Er drongen geen geluiden van spelende kinderen meer door. Moll keek hoe hij rustig zat te drinken. Hij dronk zijn glas leeg en schonk weer in.

'Ik houd van lange vrouwen,' zei de senator.

'Dus hij wil diversifiëren.'

'Laat me je iets vragen.'

'Ga uw gang.'

'Heb je ooit wiet gerookt?'

'Heb ik ooit wiet gerookt? Ja zeker, senator, vroeger.'

'Dat dacht ik al.'

'Als vrouw met een verleden,' zei ze.

'Wat ik graag wilde weten: heb je wat bij je?'

'Nee, sorry.'

'Eerlijk gezegd had ik graag gerookt. Enkele jaren geleden toen mijn jongste dochter een jaar of twintig was, vond ik dat we dat hoorden te doen, omdat ik wist dat zij rookte, ik wist dat ze rookte.'

'U dacht dat het u tweeën dichter bij elkaar zou brengen.'

'Ik wilde het echt,' zei hij.

'Waar, in de rotonde van het Capitool?'

Hij dronk zijn glas leeg en schonk zich weer in.

'Ik houd van lange vrouwen.'

'Ik zou graag wat meer over die vent Mudger horen. Als u wilt dat dit geplaatst wordt, hoort u me alles te vertellen wat u weet. U zegt dat hij wil diversifiëren.'

'Ik vraag me iets af.'

'Ja?'

'Hoe mag ik je noemen?' zei hij. 'Onder ons.'

'Moll is prima.'

'Moll, kun je een geheim bewaren?'

'Natuurlijk, waagt u het er maar op.'

'Ik had contact met een man. De details doen niet ter zake, namen en zo. We ontmoetten elkaar op een feestje. Eerst was er een feestje. Een vernissage in een New Yorkse galerie en daarna een feestje. Je weet hoe dat gaat. Er wordt wat gekletst over politiek, seks, film, en allerlei onzin. Je kent het wel. Daarna was er een tweede feestje dat een afsplitsing was van het eerste. Een klein groepje gelijkgestemden. Heel klein. We hadden bepaalde interesses gemeen.'

'Zoals?'

'Dat hoort niet bij het geheim. Dat is weer een ander geheim.'

'Gaat u alstublieft door,' zei ze.

'Die man die ik daar ontmoette. Op het tweede feestje. Later kwam ik erachter dat hij systeemanalist was. Werkte op contractbasis voor

Radiale Matrix. Volstrekt fatsoenlijk. Hij had niets te maken met hun geheime functie. Maar dat wist ik toen nog niet. Hij had het op het feestje over iets wat hij wilde verkopen. Iets wat ik graag wilde kopen. We waren gelijkgestemden daar. Het gesprek ging voornamelijk één kant op. En ik hoorde er van het voorstel van deze man om te verkopen. Dus wij praatten met elkaar en we maakten een afspraak om elkaar nog een keer te zien. In mijn positie, gezien de positie die ik bekleed, werd dat heel discreet gedaan, en er werden zorgvuldige voorzorgsmaatregelen getroffen. Maar ik gaf hem wel een nummer waarop hij me kon bereiken. Dat deed ik omdat hij weigerde zelf te worden gebeld. Dat was absoluut uitgesloten. Later kwam ik er ook achter dat hij door zijn werk voor Radiale Matrix, volstrekt fatsoenlijk, bevriend was geraakt met Earl Mudger. Mudger was in dezelfde aankoop als ik geïnteresseerd. Diversificatie. Zijn plan om te diversifiëren. Maar toen, nog voor we voor de tweede keer met elkaar konden praten, werd de man die ik had gesproken dood aangetroffen in een of ander leegstaand pand in New York. Maar dat is strikt onder ons. Achtergronddetail. Omdat ik je vertrouw.'

'Ik begrijp het.'

'Dus ik wil wedden dat er nu twee onderzoeken gaande zijn. Ik onderzoek hen. En ik wil wedden dat zij mij onderzoeken. Met de bedoeling om mij te chanteren. Met het oogmerk te chanteren. Daarom moeten we voorzichtig te werk gaan. Alles wat we doen is aan extreem zorgvuldige procedures onderworpen.'

Ze zag dat hij begon te knikkebollen. Twee minuten later schrok hij weer wakker.

'Ik ben nieuwsgierig naar het huis, senator.'

'Heb je nu wel of niet wiet bij je?'

'Ik vind het zo leuk om in de huizen van andere mensen rond te kijken.'

'Ik wil wiet roken met een lange vrouw.'

'Wilt u me uw huis niet laten zien?'

'Als ik je het huis laat zien, moeten we naar de slaapkamer gaan. Je hoort de slaapkamer evengoed als de andere kamers te zien. Alle kamers zijn even belangrijk als iemand je zijn huis laat zien.'

'Laat me de slaapkamer maar zien, senator.'

'Zeg maar Lloyd,' zei hij.

Hij kwam moeizaam overeind en stak zijn rechterhand uit. Zij pakte die en liet zich door hem een trapje op leiden. Boven aan het trapje struikelde hij. Hij stond met haar hulp weer op, en daarna liep hij de slaapkamer in, waar hij opnieuw viel. Ze zag hem naar het grote hemelbed toe kruipen.

'Waar is uw huishoudster? Hebben senatoren geen huishoudster? Een of ander omaatje om de achterklep van uw pyjamabroek dicht te knopen.'

'Ik heb haar de avond vrijaf gegeven.'

'Dat maakte zeker deel uit van uw verleidingslist? Jezus, Lloyd, wat zonde. Al die moeite voor niets.'

'Het zijn allemaal leugens. Ik herhaal: we hebben dit gesprek nooit gevoerd.'

Ze hielp hem in bed en wachtte tot zijn ademhaling regelmatig werd en hij de grenzen van de slaap gepasseerd was. Daarna liep ze de gang door en sloeg links een hoek om. Ze wilde het meest oostelijke deel van het huis vinden, de kant die aan het bruine houten huis ernaast grensde.

In de gang hingen antieke kandelabers, affiches van omstreeks de eeuwwisseling en gravures van stoomschepen aan de muren. Ze doorzocht drie kamertjes. In het laatste kamertje stonden twee stoelen met een rugleuning met spijlen, een spinnewiel en een Queen-Annesecretaire. Moll vond de plaats van de open haard opvallend. De oostelijke muur. Het scherm stond niet op zijn plaats voor de haard. Het leunde tegen een van de stoelen.

Het was de schoonste open haard die ze ooit had gezien. Ze liep ernaartoe en boog zich voorover om hem goed te bekijken. De haard was nep. Er was geen schoorsteen. Bovenin zaten alleen bakstenen. Het achterste gedeelte was van hardhout. Ze pookte in het duister wat rond en stuitte op een grendeltje. Toen ze het optilde en ertegen duwde, zwaaide dat segment open. Het hokje van een priester. Ze kroop niet, maar wurmde zich er diep voorovergebogen doorheen. Ze voelde zich onmiddellijk gevangen. Bijna volslagen duisternis.

Drie meter verderop kwam er een eind aan deze benauwde ruimte. Rechtopstaand voelde ze langs de muren aan beide kanten. Haar hand vond een dimmerknop en ze trok die naar voren en draaide hem ongeveer negentig graden.

Ze ontdekte dat ze op een balkon met een roostervloer stond dat uitkeek over een enorm vertrek in mediterrane stijl. Ze liep een overdekte trap af met ingelegde, abstracte glazen panelen erlangs. Beneden was een parketvloer, en in het midden lag een rechthoek van pauwentegels. Er stonden grote tropische planten.

Aan de muren hingen een stuk of vijfenvijftig schilderijen. Tussen de planten stonden sculpturen. Er waren kleine groeperingen met aardewerk, sieraden en porselein. Een stenen fontein stelde een vrouw voor die op haar knieën lag voor een krijger met een erectie. Ingebed in een gedeelte van een muur van matglas was een bronzen medaillon waarop een tafereel met Griekse courtisanes stond afgebeeld. Op de betegelde rechthoek stond een groot bronzen beeld: twee mannen en een vrouw. Moll liep eerst langs de muren en bekeek de schilderijen en tekeningen. De meeste waren erg mooi, en ze waren allemaal voorzien van een naambordje. Icart. Hokusai. Picasso. Balthus. Dalí. De Kangraschool. Botero met zijn enorme figuren zonder nek. Egon Schiele met zijn onbeminde naakten. Hans Bellmer. Tom Wesselmann. Clara Tice.

Ze liep een paar keer heen en weer door de kamer en bekeek aandachtig de beelden, het aardewerk, de koorbanken die met de hand waren uitgesneden – naakte vrouwen met gargouilles. Ze realiseerde zich dat er geen deuren of ramen waren. Hij had het hele huis vanbinnen verzegeld, alle openingen waren dichtgemetseld en -gepleisterd. Er stonden verplaatsbare bevochtigingsapparaten voor de planten. Er was een ingewikkeld verlichtingssysteem. De enige toe- en uitgang was via de open haard in het 'eigenlijke' huis.

Haar fototoestel lag in de auto. Ze overwoog het te halen. Nu ze de verzameling had gevonden, wist ze niet wat ze ermee aan moest. Misschien had Grace Delaney gelijk. Er waren geen vertakkingen. Het was niet politiek. Het was volkomen privé, en had niets uit te staan met plots en verwikkelingen. Ze neigde ertoe de senator gelijk te geven. Het ging in dit geval inderdaad om Radiale Matrix.

Op een ander vlak stond ze vreemd onverschillig tegenover de objecten om haar heen. En dat ondanks hun hoge niveau, de dramatische ruimte, de geheimzinnigheid van de situatie, de mooie details, en het onderwerp zelf. Ze was nog het meest onder de indruk van de beperkingen die inherent waren aan deze kunstwerken. Ze herinnerde zich wat Lightborne had gezegd over oude en nieuwe vormen. De moderne ontvankelijkheid kwam voort uit een andere code. Beweging. Het beeld moest bewegen.

Selvy kon vanuit zijn raam een kleurloze strook van de Anacostiarivier zien. Hij had zich al tweeënhalve dag niet geschoren, voor het eerst sinds zijn contrarevolutionaire opdracht bij de Marathonmijnen in

Zuidwest-Texas, een trainingsbasis voor paramilitaire elementen van verscheidene inlichtingeneenheden en de geheime politie van bevriende buitenlandse regimes.

Scheren was een symbool van strengheid, van de strakke discipline van een dubbelleven. Scheren. Het goed onderhouden van de oude gevechtsuitrusting. Plaatsen aan het gangpad in vliegtuigen en treinen. Seks uitsluitend met getrouwde vrouwen. Dit waren merendeels persoonlijke eigenaardigheden, aspecten van zijn psychologische overlevingsstrategie.

Hij had de regel ten aanzien van seks geschonden en nu had hij een baard van bijna drie dagen. Maar de routine was nog steeds van toepassing. De routine behelsde in één opzicht het lijfelijk op en neer reizen tussen New York en Washington en de vaste onderdelen van de procedure, de subroutines, die daarbij kwamen kijken. In ruimere zin was de routine een geestesgesteldheid, en bestond zij uit al die mechanisch uitgevoerde werkingen van het intellect waar dit soort werk om vroeg. Je zorgde dat je er was voor connectie A, maar connectie B liet je glippen. Je voelde dat het je vrijstond om aan fase 1 van een bepaalde operatie te twijfelen, maar sloot jezelf af voor de implicaties van fase 2. De woorden in de uitdrukkingen die je gebruikte waren inwisselbaar.

De routine zat hem erin hoe je geest was gaan werken; welke gebieden je vermeed; de persoon die je was geworden.

Hij had vanaf het begin geweten dat Christoph Ludecke systeemanalist was. Toen de doorbraak kwam – senator gekoppeld aan travestiet – was het beroep van de dode man een van de eerste dingen waarnaar werd gekeken.

Hij wist ook al dat systeemplanning de dekmantel was waaronder Radiale Matrix opereerde in zijn rol als sponsor voor geheime operaties. Blijkbaar. Radiale Matrix – een abstractie gepersonifieerd door Lomax, zijn enige contact – was de eenheid waarvoor hij werkte.

Het was een onverwacht verband. Het paste niet in de vertrouwde wereld zoals die onlangs was opgebouwd. Het was een vreemd element in een reeks gebeurtenissen die voor het overige op een begrijpelijke manier met elkaar waren verbonden.

Daarom was de routine belangrijk. Hij hield zich aan de routine. Die stelde hem in staat om deze vreemde informatie ergens in zijn hersens weg te stoppen: Ludecke en Radiale Matrix, een samengaan van belangen dat alleen maar kon leiden naar gebieden waarvoor hij niet het voorrecht of de bevoegdheid had die te betreden. Hij was tenslotte geen rechercheur. Hij construeerde geen theoretische modellen van gebeurtenissen rondom een misdaad. En hij hield zich evenmin met beleid bezig. Ludecke was gekoppeld aan de senator. Het paste niet binnen Selvy's gezichtsveld om over andere koppelingen na te denken, zelfs niet als ze misschien te maken hadden met zijn eigen fundamentele bestaan. Juist dan niet. Daarvoor had hij de routine.

Terwijl hij uit het raam stond te kijken hield hij in zijn rechterhand de .41 magnum, geladen met uitzetbare kogels. Selvy's respect voor het uitvoeren van een operationele methode werd een ware passie waar het revolvers betrof. Hij ging regelmatig naar het schietterrein om te oefenen met het vizier voor precisierichten en de beheersing van het overhalen van de trekker. Hij oefende droog, maar wel met echte kogels. Hij oefende zijn greep en vingerposities. Hij deed oefeningen om zijn hand stil te houden.

Dat behoorde eveneens tot de routine.

Hij hield de magazijnen schoon. Hij nam voorzorgsmaatregelen tegen vervuilde zielen en corrosie. Hij bezat een groot aantal smeeroliën, borstels, wattenstaafjes, ontvetters, middelen voor onderhoud en verbetering, en om vuil te verwijderen.

Revolvers en hun onderdelen stonden voor Selvy gelijk aan een inventaris van zijn persoonlijke waarde. Hij had controle over het wapen, zijn reflexen en zijn beoordelingsvermogen. Door de onderdelen ervan te onderhouden en te weten wat de speciale kenmerken van het wapen waren, toonde hij zijn betrokkenheid bij zijn eigen welzijn.

De onderdelen die nu voor hem lagen uitgespreid, leken gewoon op die van routinewapens. Toch was er een bepaalde orde in de groepering; een zekere precisie. Hij kon zien dat de buitenkant van elk voorwerp zo was ontworpen dat die bij ten minste één andere buitenkant paste. De onderlinge relaties vermeerderden en verbreedden zich. De dingen pasten.

Doordat de routine Selvy verhinderde naar menselijke relaties op zoek te gaan, richtte hij zich op de bestudering van de interactie binnen een mechanisme.

Op het schietterrein oefende hij zijn houding, ademcontrole, focus. Het ging erom zoiets als een tweede zelf te construeren. Iemand die slimmer en onthechter was. Als je dat perfect kunt, heb je een nieuwe standaard ontwikkeld voor tijden van gevaar en stress. Hij stond in een hoek van vijfenveertig graden ten opzichte van de voorgenomen vuurlinie. Hij probeerde zijn elleboog niet op slot te zetten.

Hij schoot, focuste zijn meesteroog, het rechteroog in dit geval, op het vizier van het wapen.

Een revolver is intiem. Een functioneel accessoire. Je draagt het. Het past je wel of het past je niet, en vice versa.

Hij vond het geruststellend om de onderdelen op te pakken, hun namen te kennen en hun functies te begrijpen. Aandacht voor detail is een vorm van waakzaamheid. Zijn bereidheid om de dodelijke macht die hem ter beschikking stond te gebruiken kende geen nuances. Dat was heel duidelijk, die beslissing. Het bevestigde zijn band met het wapen zelf.

Avond. De kamer was donker. Hij ging niet bij het raam weg om het licht aan te doen.

Seks met een ongetrouwde vrouw. Tweeënhalve dag zonder zich te scheren. Kleine nalatigheden. Hij zag het humoristische van zijn eigenaardigheden wel. De routine bleef van toepassing. Daar ging het voornamelijk om. De routine was van toepassing in die mate dat hij zich niet actief bezighield met de vraag wie degene zou kunnen zijn geweest die in de deuropening van die verlopen bar stond en met een automatisch pistool naar binnen schoot, of wat de redenen erachter waren, of wie er geraakt moest worden.

In een bergruimte in H Street doorzocht Moll Robbins de dossiers van *Jachthond*, voor zover die over Earl Mudger gingen.

Hij leidde vanaf bases in Japan aanvallen met F-84's tegen geselecteerde vijandelijke doelen in Korea. Deze luchtaanvallen waren evenzeer als oorlogsmissies bedoeld als om de procedures voor bijtanken te testen. Hij was ook coach van het voetbalteam, de 116de Gevechtsbommenwerper Vleugel.

Nog in Korea nam hij ontslag en vervolgens bracht hij een jaar door in speciale paramilitaire programma's die gerund werden door de inlichtingendienst van de luchtmacht – een dienstverband voor onbepaalde tijd.

Hij ging er weg om in het burgerleven terug te keren als vice-president van Distributie, Procesmanagementsystemen, een bedrijf waarvan het hoofdkantoor in Oklahoma City was gevestigd.

Drie jaar later was hij hoofdopleidingsofficier bij de Marathonmijnen, een verlaten zilvermijn in een onherbergzaam gebied ten noorden van de Rio Grande, waar anti-guerrillaspecialisten overlevingstechnieken doceerden en oorlogsscenario's opvoerden.

In Laos was hij als contractofficier verbonden met Air America tijdens operaties die in het geheim door de CIA werden gedirigeerd.

In Vietnam, nog steeds op contractbasis, ronselde hij manschappen en voerde het bevel over contraterroristische eenheden tegen de Vietcong. Later hielp hij een netwerk van provinciale verhoorcentra opzetten, waar Vietcongverdachten werden gemarteld. Daarna runde hij een geheime operatie in Saigon, die huursoldaten ronselde voor speciale operaties. Het was in de periode dat Mudger aan de Special Forces was uitgeleend voor onbekende taken, dat hij een soort legende werd in Vietnam. Hij stichtte er blijkbaar een feodale staat, inclusief loyale ARVN- (Zuid-Vietnamese) soldaten (loyaal aan hem, niet aan de regering), en verder onder meer pooiers, zwarthandelaars, schoenpoetsers, oorlogsvluchtelingen, barmeisjes en zakkenrollers. De onderneming werd ervan verdacht een drugskartel te zijn met een bloeiende zijlijn van zwartemarktgeld. Als hoofd deelde Mudger land, geld, voedsel en andere gunsten uit.

Hij zette in de jungle ook een privé-dierentuin op aan de rand van een dorp dat Tha Binh heette. Hij slaagde erin de dierentuin te bevolken met tijgers, wolven, olifanten, pauwen, slangen, luipaarden, mensapen, gewone apen, zebra's, hyena's en neushoorns.

Moll trof bijna al deze informatie in één krantenbericht aan. Voor het merendeel achtergrondinformatie voor een AP-bericht over Mudgers ondernemingen ten tijde van de val van Saigon. Rondzwaaiend met een browning automatisch pistool, voerde hij het commando over een C-123 transportvliegtuig dat was uitgerust voor ontbladering en waarin hij op de dag voor de stad viel de meesten van zijn mensen aan boord stouwde, samen met zeventien van zijn dieren.

Lomax legde zijn voeten op het klapstoeltje. Hij opende zijn attaché-koffertje en haalde er een rode map uit.

HET DORISHRAPPORT
Een vertrouwelijke informatiedienst

Hij sloeg de eerste bladzijde om en begon te lezen.

Geachte meneer,
Op uw verzoek en met uw goedkeuring is er een onderzoek gedaan betreffende Grace B. Delaney, hoofdredactrice van het

tijdschrift *Jachthond*, dat het bezit is van Jachthond Publicaties, welke persoon woonachtig is op 116 East 61st Street, New York, NY 10021, met het oogmerk de achtergrond, reputatie en verantwoordelijkheden van Grace B. Delaney vast te stellen. Teneinde uw lezing en analyse te vergemakkelijken zijn de resultaten van ons onderzoek hiernavolgend uiteengezet onder een aantal koppen.

De koppen waren: Identificatie, Achtergrond, Persoonlijke relaties, Krediet, Rechtszaken en Financiën. Lomax nam eerst de Persoonlijke relaties even snel door, maar hij vond Financiën ten slotte interessanter. Vooral belastingzaken.

Onder aan de laatste bladzijde stond cursief een verklaring afgedrukt:

Dit rapport is u ter beschikking gesteld op uw nadrukkelijk verzoek, aangezien u ons hiervoor heeft ingehuurd. Het is een vertrouwelijke communicatie, en de informatie die het bevat mag niet aan derden worden verstrekt, hetzij mondeling of anderszins.

Het eindigde met: Het Dorishrapport, Vertrouwelijk Onderzoek ten dienste van de Speciale Behoeften van de Jaren Zeventig.

Toen Moll probeerde in H Street een taxi aan te houden, zag ze de zwarte limousine langzaam voor haar tot stilstand komen. De chauffeur was een man met vierkante kaken, een donker pak aan en een pet op. De man die achterin zat en het portier aan haar kant opende, droeg sportkleren en mocassins. Hij glimlachte vriendelijk.
    'Kom maar, ik neem je wel mee.'
    'Waarheen?'
    Een schouderophalen.
    'Naar de senator, zeker,' zei ze.
    Glimlach.
    'De senator wil zeker zijn excuses aanbieden?'
    Glimlach.
    'Dan houd ik dat nog te goed,' zei ze. 'Zeg maar tegen hem de volgende keer.'
    'Daar doen wij niet aan. We houden nooit iets te goed.'
    'Zeg maar tegen hem dat ik hem hartelijk bedank.'

'Het is dringend,' zei de man.

Dat was niet aan zijn gezicht af te lezen. De glimlach was er nog wel maar alleen in de vorm, er was geen spoor van vriendelijkheid meer in te bespeuren. Er was geen noodzaak voor in de plaats gekomen. Gewoon ongeduld, dacht ze. Maar omdat ze het zo eigenaardig vond, liep ze toch niet weg. Ze voelde zich een beetje gespleten. Limousine, chauffeur, assistent van een senator. Als Percival met haar wilde praten, zou het dwaasheid zijn om hem, gezien de onthullingen van de avond ervoor, nu af te wijzen.

Ze stapte in de auto en probeerde intussen een stuk of wat gedachten op een rijtje te zetten. Ze zag dat ze in westelijke richting door K Street reden. De man in de sportkleren stak een sigaret op.

'Hij is zeker in zijn huis in Georgetown?'

De man streek eerst aan de ene en daarna aan de andere kant over zijn bakkebaarden.

'Neemt hij even vrij van zijn drukkende plichten op Capitol Hill?'

Ze reden Washington Circle voorbij en waren nu op een snelweg langs het kanaal. Ze draaiden de oprit naar een brug op en toen Moll achterom door de achterruit keek, realiseerde ze zich dat ze Georgetown net achter zich hadden gelaten.

Zonder precies te weten waarom, begon ze hardop de borden langs de weg te lezen. Bij een bepaalde bocht in de weg scheen de zon volop de auto binnen en toen ze naar de bekleding van de achterbank keek, zag ze dat die vol met hondenhaar zat.

Ze waren Falls Church al spoedig voorbij en reden nu buiten, tussen weilanden waarin zwarte, Britse koeien graasden. Wanneer de auto langs lange rijen motels, tuincentra, supermarkten, auto- en truckhandelaars kwam, reed hij even wat langzamer. Beken heetten hier stroompjes. De winkels langs de weg adverteerden met relikwieën van de burgeroorlog.

2 Lightborne droeg een hoed met een veertje in de band. Een cadeautje van een van zijn klanten, die dacht dat hij goed bij zijn norfolkjasje zou staan. Hij had de hoed voor deze ene keer op gezet om na het eten een wandelingetje te maken door het galeriedistrict. De hoed gaf hem het gevoel dat hij een ervaren sportjournalist was die de wedstrijd van het leger tegen de marine versloeg op een heldere, frisse dag in november. Of een man die in 1957 een zondags ritje maakte in zijn Buick Roadmaster.

Toen hij terugkwam in de galerie rinkelde de telefoon. Het was Richie Armbrister, de tweeëntwintigjarige pornohandelaar, die hem belde via een speciale verbinding aan boord van zijn voor hem persoonlijk aangepaste DC-9, die zojuist was geland op JFK.

'Ik ben weer terug uit Europa, Lightborne. We zijn in het donker geland. Ik vind het vreselijk om 's avonds te landen.'

Zijn hoge piepstem zond kleine, golvende trillingen door Lightbornes zenuwstelsel.

'Hoor je die muziek? Dat is mijn disco. De mensen zijn aan het dansen. Ze dansten tijdens het landen. Luister, ik wil je iets vragen. Is het nog steeds warm? De speelfilm, bedoel ik. Die zaak waar je het over had. Hoe dicht zitten we erop?'

'Ik zou zeggen heel dicht, Richie, en dan geloof ik niet dat ik overdrijf.'

'Goed, luister, daar hebben we het nog wel over. Ik kom naar je toe. Er is een oponthoud voor onderhoud. Ik wil die zaak beslist verder uitzoeken. Hoe meer mensen ik spreek, hoe vaker ik hoor over de mogelijkheden winst te maken met niet eerder vertoonde films. Ik heb nieuwe connecties gekregen in de hoofdsteden van Europa. Speelfilms. Ze zijn daar helemaal weg van speelfilms. Exploitanten schreeuwen om meer films. Dus ik geloof dat ik het er wel op durf te wagen, Lightborne. Misschien kan ik straks wereldwijd distribueren.'

Richie maakte deze laatste opmerkingen op een rustige en serieuze manier. Een bemoedigende ontwikkeling. Lightborne voelde zich gerustgesteld.

'Betty's azaleakwekerij,' zei Moll.

De man las een krant.

'Top-zwembadaccessoires.'

Ongeveer honderd meter voorbij de Vrije Wil Baptistenkerk van Centreville draaide de limousine een onverharde weg zonder naambordje in. Achthonderd meter verderop reden ze een één verdieping hoog L-vormig huis met twee lange zijvleugels voorbij. De grond ervoor was niet beplant. Na ongeveer drie kilometer stopte de auto in een bosje met rode eiken bij een groot stenen huis. Twee Shetlanders stonden binnen een omheining met een hek van cederstammetjes. Aan een kant van het huis lag een vijver en daarachter waren een paar stallen.

Ze stapten uit de auto. Moll zag hoe in een naburig weitje een kleine helikopter landde. Er sprongen twee mannen uit; ze droegen nauwsluitende jeans, spijkerjacks, zonnebrillen en stetsons. Terwijl ze naar de achterkant van het stenen huis liepen, steeg de helikopter langzaam op en vloog schuin in de richting van het donkere bos in de verte. Ze was er vrij zeker van dat de mannen Aziaten waren; ze zagen er jongensachtig uit met hun strakke broeken en kleine cowboyhoeden.

Earl Mudger stond in de deuropening. Moll merkte dat haar begeleider bleef staan en haar alleen naar het huis liet lopen. Mudger droeg een smidsvoorschoot en dikke werkhandschoenen. Hij was een stevig gebouwde man met korte krullen, asblonde wenkbrauwen en een krachtige, licht vooruitstekende kaak – het toonbeeld van een man die niet snel ouder wordt. Zijn ogen waren een fijn, zijdeachtig blauw. Hij had een gebogen neus, dikke nek en iets van de toverachtige glans van een surfer – zijn ogen en haar en wenkbrauwen glommen een beetje, alsof ze door de elementen waren verbleekt.

Ze liep achter hem aan naar een rieten tafel onder een eikenboom. Hij trok zijn handschoenen en zijn voorschoot uit en wierp ze op een van de stoelen. Een oude Aziatische vrouw bracht citroenlimonade en koekjes. Moll zag aan Mudger dat hij zichzelf een charmeur vond. Hard maar sympathiek. Ze trok haar gezicht in een Kille-Directeursplooi.

'We moeten eens praten.'

'Prima,' zei ze.

'In de eerste plaats: alles wat Percival je gisteravond heeft verteld, was met een factor zeven overdreven.'

'Wat heeft hij me gisteravond verteld?'

'Ik kan het zo voor je afspelen. In de tweede plaats maakt het niets meer uit omdat ik niet langer met PAC/AAU of Radiale Matrix, of Lloyd Percival te maken heb. Een geboren vrijbuiter, dat ben ik. Geen banden meer. Ik heb geen banden meer. Tijd om met pensioen te gaan.'

'Een leven van meditatie,' zei ze.

'Het derde feit is dat je de verbanden helemaal door elkaar haalt, ervan uitgaand dat je gelooft wat de senator je vertelde. Heb je je ooit afgevraagd waar Percivals selecte comité zijn informatie krijgt? Lomax is Percivals man. Lomax is de bron van alles wat het comité weet.'

'Wie is Lomax?'

'De man in de limousine.'

'Ik heb hem twee keer bij vergissing voor de man van de senator aangezien. Ik geloof een keer in New York. Nu hier.'

'Je hebt je niet vergist,' zei Mudger. 'Loyaliteiten zijn zo met elkaar verweven, het is allemaal een spel. De senator en PAC/AAU zijn niet half elkaars tegenstanders waar het publiek ze voor houdt. Ze overleggen voortdurend met elkaar. Ze sluiten overeenkomsten, ze kopen mensen, ze verkopen gunsten. Ik betwijfel of Lomax weet of hij uiteindelijk voor PAC/AAU werkt of voor Lloyd Percival. Je moet goed begrijpen dat inlichtingendiensten dit voortdurend laten gebeuren. Die lui weten wat er aan de hand is. Maar ze laten het gebeuren. Zo zijn de tijden. Je gaat met je vijand naar bed.'

'Ik neem aan dat je Lomax valse informatie verschaft.'

'Ik zal je wat zeggen,' zei hij. 'Soms is dit zo leuk dat ik het voor niets zou doen.'

'Wie is Glen Selvy?'

'Geen idee.'

'Howard Glen Selvy?'

'Er begint geen lampje te branden.'

'Onzin,' zei ze.

'Je hebt een mooie glimlach.'

'Ik glimlach niet.'

'Ik dacht dat het een glimlach was. Ik zag het aan voor een glimlach. Wil je geen citroenlimonade?'

'Die mensen die je hier hebt, zijn dat Vietnamezen?'

'We hebben hier zeer zeker enkele Vietnamezen.'

'Die je net op tijd het land hebt uit gekregen.'

'Ik heb nog wel angstiger momenten doorstaan. En zij ook. Als je het vergelijkt met het leven dat de meesten van deze mensen hebben gehad, had uit Saigon weggaan meer iets weg van een uitje.'

'Ho Tsji Minhstad,' zei ze.

'Ja, Ho Tsji Minhstad. Een grap met vuurwerk.'

Moll knabbelde aan een koekje en dronk wat limonade. Ze kon het gevoel niet van zich afzetten dat ze een onzichtbare grens was overgestoken naar een andere manier van leven. Er golden hier andere regels. In de schaduw zitten. Wit riet en citroenlimonade. Pony's die bewegingloos in hun omheining stonden.

'Daarginds, langs de weg,' zei ze. 'Radiale Matrix?'

'Ja.'

'Bloeiend bedrijf volgens de berichten.'

'Systemen. Dat is een van de gebieden waarin we nog steeds uitblinken.'

'Wij betekent Amerikanen.'

'Uitsluitend.'

'Je was in Vietnam toch bij drugshandel betrokken?'

'Daar hebben we inderdaad een beetje in gedaan. We waren een schakel. Zoals ik al zei, ik heb mezelf losgekoppeld. Te veel software, hardware, enzovoort. Technologie. Het is allemaal op elektronica ingesteld. Er is een nette correlatie tussen de complexiteit van de hardware en het gebrek aan echte verbindingen. Iedereen wordt plooibaar door technologische apparaatjes. Er is een algehele sponzigheid, een gebrek aan overtuiging.'

'Je had je eigen dierentuin in Vietnam.'

'Je hebt me doorgelicht.'

'Een beetje,' zei ze.

'Die dierentuin was mijn trots en glorie. We waren al zover dat we met dierentuinen over de halve wereld uitwisselden. Er was een dierenhandelaar uit Michigan die naar ons toe kwam om onze tuin te zien. Ik had meer gibbons dan ik nodig had. Ik deed gibbons van de hand zoals bookmakers een overschot aan weddenschappen. Ik had een lynx van een heel zeldzame soort. Euraziisch, bijna uitgestorven, die soort, en we fokten die met goed resultaat in gevangenschap. Ik zal je eens wat vertellen, het maakte de oorlog voor mij de moeite waard.'

'Toch nog een overwinning.'

'Wat mij betreft hebben we gewonnen. Je moet de tekst herzien.'

'Wat voor pensioenplannen – neem me de sceptische blik niet kwalijk.'

'Huiselijk geluk,' zei hij. 'Mijn vrouw is op dit moment weg om te bevallen.'

'Fijn.'

'Ik ben tweeënvijftig.'

'Interessant.'

'Vrouw nummer drie.'

'Niet slecht.'

'Ze is een spleetoog,' zei Mudger.

Voorschoot en handschoenen. Helikopter die in een weiland landt. Ze herinnerde zich wat Percival had gezegd voor hij vanwege de maltwhisky alleen nog maar kon kruipen. Eén stel regels. Die van Mudger. Niemand anders mag ze gebruiken. Vietnamezen met cowboyhoeden.

'Niet dat ik niets heb om op terug te vallen,' zei hij.

'Naast huiselijk geluk.'

'Ik heb een werkplaats in de kelder. Soms ga ik daarnaartoe en dan werk ik de halve nacht door. Ik schaaf er een beetje, schuur een beetje. Sluit dingen in bankschroeven. Dat is goed voor de ziel. Gaatjes uitdrukken in metaal, een beetje poetsen. Hoe dan ook, ik heb een beetje gerommeld met een kleine machine die ik zelf heb ontworpen en die de hardheid en het gehalte van staal kan testen. Machines van dat formaat kunnen gewoonlijk alleen hardheid testen. Ik kan je vertellen over hoge carbon, lage carbon, hoeveel nikkel of mangaan. Vind je dit saai?'

'Een beetje.'

'De machine heeft een ding dat een boor met een diamanttip heet. Ik heb het gepatenteerd als de Mudgertip.'

'Dat is al wat beter,' zei ze.

'Ik ben ongeveer twintig mijl ten zuiden van hier een grote werkplaats aan het bouwen. Als alles goed gaat, zal ik contracten sluiten met Radiale Matrix.'

Ze zag hoe de ironie hiervan hem amuseerde.

'Dit wordt het onderhandelen over de beëindiging van een contract genoemd,' zei hij.

Hij lachte zonder zijn ogen van haar gezicht af te wenden. Ze zag aan hem dat hij een man was die veel behagen schept in de waardering van anderen. Iemand die gezichten bestudeert, gretig de reacties van anderen op de dingen die hij zegt inschat. Robuuste mannen waren altijd zo.

'Het is echt werk,' zei hij. 'Er komen geen geheime zenders, levende microfoons en al dat spul aan te pas. Zoals, bijvoorbeeld,' – ze zag dat zijn gezicht een geamuseerde uitdrukking kreeg – 'ik kan je dialogen en andere geluiden laten horen die verband houden met de erotische activiteiten van gisteravond.'

'Van welke personen?'

'Van jou en de senator natuurlijk.'

'Die hebben niet plaatsgevonden. Het spijt me dat ik je moet teleurstellen.'

'Die hoeven niet noodzakelijkerwijs werkelijk plaats te vinden,' zei Mudger. 'We hebben alleen maar jouw stem en die van de senator nodig, en die hebben we. De rest is puur technisch.'

'Je laat het gebeuren.'

'Ja zeker.'

'Is het in dit geval al gebeurd of hangt dat er nog van af?'

'Dat weet ik niet. Dat weet Lomax.'

'Als de man van de senator zou Lomax wel eens op de verkeerde knop kunnen drukken. De stemmen onherkenbaar verminken. Of de banden wissen.'

'Het zit een beetje ingewikkelder in elkaar.'

'Ik krijg de indruk dat ik iets verkeerds heb gedaan.'

Mudger leek ernstig te worden. Hij zat zijdelings op zijn stoel, met zijn linkerarm gestrekt voor zich op de tafel, zijn rechterarm hing over de rugleuning van zijn stoel.

'Wanneer technologie een bepaald niveau bereikt, beginnen mensen zich misdadigers te voelen,' zei hij. 'Iemand moet je hebben, misschien de computers, de computerpolitie. Er valt niet aan een onderzoek te ontkomen. De data over jou en je hele bestaan zijn bijeengebracht of daaraan wordt gewerkt. Banken, verzekeringsmaatschappijen, kredietorganisaties, belastingcontroleurs, paspoortkantoren, informatiediensten, politiebureaus, spionagediensten. Het is een beetje wat ik je daarnet al vertelde. Apparaten maken ons plooibaar. Als zij een uitdraai laten verschijnen waarin ze beweren dat we schuldig zijn, dan zijn we schuldig. Maar het gaat immers nog dieper? Het is de aanwezigheid zelf, de overvloed aan technologie, die ons het gevoel geeft dat we misdaden begaan. Het blote feit dat die dingen bestaan op dit wijdverbreide niveau. De processors, de scanners, de sorteerders. Die volstaan al om ons het gevoel te geven dat we misdadigers zijn. Wat een enorme invloed. Wat een ingewikkelde programma's. En er is niemand die het ons kan uitleggen.'

Die avond stond Mudger achter de bar in zijn woonkamer een drankje voor zichzelf te mixen. Hij zette zijn glas op de rode map, het Dorish-rapport. Lomax zat bij de tuindeuren in een tijdschrift te bladeren. De deuren stonden open, en in de tuin voorbij het terras was een klein boeddhistisch altaartje te zien.

''k Wou je al es vragen.'

'Wat, Earl?'

'Waarom droeg die persoon een revolver?'

'Dat weet ik niet.'

'Hij is toch bij Percival op kantoor om te observeren? Of om in een of andere kunstgalerie rond te hangen. Ik wil graag dat jij me vertelt waarom hij een revolver bij zich had.'

'Earl, dat had hij niet moeten doen.'

'Is hij soms een cowboy? Wat is hij, een aankomend FBI-agent? Ik dacht namelijk dat we mensen beter trainden dan dat.'

'Het was in strijd met de regels.'

Mudger zat aan de bar met zijn rug naar Lomax.

'Dat gedoe met revolvers. Wat is hij dan, een of andere jager? Schiet stomme beren met een handwapen?'

'Hij was in de Lower East Side. Misschien dacht hij dat het daar gevaarlijk was.'

'Hij bleek gelijk te hebben.'

Ze lachten allebei.

'Wie had je hiervoor genomen?' vroeg Lomax.

'Ik belde Talerico. Hij zit tegenwoordig in Canada. We hebben al eerder dingen voor elkaar gedaan. Ging altijd goed. Tal zei dat hij zou zien wat hij kon doen.'

'Zei hij dat?'

'Hij had iemand uit Buffalo. Zijn vroegere jurisdictie. Moet een wapenexpert zijn. Befaamd om middernachtelijke overvallen op wapenmagazijnen van de Nationale Garde.'

'Wie?'

'Augie de Muis.'

Ze lachten allebei.

'Dus Augie ging daar loeiend naar binnen,' zei Mudger. 'Hij heeft zijn mooie twee-ponds kevlarvestje aan. Hij draagt een gele bril en oorbeschermers. Alles, behalve plateauzolen. En hij loeit, hij heeft zijn AR-18 en hij neemt de hele bar onder vuur, hij schiet alles overhoop.'

'En wat gebeurt er? Hij wordt geraakt.'

'Hij wordt geraakt, maar dat beseft hij niet. Wanneer hij weer thuis is, trekt hij zijn pantser uit en ziet dat er een gaatje in zit. Dus hij voelt aan zijn borstkas en zijn buik. Hij zegt tegen zijn chauffeur dat de kogel misschien is afgeweken naar zijn longen. Hij begint te hoesten en te spugen en kijkt of er bloed is. Ten slotte schudt de chauffeur het vest uit en valt die kleine loden paddestoel op de vloer. Dat is nog niet het ergste. Geen weet van techniek. Het ergste is dat hij het slachtoffer hoort te isoleren voor hij begint. Het slachtoffer dient alleen te zijn. Geen enkele getuige in zicht.'

'Je kreeg de Valentijnsdag-slachting.'

'Imbeciel. Ik zei tegen Talerico: hoe kom je aan die imbeciel?'

'Augie de Muis.'

Mudger lachte en sloeg met zijn vlakke hand op de bar.

'Ik zal je wat zeggen. Het was mijn schuld. Ik had andere mensen moeten gebruiken.'

'Zoals?'

'*Tieu to dac cong.*'

'Ze krijgen niet bepaald met de doorsneeman te maken,' zei Lomax. 'Ik wil je wel vertellen dat ik me een beetje trots of tevreden of wat dan ook voelde toen ik hoorde dat hij de bar uit liep zonder geraakt te zijn. Plus dat hij een kogel in de Muis had gepompt. Ik had een voldaan gevoel, Earl, eerlijk waar. Ik had er een zekere hoeveelheid van mijn eigen tijd en inspanningen in geïnvesteerd. Dit is eerlijk gezegd de beste infiltratie die ik ooit heb gedaan. Ik denk niet dat jouw regelaars dit een gewone werkdag zullen vinden.'

Mudger haalde zijn schouders op. De telefoon naast zijn elleboog rinkelde. Hij nam op, luisterde, zei iets, luisterde weer. Lomax liep naar het terras. Het was een warme avond. Vanuit de tuin zag hij Mudger de hoorn op de haak leggen en tegelijk iets over zijn schouder zeggen. Lomax ging weer naar binnen, en realiseerde zich een beetje laat wat Mudger had gezegd.

'Gefeliciteerd, Earl.'

'Waar is je glas? We nemen er nog een.'

'Hoe gaat het met Tran Le?'

'Uitstekend. Ze maakt het heel goed. Beter dan ooit.'

'Ik kan eerlijk gezegd geen druppel meer op.'

'Acht pond,' zei Mudger over zijn schouder.

'Wat is het, een vis?'

'Waar is je glas?'

'Misschien een drupje dan, om het te vieren.'

'Waar is je glas, verdomme?' zei Mudger.

Lightborne stapte uit de trein en liep een tunnel onder het spoor door. Aan de andere kant ging hij het depot binnen. Klara Ludecke zat op een bank naast de krantenkiosk. Op haar schoot lag, bij wijze van herkenningsteken, een exemplaar van *Jachthond*. Dat was een plotselinge ingeving van Lightborne geweest.

Hij knikte en ze volgde hem naar buiten. Het was vroeg in de avond. Ze liepen in de richting van de tunnel waar hij uit was gekomen. De voetzool onder Lightbornes rechterschoen begon te klepperen.

'Ik heb toestemming,' zei hij, 'om de afgesproken som gelds in contanten te overhandigen zodra ik de film in handen heb.'

'Ik zal blij zijn als ik van die film af ben.'

'Kan ik ervan uitgaan dat uw echtgenoot degene was die u mijn naam heeft gegeven?'

'Mijn man gaf mij drie dingen. Hij gaf me uw naam. Hij gaf me een adres in Aken. En hij gaf me de sleutel van een opslagplaats op dat adres.'

In de tunnel begon Lightborne op gedempte toon te praten, uit angst voor het echo-effect.

'Heeft u de film gezien?'

'Hij wilde niet dat ik er iets mee te maken had.'

'Heeft hij u er iets over verteld?'

'Hij zei alleen Berlijn, en de Rijkskanselarij, tijdens de Russische bombardementen.'

Op het andere perron begon de klepperende voetzool Lightborne te hinderen, en hij stelde voor even op een van de plastic bankjes te gaan zitten.

'En de film heeft dus al deze jaren in een opslagplaats in Duitsland gelegen.'

'Een opslagruimte met airconditioning,' zei ze. 'Zodat hij in goede conditie zou blijven.'

'Ik heb er zelf een jaar of dertig geleden voor het eerst al eens over gehoord.'

'Toen mijn man werd vermoord, wist ik dat dat de reden was. Hij weigerde om tegen hun prijs te verkopen. Eerst werden ze het eens over een prijs en over het tijdstip van de vertoning. Toen vroeg Christoph de helft van het bedrag als vooruitbetaling. Dat weigerden ze en toen wilde hij niet langer met ze praten. Ze oefenden op alle mogelijke manieren druk op hem uit. Hij bleef weigeren. We zien wat er is gebeurd.'

'Wiens prijs?' vroeg Lightborne. 'Wie oefende druk uit?'

'Ik denk niet dat u dat wilt weten.'

'Weet u het?'

De trein uit New York denderde langs, zodat ze even tegen de achterleuning van de bank werden aangedrukt, en de pagina's van het tijdschrift, dat ze weer op schoot had gelegd, ritselden.

'Ik ken de naam van een firma in Virginia. Ik vond het belangrijk om de politie te vertellen dat daar iets te vinden is. Ze behandelden me als een kind. Seksmisdrijf. Blijkbaar kon het nergens anders om gaan. Ze vonden het bijna te gênant om er met mij over te praten. Het kon alleen maar seks zijn. De dingen die seksmoordenaars doen. Eén messteek in het lichaam, zei ik nog tegen ze. Waar is de verminking, de troep? Is deze moordenaar zo nauwkeurig? Nee, nee, zeggen ze tegen me. Hij had de verkeerde opgepikt. Dat gebeurt vaak.'

Er kwam weer een trein aan, deze keer in zuidelijke richting. Ze liepen de trap af bij de taxikeet om van de trillingen en het lawaai af te zijn, en ten slotte liepen ze kringetjes op de parkeerplaats.

'Nadat Christoph was begraven ging ik naar Duitsland. Dat deed ik half uit woede. Ik wilde de film hebben, hem zelf bezitten. Ik dacht dat als ik hem in mijn bezit had, dat mijn man weer reëel voor me zou worden. Alsof de film me macht zou geven. Als een uitdaging aan de moordenaars. Als ik hem zelf in handen had, zou alles echt zijn. Hij stierf ergens voor. Hier is hij. Dit ronde blik met riempjes. Nu begrijp ik het. Natuurlijk,' zei ze, 'is mijn woede sindsdien gezakt. Nu wil ik hem alleen maar verkopen. Ik wil betaald worden voor de dood van mijn man.'

'Ja, en het is veel, veel beter om een dergelijke transactie uit te voeren in een sfeer van wederzijdse kalmte.'

Ze lachte sarcastisch.

'Ik wil er nu alleen nog maar van af. Ze hebben hun afluisterapparatuur in mijn huis aangebracht, ze hebben ingebroken toen ik niet thuis was, ze hebben me op elk uur van de dag en de nacht opgebeld. Ik ben deze hele zaak meer dan zat. Ik schaam me diep en ik walg ervan. Ik weet dat ik opgelicht zal worden en niet zal krijgen wat de film werkelijk waard is. Toch wil ik zo gauw mogelijk van het ding af.'

'Er is geen sprake van oplichterij,' zei Lightborne. 'Mijn cliënt doet dat soort dingen niet. Als u de film eenmaal hebt overhandigd, krijgt u een transactiesom. Daarna gaan de technische experts van mijn cliënt kijken wat we precies hebben. Is het het origineel, de originele film, zoals ik heb vernomen? Kunnen we er een kopie van maken om te monteren? Kunnen we eventuele fouten corrigeren? Er zijn ontelbare van dit soort vragen, van de meeste heb ik geen verstand. Als er geen geluidsband is, kunnen we er dan een aan toevoegen? Hoe zit het met het uiteindelijke printen?'

'Het enige dat ik weet is Berlijn, de Rijkskanselarij, toen de Russen de stad bombardeerden.'

'En dan natuurlijk de vraag waar het om draait: de inhoud. Wat er feitelijk op de film staat. Als dat eenmaal is uitgezocht, kunnen u en ik over verdere betalingen praten.'

'Ik weet dat ik zal worden opgelicht. Het hindert niet. Zolang u hem maar meeneemt.'

Ze staken de straat over en liepen langzaam langs een rij winkels. Lightborne ging een verfwinkel binnen die op het punt stond te sluiten, en vroeg een elastiekje te leen. Hij bond het elastiek twee keer om zijn rechterschoen zodat de voetzool niet meer kon klepperen. Daarna ging hij met Klara Ludecke weer terug door de tunnel naar het depot, waar ze op de bank naast de krantenkiosk gingen zitten.

'Er is één filmblik,' zei ze. 'Het is vrij groot, van metaal. Ik denk van staal. Ik weet niet hoeveel spoelen erin zitten. We spreken af op 57th Street tussen 6th en 7th Avenue. Over precies twee weken, om twaalf uur 's middags, aan de zuidzijde van de straat. Dan overhandig ik hem u.'

'Waar precies aan de zuidzijde van de straat?'

'Loopt u maar wat heen en weer; ik vind u wel.'

'Ik wilde vragen,' zei Lightborne, 'of u iets over de geschiedenis achter dit alles weet, want dan zou ik dat heel graag vernemen.'

'U bent in de nazi's geïnteresseerd?'

'In die periode, in dat tijdperk. De grote ondergang. Mensen die in overjassen naar Bruckner luisteren. Hitler die buisjes met vergif uitdeelt.'

'Dat is theatraal, de swastikaspandoeken, de voetlichten.'

'Het bruiloftsbanket,' zei hij. 'De executie in de tuin van Fegelein. De begrafenis van de wolfshond en haar jongen.'

'U houdt van het melodramatische aspect, de grote vlammen.'

'Ja, de Russische geweren in de verte, de vreemde feestviering in de bunker toen ze per abuis dachten dat Hitler de hand aan zichzelf zou slaan.'

'Het laatste maal bestond uit spaghetti,' zei ze.

De trein uit New York reed het station binnen, de trein van 19.13 uur. Lightborne besloot dat hij voldoende belangstelling had voor de omstandigheden rondom de film om op de volgende trein te wachten, ervan uitgaand dat ze hem iets kon vertellen.

'Christophs vader was officier van een tankeenheid die zich verdedigde tegen de oprukkende Russen aan de Oder.'

'Misschien was dat maarschalk Rokossovsky.'

'Ik was erg op hem gesteld. Heinz Ludecke. Een verlegen, grappige man. Hij had een neef in de oorlog – ik weet niet hoe die heette. Hij was stenograaf, verbonden aan de Führerbunker in Berlijn. De voornaamste taak van deze neef bestond eruit de gesprekken tussen Hitler en Goebbels vast te leggen.'

'Ja, ze haalden graag herinneringen op,' zei Lightborne.

'In de verwarring op het eind werd Heinz gevangengenomen door de Russen, maar hij slaagde erin te ontsnappen met valse papieren. Ten slotte kwam hij terecht in een Brits kamp voor vluchtelingen en buitenlandse arbeiders. Daar liep hij zijn neef tegen het lijf, die Belgische papieren had en een pakje dat hij duidelijk met de grootste zorg behandelde. Blijkbaar had Hitlers bediende het bevel gekregen om alle bezittingen en effecten van de Führer te verbranden. Alleen dit pakje was door Heinz' neef uit de bunker gesmokkeld en hij stond erop dat Heinz het onder zijn hoede zou nemen, omdat hij dacht dat Heinz minder snel zou worden gearresteerd en ondervraagd.'

'Ze hebben zijn portret van Frederik de Grote niet verbrand,' zei Lightborne. 'Hij gaf speciale opdracht om het portret te sparen.'

'U heeft mij hier nauwelijks voor nodig, meneer Lightborne.'

'Het spijt me, gaat u verder.'

'U zou nog het best uw eigen film kunnen produceren.'

'Gaat u alstublieft verder, mevrouw Ludecke.'

'Heinz slaagde erin weer een min of meer normaal leven te beginnen. Zijn neef verdween zonder een spoor na te laten, en er werd nooit meer iets van hem vernomen, net als in een sprookje. Dat alles heb ik natuurlijk van mijn man gehoord. Of Heinz de film ooit heeft gezien, daar is zelfs Christoph nooit achter gekomen. Toen Heinz niet zo lang geleden overleed, ging Christoph naar Duitsland en ontfermde zich over de film, iets wat hij niet kon doen zolang zijn vader nog leefde, omdat Heinz hem niet wilde afstaan.'

'Ik vraag me af waarom hij hem niet heeft vernietigd.'

'Hij was Hitler zeer toegewijd, en dat is hij zijn hele leven gebleven. Als hij had gezien wat er op de film stond, en als het de vuiligheid is die sommigen denken dat het is, dan ben ik er vrij zeker van dat hij hem wel had vernietigd. Waarschijnlijk heeft hij de film nooit gezien. Ik weet het niet. Misschien is er een andere verklaring voor. De film zou zelf de verklaring kunnen geven. Of misschien juist helemaal niet. Het was in ieder geval nadat mijn man de film in zijn bezit had gekregen dat hij de nieuwe geruchten over het bestaan ervan begon te verspreiden.'

'Om de markt aan te wakkeren.'

'Om spanning te creëren, ja. Niet de beste strategie, vermoed ik?'

'Een treurige situatie,' zei Lightborne geroerd.

'Kent u de omstandigheden?'

'Alleen in grote lijnen.'

'Hij droeg mijn kleren toen hij werd vermoord.'

'Om niet ontdekt te worden. Die mensen oefenden druk op hem uit.'

'Hij deed dat van tijd tot tijd.'

'Een voorkeur.'

'Dan ging hij de stad in.'

'Juist, ja.'

'Hij zei dat het maar kleren waren. Hij zei dat hij geen relaties met mannen had.'

'Was hij daarin eerlijk?'

'Dat weet ik niet,' zei ze. 'Ze kenden hem in die wijk. Vrachtwagenchauffeurs bij de conservenfabriek. Ze noemden hem de Rode Koningin, vanwege de jurken die hij droeg, altijd rood, mijn jurken. Ik wist het. Ik vond het goed.'

Lightborne voelde dat er van hem werd verwacht dat hij hierdoor geraakt werd. Mensen en hun verlichte houding. Dus knikte hij langzaam met zijn hoofd, alsof hij er diep over nadacht. Een goed moment om op een ander onderwerp over te stappen.

'Ik vraag me wel af, mevrouw Ludecke, waarom ik twee weken moet wachten voor u het blik overhandigt? Ik had eerlijk gezegd gehoopt dat ik het vandaag of morgen in bezit zou krijgen.'

'Ik overweeg een tweede bod.'

Lightborne maakte een grimas, een nerveuze reflex.

'Prachtig,' zei hij. 'Al dat gepraat dat u er zo graag van af wilt. Dat is geweldig.'

'Ik moest de andere partij wat tijd geven. De andere partij vroeg om tijd. Dat is gewoon goed fatsoen.'

'Gewoon goed fatsoen, dat is geweldig. Ik houd van alliteratie. Het kind in mij.'

Ze leek haar eigen boude tactiek wel grappig te vinden. Verstrikt te midden van al die rondwervelende energieën, had ze nu tenminste even iets gevonden wat in de buurt van kalmte kwam, of van objectiviteit misschien, een beeld van zichzelf dat niet door tragische emoties werd beïnvloed.

'Wat zo grappig was met die neef van Heinz,' zei ze. 'Heinz zei dat de mensen in het Britse kamp zijn neef steeds maar vroegen: "Hoe was Hitler in het echt?"'

3 Selvy zat op het dak van het flatgebouw waar hij woonde een perzik te eten. Een warm briesje woei vanuit het westen, waar de zon, een en al terracotta en bloedrood, nog trillend hing. Toen twintig meter verderop de ijzeren deur openging, legde hij de perzik in zijn linkerhand. Het was Lomax in zijn polyester broek, witte riem en witte schoenen, met in zijn kielzog drie kinderen die in het flatgebouw woonden.

'Hoe raak ik die kwijt?'

Ze volgden hem naar de dakrand waar Selvy zat.

'Wat kom je hier doen?' vroeg een van hen.

'Dit is van ons, bleekscheet.'

Het kleinste joch wreef met zijn gymschoen langs Lomax' schoen, waardoor er een kaal plekje ontstond.

'Ze hebben me vier trappen op gevolgd,' zei Lomax.

'De limo is nu wel ontmanteld,' zei Selvy tegen hem. 'En je chauffeur is er allang vandoor.'

'Ik ben met een taxi gekomen.'

'Is dit soms een onofficieel bezoek?'

'Hoe lang woon je al hier? Heb je hier al die tijd gewoond? Waarom woon je niet ergens waar iedereen woont?'

De jongens stonden al die tijd om Lomax heen hem te treiteren en de draak te steken met zijn kleren. Selvy zag dat hij flink zweette en zich behoorlijk ergerde. De kleinste wreef langs zijn andere schoen. Selvy zag dat Lomax zijn vuisten balde. Hij was verschrikkelijk gespannen. Hij wist niet wat hij moest doen.

'Het begint al donker te worden, bleekscheet.'

'Je woont hier niet, man, wat kom je hier doen, het wordt al donker.'

'Rot op, bleekscheet.'

De kleinste wreef nog een keer langs zijn schoen. Een van de andere twee liet zijn hand langs de dakrand gaan, zodat er as en teer aan kwam. Hij kwam dichterbij en maakte met zijn andere hand een schijnbeweging, daarna haalde hij half agressief, half defensief uit, alsof hij de geruite broek van Lomax wilde besmeuren. Het joch trok zijn hand snel weer terug met een komisch overdreven gebaar en met zijn hoofd op en neer knikkend. Lomax haalde een Walther automatisch pistool uit de holster die onder zijn jasje aan zijn broekband hing. Hij schreeuwde en zwaaide met het pistool heen en weer voor hun gezicht. Ze deinsden langzaam achteruit, met ogen die wit blonken in de schemering. De kleinste kauwde op een stukje kauwgum. Ze wisten niet of ze geïmponeerd of bang moesten zijn. Ze leken hem serieus te nemen. Lomax voelde zich zo verschrikkelijk getergd dat hij wel eens zou kunnen gaan schieten. Bij de deur gekomen, ontspanden ze zich een beetje. Er kwam weer zwier in hun houding. Ietwat parmantig en met schommelend achterwerk liepen ze de deur door.

Lomax stond nog steeds te schreeuwen en hun verwensingen na te roepen. Selvy zag hem met een licht bevende hand het pistool weer in de holster opbergen. Eindelijk kalmeerde hij en hij haalde een zakdoek te voorschijn waarin hij een paar keer spuugde. Daarna zette hij zijn rechtervoet op de dakrand en begon de doffe plekken van zijn schoen op te wrijven. Selvy at zijn perzik verder op en gooide de pit over zijn schouder in de luchtkoker.

Op de terugweg in de trein van 20.13 uur naar het Grand Central dacht Lightborne over twee aspecten van de zaak na. Ten eerste dat degene die de film in zijn bezit had, er rekening mee moest houden dat dat niet zonder gevaar was. In de tweede plaats had Christoph Ludecke geprobeerd de film rechtstreeks te verkopen – met vooruitbetaling van de helft van het bedrag – zonder dat de kopers hem eerst konden zien. Dat was niet alleen naïef, het wees er bovendien op dat de film niet was wat hij volgens de geruchten moest zijn. Ludecke wilde binnenhalen wat hij kon en er daarna vandoor gaan. Het wees er bovendien op dat er flinke sommen geld mee gemoeid waren.

Wat later op de avond ging Lightbornes telefoon. De man aan het andere eind zei zijn naam niet.

'U kent Glen Selvy.'

'Ja,' zei Lightborne.

'Hij vertegenwoordigt mij.'

'U verzamelt.'

'Dat is juist,' zei de man. 'En Glen vertelde me onlangs dat u misschien een bijzonder artikel zult aanbieden.'

'Er zijn bepaalde toezeggingen gedaan.'

'Maar de zaak is nog niet beklonken.'

'Dat is maar hoe u het bekijkt,' zei Lightborne.

'Ik heb gehoord dat de weduwe dwarsligt. Ik heb haar gesproken. Mijn probleem is dat ik niet in een positie verkeer om de waarde van het gebodene te kunnen vaststellen. Ik heb iemand nodig die zich met de details bemoeit. Als u al namens een andere verzamelaar optreedt, hoeven we natuurlijk niet verder te praten.'

'Misschien kan ik een oplossing vinden,' zei Lightborne. 'Waar kan ik u bereiken?'

'Dat is niet mogelijk.'

'Waarom laat u het niet door Selvy afhandelen?'

'Ik weet niet waar hij is. Hij heeft zich al dagen niet vertoond. Hij neemt de telefoon niet op.'

'Zo.'

'Ze verwacht iets van mij te horen.'

'Dan is er de kwestie van mijn eigen percentage,' zei Lightborne. 'Ik wil graag als tussenpersoon optreden, mensen in contact brengen, en gevoelige details uitwerken. Maar zo langzamerhand is dit een onderneming geworden waarbij de uiterste omzichtigheid moet worden betracht. De risico's die eraan kleven zijn veel groter dan waar ik me normaal gesproken aan bloot zou stellen.'

'U wilt in voldoende mate beloond worden.'

Terwijl ze deze vage zinnen over en weer uitwisselden, drong het tot Lightborne door waarom de stem aan het andere eind zo neutraal klonk, zo zonder cadans, franje of streekaccent. De man had al die tijd geprobeerd zijn stem te vervormen. Lightborne had zin hem erop attent te maken dat hij al heel lang vrij aardig doorhad wie Selvy's chef was. Het was een kleine wereld, porno, en zelfs zij die elkaar in de luxueuzere gelegenheden ontmoetten, waren vroeg of laat bij de overigen bekend, bij de marginale zwoegers, die hun armzalige bestaan voortsleepten.

'Geschiedenis is zo'n troost,' zei hij tegen de man. 'Dat is toch zeker de reden dat mensen verzamelen? Om het bezit van een stukje tastbaar verleden. Het leven raast voorbij en we zoeken troost in duurzame dingen.'

Dit praatje stak Lightborne gewoonlijk tegen nieuwe verzamelaars af. De vraag of het ook van toepassing was op een object zoals een rol film hield hem op dit ogenblik niet bezig.

'Mooie zonsondergang,' zei Lomax.
   'Ja, dat is zo.'
   'Waarom woon je niet waar andere mensen wonen?'
   'Draai er toch niet zo omheen.'
   Lomax bood hem een sigaret aan.
   'Jij wordt genoemd als het doelwit.'
   'Ze zijn dus uit op een vereffening.'
   'Ze willen in ieder geval vereffenen.'
   'Frankie's Tropical Bar.'
   'Ja,' zei Lomax. 'Iemand van buiten de stad. Een of andere zak. Je hebt er wel eentje in zijn vest gedeponeerd, voor het geval je dat nog niet wist.'
   'Het wapen schoot op hém.'
   'Ja, dat klopt, het was een regelrechte zak.'
   'Waarom denken ze dat ik het doelwit was, Lomax?'
   'Noem me bij mijn voornaam.'
   'Die ken ik niet.'
   'Arthur.'
   'Wat is de reden voor de vereffening?' vroeg Selvy.
   'In de eerste plaats dat je een overeenkomst met Ludeckes weduwe hebt gesloten. Jullie wilden de Berlijnse film samen verkopen.'
   'Grapje.'
   'Er zat een verborgen microfoontje in haar huis. Jij hebt het stomme ding buiten werking gesteld. Dit wordt in een bepaalde hoek als zeer verdacht gezien.'
   'Eerlijk gezegd kwam het helemaal niet bij me op dat het onze eigen apparatuur was. Zover ik weet was er geen reden om daar af te luisteren. En als wij dat doen, waarom weet ik dat dan niet? Als je een afluisterapparaatje vindt, hoor je het onschadelijk te maken.'
   'Dat knoeien met geluidsapparatuur werd niet op prijs gesteld. Er heerst in deze organisatie een bijna religieus gevoel ten aanzien van alle soorten apparaten. Dat hoor je te weten.'
   'En verder?' vroeg Selvy.
   'In de tweede plaats is je betrokkenheid bij *Jachthond* een factor.'
   'Leg eens uit.'
   'Die vrouw met wie je omgaat. Wat moet ik uitleggen?'

'Weet je wat interessant is: ik dacht die avond eerst dat zij het doelwit was. Haar artikel over Percival. Maar toen dacht ik: jezus, dat is belachelijk. Dat kan helemaal niet. Ik hallucineer een beetje. Dat zouden ze niet zo hard aanpakken. Volkomen belachelijk.'

'Jij was het doelwit,' zei Lomax. 'Het had natuurlijk anders moeten lopen. Jij had alleen horen te zijn. En je had ongewapend moeten zijn. Maar jij verzette je. Waarom deed je dat? Dat kun je niet goedpraten.'

'Verdomme, Arthur, ik bedoel, jij schoot daarnet bijna drie kinderen neer. Moet jij soms een pistool hebben voor je werk?'

'Dat brengt dit soort werk nu eenmaal met zich mee, denk ik.'

'Soort werk.'

'Of misschien zijn wij gewoon mensen die altijd een wapen op zak hebben.'

Selvy zweeg tot Lomax uitgegrinnikt was.

'We gaan met elkaar naar bed.'

'Jullie gaan met elkaar naar bed,' zei Lomax. 'Bedankt voor je openhartigheid.'

'Maar dat betekent nog niet dat ik iets met het tijdschrift te maken heb.'

'Wij beschikken over andere informatie. Volgens onze informatie heb jij Robbins getipt. Ik denk dat de recente gebeurtenissen bewijzen dat dat inderdaad het geval is. Maar dat zijn gedane zaken. Ik kwam in mijn eentje, en met een taxi, om je te vertellen dat ze willen vereffenen, punt uit.'

'Welke recente gebeurtenissen?'

'Robbins heeft de verzameling ontdekt.'

'Zonder mijn hulp,' zei Selvy. 'Zonder enige hulp van mijn kant.'

'Die microfoonverbinding die je in de open haard had geplaatst. De band bewijst dat het niet Percival was die er die speciale avond doorheen ging. Het was iemand die lang zo zwaar niet is. Zij was er die avond. Ik kan je de bandjes laten horen.'

'Welk motief had ik?'

'Het motief was vanzelfsprekend seks, dat is duidelijk.'

'Duidelijk seks.'

'Het komt vaker voor,' zei Lomax. 'De dame wil naam maken. Ze tikt een eind weg op haar Olivetti. De onthulling van de afgelopen vijftig jaar. Wanneer ze op een dood punt komt, help jij haar een handje. Kets, kets, tik, tik. Wanneer ze een handige suggestie nodig heeft, zorg jij daarvoor.'

'Je had het over informatie. Jij beschikt over andere informatie. Maar dit is speculeren, dit is gokken.'

'Er zit keiharde informatie achter. Toegegeven, ze hebben niet alle informatie afgewacht. Ze gingen veel sneller tot vereffenen over dan ze hadden moeten doen. Maar jij was toch de bron van Robbins? Achteraf gezien was het dus gerechtvaardigd. Formeel kun je ze ervan beschuldigen dat ze voorbarig waren. Het was klunzig gedaan. Dat gebeurt wel vaker. Er zijn fouten gemaakt. Eerlijk gezegd maak ik me zorgen.'

Selvy had er genoeg van. Het bracht dingen aan de oppervlakte, of er dichtbij – dingen die hij niet wilde weten. Structuren, verwikkelingen, raadsels, woorden. Het gooide de routine in de war.

'Waar ik eigenlijk voor kwam,' zei Lomax, en hij ademde diep in. 'Er is een nieuwe actie op touw gezet. Ik heb begrepen dat het er deze keer totaal anders voor je uitziet.'

'Hoe ziet het er dan voor me uit?'

'Het gaat om een stel sluipmoordenaars, voormalige Zuid-Vietnamese – ARVN – commando's.'

'Met z'n hoevelen zijn ze?' vroeg Selvy.

'Met z'n tweeën.'

'Wat hebben ze bij zich?'

'Dat weet ik niet precies.'

'Wat was het gezellig om met je te babbelen,' zei Selvy.

'Ze maken deel uit van een speciaal project. Een van zijn lievelingsprojecten. Zijn op het allerlaatst uit Vietnam meegenomen hiernaartoe.'

'Ik ben blij dat de kleine hufters zulk waardevol werk doen.'

Lomax stond met zijn handen in zijn zakken en de randen van zijn sportjasje naar achteren. Op het borstzakje van zijn polohemd was een krokodil genaaid. Een vliegtuig dat van National was opgestegen, vloog laag over de rivier. Lomax bekeek de teer op zijn broek.

'Ik wil wel dat je weet,' zei hij, 'dat ik het allemaal volledig ongedaan zou willen maken. Het hele proces.'

'Doe maar niet.'

'Ik denk erover om er zelf uit te stappen. Om me een tijdje afzijdig te houden. Om de zaken eens in de juiste proporties te kunnen zien.'

'Natuurlijk, je honden, de pups.'

'Een huis ergens buiten kopen.'

'Ze hebben ruimte nodig om te rennen,' zei Selvy.

Tegen middernacht reed hij op de Interstate 95 ten noorden van Philadelphia. Op de achterbank van zijn Toyota waren wat kleren en een paar dozen met bezittingen. Hij rookte en luisterde naar de radio. Maximumsnelheid en diepe duisternis. Na een tijdje zette hij de radio af en draaide zijn raampje omlaag. De snelweg was bijna verlaten maar binnen in de auto klonk een luid geloei, een luchtstoot die zozeer bij het rijden over snelwegen hoorde dat hij de specifieke geluiden waaruit hij bestond niet kon onderscheiden. Zoveel kwam van zijn eigen auto. Zoveel van het spaarzame verkeer buiten. Zoveel van de kracht van de nacht.

Moll Robbins zat naar de toetsen van haar schrijfmachine te staren. Links van haar aan de muur hing een neon afbeelding in blauwachtig wit van een revolver waar kruitdamp uit kwam. Naast de elleboog waarmee ze op de tafel voor haar leunde, was een glas ijsthee en een halve krakeling. Het slappe witte vel in de schrijfmachine was onbeschreven.

Toen ze opstond om door het kijkgaatje te kijken en zag dat het Selvy was die even ervoor had aangeklopt, merkte ze dat ze eigenlijk niet zo blij was met zijn bezoek. Iets in haar verzette zich tegen zijn komst op dit moment. Het was niet het goede moment, meer was het waarschijnlijk niet.

'Hoe laat is het?'

'Dat weet ik niet,' zei hij.

'Vreemd genoeg ben ik nog wakker.'

'Mooie ochtendjas heb je aan. Maar dat is eigenlijk jouw stijl niet, dacht ik.'

'De gewapende overvaller. Ga zitten. Ik zal je iets te drinken geven. Het is geen ochtendjas, het is een middaggewaad. Ik drink thee.'

'Ik drink whisky,' zei hij.

'En verder? De speciale attractie van de overvaller. De politie van New York zoekt je overal, hoog en laag, sinds dat moment dat je de zonsondergang tegemoet reed. Ik word dikwijls gebeld. Het wijkbureau, moordzaken, verdwenen personen.'

'Weten ze hoe ik heet?'

'Nee.'

'Wat heb je ze verteld?'

'Dat ik je ergens had opgepikt. Je was zo onweerstaanbaar schattig.'

'Geloofwaardig,' zei hij.

'Natuurlijk, een fatsoenlijk meisje, alleen ben jij niet Clark Gable en ik niet Jean Arthur. Kan je er al een touw aan vastknopen?'

'Ik ben bang van niet.'

'De politie beschikt blijkbaar over een paar aanwijzingen.'

'Smerissen weten niks. Trek je niets van ze aan.'

Ze schonk zijn glas vol. Hij zag er vermoeid en mager en een beetje gevaarlijk uit, waardoor Moll weer moest denken aan de eerste keer dat hij bij haar op de stoep stond. Ze liet de fles bij hem staan en ging aan de andere kant van de kamer zitten, waarvandaan ze hem aandachtig opnam.

'Er is hier iets nieuws.'

'Wat dan?' zei ze.

'Neon.'

'Ik kon het weer eens niet laten. Weer zo'n plotselinge ingeving. Kortstondigheid en ingevingen. Dat ben ik ten voeten uit. Als ik om me heen kijk besef ik dat ik geen meubels in de ware zin heb. Mijn kleren berg ik op in die standaarddozen in de slaapkamer. Ik werk aan een klaptafel. Ik heb een wandmeubel. Het is beter zo, vind je niet? Als je niet in een huis woont dat op grond staat die je eigendom is, is het zinloos om echte dingen te bezitten. Als je tien-twintig-dertig verdiepingen hoog in de lucht zweeft, kun je je beter omringen met dingen die je voor de lol hebt, glimmende ballen en versierselen.'

'Het is een wapen. Dat zag ik eerst niet hiervandaan. Een revolver.'

'Ik zag het de dag erna. Ik kon het niet laten. Dat ben ik ook ten voeten uit. Niet in staat weerstand te bieden.'

'Waaraan weerstand bieden?'

'Aan alles wat ik niet goed begrijp.'

Hij maakte een gebaar naar de schrijfmachine.

'Als ik je stoor moet je het zeggen.'

'Het lukte niet.'

'Wat moet er lukken?'

Ze leunde een eindje naar voren en staarde hem aan; haar handen hingen langs haar knieën omlaag, het was bijna alsof ze van de bank af wilde glijden, als een soort spontaan komisch nummer.

'Wie ben je, Selvy?'

Hij leunde achterover in zijn stoel, een bewuste tegenbeweging, een terugtrekken, en glimlachte uit diepe vermoeidheid, uit geringschatting voor zichzelf. Het was alsof hij zich onttrok aan iedere betekenis die haar vraag aan hem zou kunnen toekennen.

'Wie is Earl Mudger?' vroeg ze.

'Weet ik niet.'

'Wie is Lomax?'

'Lomax. Weet ik niet.'

'Ik heb natuurlijk mijn eigen versie van de antwoorden op deze vragen.'

'Ik kan die niet bevestigen.'

Ze reikte over de tafel om haar ijsthee te pakken. Het was midden in de nacht. Ze was een beetje moe, maar ze wist dat het niet het soort moeheid was waardoor ze onmiddellijk in slaap zou vallen. Eerder het tegenovergestelde. In slaap vallen zou inspanning vergen, het zou een heel karwei zijn. Het ijs in haar glas was gesmolten en de thee was slap geworden.

'Hoe werkt dat – geheimhouding? Het geheime leven. Ik weet dat het seksueel is. Ik wil het weten. Is het homoseksueel?'

'Ik kan je niet meer volgen,' zei hij.

'Daarom zijn de Engelsen toch zo goed in spioneren? Of daardoor lijken ze er zo goed in, wat op hetzelfde neerkomt. Is het niet bijna verankerd in hun volksaard?'

'Ik wist niet dat de Engelsen daar de wereldwijde rechten op hadden.'

'Waarop?'

'Op homo zijn,' zei hij.

'Nee, ik bedoel dat er een verband is. Meer niet. Een neiging die zich kan uiten. Ik bedoel dat spionage een taal is, een kunst, met seksuele bronnen en coördinaten. Maar het was niet mijn bedoeling het zo freudiaans te verwoorden.'

'Ik sta open voor theorievorming,' zei hij. 'Wat heb je nog meer?'

'Ik heb verbanden binnen verbanden. Dit is de eeuw van samenzweringen.'

'Dat vragen de mensen zich af.'

'Dit is de eeuw van connecties, verbanden, geheime relaties.'

'Wat zou je hiervan dan denken?'

'Waarvan?'

'Als ik je dit eens vertelde,' zei hij.

'Vertel het me maar.'

'*Jachthond* is een propagandawerktuig.'

'Voor wie? Je maakt een grapje.'

'Ik weet niet voor wie.'

'Dat is flauwekul, Selvy.'

'Je hebt gelijk, ik maakte een grapje.'

'Ik houd niet van die glimlach.'

'Het was maar een grapje.'

'Ik moet toegeven dat het een voddig blad is. Ik geef toe dat we inspelen op het geloof van mensen in precies datgene waar ik het net over had. Wereldwijde samenzweringen. Bizarre moordaanslagen beramen. Maar we zijn niemands werktuig.'

'Ik glimlach niet eens, kijk maar.'

'Ik geef toe dat we dingen op de smerigst denkbare manier doen. Ik hoop dat het een grapje was.'

'Ik ben iemand die grapjes maakt,' zei hij. 'Dat vind ik leuk.'

'Wiens werktuig?'

'Kun je niet tegen een grapje?' zei hij. 'Weet je niet wanneer iemand een grapje maakt?'

'Omdat dat me doet denken aan de manier waarop we aan een naam voor het kloteblad zijn gekomen. Maar wij bedoelden die natuurlijk ironisch. We gebruikten de Hanoilijn die toen in zwang was. De bekende pesterijen.'

'Welke pesterijen?'

'Imperialistische lakeien en jachthonden.'

'Ineens komt het allemaal weer bij me boven.'

'Precies de naam voor een radicaal tijdschrift, de sfeer in die tijd in aanmerking genomen. Die naam betekende toentertijd iets. De ironie sprong er aan alle kanten van af.'

Moll gleed van de rand van de bank en ging in kleermakerszit op de vloer zitten.

'We hadden het bijna *H.C. Porny* genoemd. H.C. Porny was een figuur in een stripverhaal dat we van plan waren te gebruiken. Hij moest de regering voorstellen. Of liever: de regering plus het grote geld. Kleine, dikke, geile oude man. We hoopten namelijk Uncle Sam als nationaal symbool te vervangen.'

'H.C. betekent natuurlijk hardcore.'

'Helaas stierf onze tekenaar aan een OD. OD betekent overdosis. En zo kwam H.C. Porny al vroeg aan zijn eind. Wat deed jij in die tijd, Selvy?'

'Vasten.'

'Ja, dat zal wel. Bidden en vasten. Mensen hadden vlaggenspeldjes. Iedereen had wel iets. De mensen hadden stickers op hun bumpers.

America – love it or leave it. Dus deze vriend, dat is zo duidelijk als wat, deze goedbedoelende vriend gaf mij mijn hoogstpersoonlijke sticker, die ik zo verdomd slim vond dat ik hem onmiddellijk op de bumper van mijn kleine Zweedse autootje plakte: Vietnam – love it or leave it. En kwamen er toen niet twee kerels uit een bar op 86th Street gestrompeld terwijl ik voor een stoplicht stond te wachten? En zagen ze toen mijn sticker niet en begonnen ze toen niet op mijn auto te rammen tot het totaal uit de hand liep en er zich een menigte vormde en ik met een gebroken enkel en mijn auto half in de kreukels bleef zitten?'

'In oorlogstijd raken de gemoederen verhit. Dat zie je altijd weer.'

'Ja, je had toen seks in de parken en de straten. Wat een verrukkelijke, onontkoombare dwaasheid. Maar wat deed jij toen, maat? Ik wacht op antwoord.'

'Ik bereidde me voor op de woestijn.'

'Je was je stomme .38 aan het insmeren.'

'Het was mijn woestijntijd.'

'Je sprong door brandende hoepels voor een beter Amerika.'

Ze zag hoe hij zijn ogen dichtdeed en in slaap viel. Het gebeurde in een oogwenk. Ze dacht: een zuiver hart. Ze haalde cognac uit het kastje en zat een tijdje te drinken en naar hem te kijken terwijl hij sliep. De digitale klok in het wandmeubel was dagen geleden op 4:01 blijven stilstaan. Het zou heel goed 4:01 uur kunnen zijn. Ze dronk haar cognac op en stond met wat gekraak van de vloer op. Selvy's hoofd hing schuin naar links. Ze legde haar hand op zijn gezicht: slaap en warmte. Daarna haar andere hand, zodat ze zijn gezicht omvatte. Ten slotte deed hij zijn ogen open. Ze wachtte tot hij weer wist waar hij was.

'Wat zou je anders doen, met alles wat je nu weet?'

'Wat weet ik nu?' vroeg hij.

Een interval van schemerige seks. Allebei half slapend, nu eens actief, dan weer loom, dwars over het bed liggend; ze ademden diep en regelmatig en mompelden zo nu en dan iets. Later dacht ze dat het een droom moest zijn geweest, een droom in het vroege licht, toen ze hem naakt in de ochtendstond zag, gespannen gehurkt bij het raam, zijn lichaam iets vooroverleunend, zijn armen om zijn knieën geslagen, zijn hoofd omlaag, een droom in een grijze ruimte, onbeweeglijk, doodstil, dacht ze later, alsof hij van een of andere meester in de woestijn had geleerd hoe hij zelfs het ritme van zijn ademhaling kon onderbreken.

4

De kastanjebruin-met-gouden pooierbak stond dubbel geparkeerd voor een peepshow en trok een flinke menigte bewonderaars, voornamelijk omdat de achterruit zo was gemaakt dat hij op een bliksemschicht leek.

Het is zaterdagavond op Times Square. Iedereen is verkleed: cowboys, motorrijders, travestieten, punkrockers, stillen, *Moonies*, zigeuners, klanten van het Leger des Heils, Heilige Geest Evangelisten in donkere capes, kaalgeschoren Krishnascandeerders in saffraanrode gewaden en op tennisschoenen. Glitter en troep alom. Hotpants, blonde pruiken, hoeden met slappe randen, zilverkleurige laarzen. Nazomerse hete luchtstoten. Vochtige lucht stort zich in golven over de menigte uit. Auto's toeteren, motoren draaien met een verhoogd toerental, muziek jammert uit de luidsprekers van de platenwinkels. Er hangt woestijnkoorts in de lucht. Iedereen is kletsnat van het zweet, en staart afwezig met glazige ogen. Priesters, uitsmijters, bioscoopportiers, Franse matrozen, West Point-kadetten, serveersters in Tiroler jurken, leden van de *Shriners* met fezzen op het hoofd.

De twee mannen maakten een rustige indruk en leken helemaal geen hinder te ondervinden van de hitte. Selvy had ze een uur geleden voor het eerst gezien, zo'n anderhalve kilometer verderop, dicht bij het Coliseum. Nu stonden ze op een hoek naar quasi hindoeïstisch dansen en zingen te kijken. Ze waren allebei klein en droegen cowboylaarzen; een van hen had een zonnebril op. Ze vonden de scandeerders leuk. Ze lachten om ze en wezen af en toe naar ze.

Selvy stak de straat over. Toen hij noordwaarts op Broadway liep, begon een joch met een walkietalkie bijna stap voor stap gelijk op met hem te lopen. Magische massage. Topless gokautomaten. Scandinavisch clandestien gokken. Het joch was stevig gebouwd, misschien zestien jaar oud, en had de intense blik van een kind dat vroeger heel slim was, maar zich niet heeft kunnen ontwikkelen. De antenne van de walkietalkie was ongeveer drie meter lang, waardoor hij de onderkant van de theaterluifels raakte. De jongen bleef daarom vlak langs de stoeprand lopen, af en toe balanceerde hij op de rand. Bij 45th Street hield hij de radio voor zijn mond.

'Code blauw,' zei hij. 'Zorg dat alle eenheden paraat zijn. Mensen op straat: neem uw posities in. Camera één, code blauw. Dit is een opname. Breng me een reflector. De filmset is afgesloten. Mensen, de camera draait nu. Iedereen wordt gefilmd. We filmen live. Dit is een live actieopname. Geluid, sta klaar voor opname. Oké, taxichauffeurs, laat je maar horen. Kijk uit voor die kabels iedereen. De set is gesloten voor iedereen behalve de noodzakelijkste crew. Naaktscène, naaktscène. Iedereen opschieten, alsjeblieft. Ik verlaat het district nu. Ik herhaal. Verlaat het district.'

Hij stapte vol statische elektriciteit en achtergrondlawaai in zijn hoofd van de stoeprand en stak met grote passen de straat dwars over, op de voet gevolgd door vier kleinere jongens. Selvy vond een Ierse bar op 8th Avenue. Hij sloeg een paar Jim Beams achterover en wachtte tot er iets zou gebeuren.

Het blad van hard staal was kersenrood. Earl Mudger hield het met een tang op het aambeeld, en smeedde de ruwe vorm die hij wilde hebben met een tweezijdige hamer.

Hij trok zijn handschoenen uit en zette een stofbril op. Hij hield het stalen blad tegen een slijpband waar hij het verder vormde en planeerde en het slijpsel verwijderde.

Hij hing de stofbril aan een haakje en ging de kamer ernaast binnen, waar een lintzaag, een boormachine, een draaibank, een slijpsteen en een kleine thermische oven waren. Hij verhitte het stalen blad gedurende twintig minuten en dompelde het daarna onder in een blusmiddel.

Weer terug in de kleinste van de twee kelderkamers, legde hij het blad op de metalen voet van de door hem zelf ontworpen testmachine. Die was uitgerust met raderen, mallen, hendels, gewichten, een hefboom en een exact afgestelde diamantpunt, die de hardheid van staal mat. De eerste keer bleek het staal te hard, zoals hij had verwacht. Dan was het te breekbaar. Hij verhitte het blad weer een uur lang. Nadat het was afgekoeld, testte hij het opnieuw. Deze keer was het bijna goed. Het zou niet snel barsten vertonen en het zou niet breken. Het zou zijn snijvlak behouden.

Hij deed zijn voorschoot af en stak een sigaret op. Daarna ging hij op zijn rug op een lange werkbank liggen en keek hoe de rook naar het plafond dreef. Boven huilde de baby.

De man naast Selvy dronk een biertje. Hij had zijn touringpet zo diep over zijn voorhoofd getrokken dat hij bijna zijn neus raakte. Zijn papiergeld en kleingeld lagen in een plasje bier voor hem.

'Ben jij van de televisie?'

'Nee,' zei Selvy.

'Het oude Madison Square Garden stond vroeger aan de overkant van de straat. We kregen hier altijd van die televisietypes binnen. Fans van de Knickerbockers, de Rangers. Ik vertel dat omdat ik bezig ben iets sensationeels te organiseren. De reclamejongens zouden daar eens aandacht aan moeten besteden.'

Hij wachtte tot Selvy zou vragen wat hij organiseerde. Selvy hield één oog op de spiegel gericht. Ze waren in de bar. Hij zag ze aan een tafel dicht bij het herentoilet gaan zitten. Een van hen had een snor, een heel dunne. De andere, die met de zonnebril, had een spits gezicht. Ze droegen lichte windjacks.

'Ik ben namelijk bezig met een wedstrijd op leven en dood. De mens tegen de ijsbeer. Het toppunt van vechten. De ijsbeer is gevaarlijk. De ijsbeer kan in een paar minuten een kudde rendieren halveren. Ik zorg dat die vent Shunko Hakoda klaarstaat. Een sumoworstelaar. Hij weegt met gemak 175. Zijn agent aarzelt nog maar ik geloof dat ik hem over de streep kan halen. Intussen ben ik in onderhandeling met de president van Malawi om de wedstrijd daar te houden. Ik zie een grote kooi voor me midden op een voetbalveld. Je vraagt je natuurlijk af waar we een ijsbeer vandaan halen in Malawi.'

Selvy gleed van de barkruk en ging naar buiten. Hij nam dezelfde route terug naar Times Square. Naaktkarate. Heidense baden. Een flink gehavende Cadillac reed langzaam over Broadway, uit een van de raampjes bungelde de voet van een man. De auto zigzagde voorbij, de bumpers zaten volgekoekt met modder, en er zaten vegen modder op de vier deuren. Selvy zag hem tegen de achterkant van de kastanjebruin-met-gouden pooierbak aan knallen. Glasgerinkel. Stofwolkjes. De omstanders waren uitzinnig van plezier. Ze keken met wijdopen ogen naar elkaar alsof ze de enormiteit van de gebeurtenis wilden bevestigen.

Onmiddellijk kwam de eigenaar-pooier naar buiten, een man met een sliertige baard, die hem er, met zijn nertshoed en conventionele zwartfluwelen pak, enigszins chassidisch uit deed zien. Hij liep met korte, snelle stapjes, half dansend, gekweld en rusteloos door deze opstopping op het trottoir, en meteen zag hij de Cad te midden van gebroken glas en plakken roestige modder die van de spatborden hadden losgelaten.

Selvy zat ingeklemd tussen minstens tien omstanders. Hij reikte omhoog naar een markies om niet tegen zijn zin een bepaalde kant uit meegesleept te worden. Over de hoofden van een paar tienermeisjes zag hij de twee mannen aan de rand van de menigte staan, waar ze ernstig met elkaar in discussie over iets waren. Hij kon niet zien of ze hem hadden ontdekt. Het was ook niet goed te zien wat ze onder hun ruime windjacks droegen.

De portieren van de Cadillac gingen langzaam open en lichamen van allerlei afmetingen en soorten werden zichtbaar. De auto zat vol hispanics (officiële politiebenaming), misschien wel tien of elf, onder wie minstens drie kinderen. De menigte had haar aandacht nu weer bij de pooier.

Selvy gebruikte de draagbalk van de markies om op zijn plaats te blijven terwijl de meeste mensen om hem heen tegen hun zin een paar stappen op straat moesten zetten. Het verkeer stokte bij het tafereel van het ongeluk. Grote massa's toeschouwers werden door plotselinge onevenwichtigheden ergens anders in de menigte alle kanten op gewiegd. Een politiesirene loeide op gelijkmatige geluidssterkte, terwijl de wagen in de verkeersopstopping niet vooruitkwam.

Selvy duwde mensen opzij en bereikte de dichtstbijzijnde open deur. Hij liep een lange trap op. De muren waren aan beide kanten bedekt met graffiti. Bovenaan draaide hij zich om en keek omlaag. Daarna liep hij de gang door. Hij kwam langs een paar kamers met hokjes met gordijnen ervoor; er liepen wat mensen rond. Hij kwam langs een andere kamer waar een man in de deuropening stond.

'Levende naakten fotograferen,' zei de man slaperig.

Selvy sloeg rechtsaf naar een andere gang. Voor een raam bleef hij staan. Beneden in de straat reed een agent van de bereden politie door de menigte. Hij kwam weer langs een open deur. Apparaatjes, snufjes, instrumenten, crèmes, zalfjes, huwelijkshulpmiddelen. Uitsluitend aan grossiers. Aan het eind van de gang was een zwarte ijzeren deur met drie woorden er in felrood op geschilderd: NAAKT VERHALEN VERTELLEN.

Selvy keek achterom. Daarna opende hij de deur en ging naar binnen. De receptie bestond uit een bureau, een telefoon en een paar stoelen. Achter het bureau zat een gezette, zwarte man met een platte hoed op een sigaar te roken. Voor hem lag een formulier voor de paardenrennen.

'U moet even wachten,' zei hij.

'Wie vertelt het verhaal?'

'Ik niet, dat kan ik u wel vertellen.'

'Hoeveel kost het per verhaal?'

'Het kost vanaf vijfendertig dollar voor een verhaal van een half uur, dat hangt ervan af.'

'Wat is het minimum?'

'Ik laat je met een aanbetaling van vijftien dollar binnen. Ik bedoel dat het basisverhaal vijftien kost. Handelingen kunnen het bedrag doen oplopen.'

'Dat is goed,' zei Selvy.

'Ben je een smeris, Jim?'

'Ik wil alleen een naaktverhaal horen.'

'Want als dit een schoonmaakactie is, zou je overal moeten schoonmaken behalve hier. Wat ik bedoel is dat alles in orde is.'

'Hoe lang moet ik wachten?'

'Pak een stoel, Jim. Er wordt nu een verhaal verteld.'

Mudger bracht het snijvlak met een grove slijpsteen tot de juiste dikte. Op een geheimzinnige manier vond hij dat prettig. Vlak boven zijn hoofd hing een gloeilamp waardoor hij de schaduw die het lemmet op de steen wierp en de geleidelijke verdwijning ervan kon volgen, en zodoende de beste slijphoek kon bepalen. Zien, horen, voelen. Hij hield de druk gestaag terwijl hij de rand van het lemmet tegen de steen hield.

De vorm van gereedschap. Afmetingen en gewichten. De bevrediging als je langs potloodlijnen sneed, als je iets mat tot aan de uiterste rand en als het dan precies goed was, als je rekening hield met lichte variaties en als het dan precies goed was, als je vloeistoffen mengde en je zag hoe de kleuren vervloeiden, de oppervlaktestructuur die uit de streken van een verfkwast te voorschijn kwam.

De slijpsteen schoonmaken. Dan voelde hij zich gelukkig. Hij hield ervan ruwe oppervlaktes aan te raken. Hij hield van het geluid dat dingen maakten wanneer hij het overtollige slijpsel verwijderde. Schuren, slijpen, poetsen. Hij hield van de namen van dingen.

Het was middernacht. Hij ging naar de badkamer. Staande boven de pot probeerde hij in de stroom urine te spugen. Bij de derde poging lukte het en zag hij de fluim speeksel in de pot stuiteren.

Hij begon aan het handvat te werken. Het zou van knoestig esdoornhout worden. De namen van dingen. Subtiel boeiende geuren. Lijm en hars. De namen. Wrijfolie. Sjabloon. De staaf waarmee je verhardde. Achter de namen van de voorwerpen in deze twee kamers ging een bijna geheime kennis schuil. Hij voelde een duistere bevrediging, verwant aan de trots van een vrijmetselaar, als hij alleen maar die namen hardop uitsprak voor Tran Le of haar grootmoeder of de twee mannen, Van en Cao. Carborundum. Amarilschijf. Pen-en-gatverbinding. Hij geloofde dat je gereedschap en materialen niet goed kon gebruiken als je hun eigennamen niet kende.

De slijpsteen schoonmaken. Met de hand een leren hoes naaien. Je eigen thermische behandeling uitvoeren.

Scherpte: een vierkante centimeter van je onderarm droogscheren met een pas gevijld mes.

Hij wist dat hij door de stalen plaat zelf thermisch te verhitten iets van de precisie opofferde die je van een commercieel bedrijf kreeg. Maar hij gaf er de voorkeur aan het zo te doen. Zíjn instrument van het begin tot het einde.

Hij plaatste een koperen beveiliging op het staal. Daarna nam hij twee stukken knoestig esdoornhout en maakte in ruwe lijnen een pasvorm. Hij schuurde, smeerde er epoxyhars op en bracht klinknagels aan. Hoorde nooit meer los te laten.

Toen het geval droog was maakte hij de gleuf voor de vingers glad, en met gebruik van de drijfriemen en het schuurpapier maakte hij het handvat strakker en steviger.

Hij poetste het hout en het koper tot het mooi glansde. Daarna poetste en sleep hij om beurten het lemmet, ten slotte gebruikte hij allerlei polijstschijven om de scherpte en de afwerking te krijgen die hij wilde.

Scherpte: het zien van bloed dat uit een snee in je duim druppelt.

Via de achtertrap ging hij naar de keuken en hij opende een blikje bier en met het bier in zijn hand liep hij nog een trap op naar de slaapkamer. Hij sloop zachtjes langs de wieg en keek naar Tran Le die opgerold in bed lag. Door het nachtlampje dat naast haar scheen kreeg haar gezicht een parelgrijze glans. Ze was de mooiste vrouw die hij ooit had gezien; toen hij haar acht jaar geleden voor het eerst zag was ze een veertienjarig barmeisje in Saigon. Ze leunde tegen een geparkeerde jeep en at een Almond Joy-reep. Hij trok zijn hemd uit. Toen hij op de rand van het bed ging zitten, draaide ze zich naar hem toe.

'Slaap,' zei hij.

'Waar Van is, Earl?'

'De stad uit. Met Cao.'

'Zaken.'

'Morgen zijn ze terug, volgende dag. Jij slapen.'

'Slapen,' zei ze.

'Misschien komt Van terug met cadeautje voor zijn zuster. Omdat Van weet wat goed vrouwtje ze is. Earl zei tegen Van. Ze is het liefste vrouwtje van de hele wereld.'

Mudgers rudimentaire spreektaal verwerd dikwijls tot het gebruikelijke zwarte dialect, zonder dat hij zich daarvan bewust was. Al die rekruten die hij had getraind en gekweld. Hoe minder macht je hebt, hoe dominanter je probeert te zijn op secondaire terreinen. Het ritme van de spraak, de snelheid te voet, de structuur van het haar. Zittend op de rand van het bed dronk hij zijn bier. Hij had maar een paar uur slaap nodig. En dan zou hij de zon zien opkomen.

De vrouw was jong met een gezond, blozend, ovaal gezicht en grote bruine ogen. Haar haar was in het midden gescheiden en bolde aan beide kanten. Ze droeg een gewone hemdjurk en sandalen.

Selvy zag haar naar de receptie lopen. De kamer was middelgroot met een paar vinyl stoelen, een koffietafel en een lamp die van een rugbyhelm was gemaakt. In een hoek stond een vouwbed, ingeklapt en op wieltjes.

'Stony, is dit alles?'

'Zoals je ziet.'

'Ze zeiden minimaal twee.'

'De man heeft zitten wachten.'

'Eerlijk gezegd voel ik me nogal gaar.'

'Vertel hem nou een verhaal, Nadine. Daar heeft die vent recht op.'

'Omdat ik nieuw ben zal ik geen stennis maken. Maar normaal gesproken zou ik dit niet pikken. Minimaal twee, Stony, en dat weet je.'

'Doe nou maar een vluggertje voor hem, schat, dan kunnen we allemaal naar huis.'

Ze ging tegenover Selvy zitten. Haar knieën hadden een zachte glans. Hij hield van glanzende knieën. Hij vond haar stem ook mooi, de manier waarop ze een beetje lijzig sprak. Ze had een paar seconden nodig voor ze met het inleidende praatje begon.

'Het gaat zo: je mag een van de drie verhalen kiezen. Als je meer wilt, betaal je extra. Elk verhaal duurt tien minuten, maar het hangt ervan af. Het duurt natuurlijk langer als er handelingen bij komen. Oké dan: "Hete slipjes". "De vallei van de vrolijke groene reus, ho ho ho". En het "Verhaal van Naomi en Lateef". Het tweede is voornamelijk homo, 't is maar dat we weten waar onze voorkeur ligt.'

'Zou ik het in dat geval niet liever door een man horen vertellen?'

'Hoor es, wie zal het zeggen?'

'Je bent nieuw hier.'

'Dit is mijn tweede week en ik wil er al weer vandoor. Weggaan voor ze een hekel aan je krijgen. Hoeveel heb je Stony betaald?'

'Vijftien als vooruitbetaling.'

'Ik controleer alleen maar even,' zei ze. 'Dat moet je wel met al die lolbroeken. Oké, kies er maar een uit.'

'Laat ik "Naomi en Lateef" maar proberen.'

'Je bent pas de tweede man die dat verhaal kiest. Bijna iedereen kiest "Hete slipjes". Dat verhaal is echt ziek. Het brein dat zulke dingen verzint.'

'Het zijn niet je eigen verhalen.'

'Ik verzin ze niet. Ik vertel ze alleen maar.'

'Ik dacht dat het je eigen verhalen waren.'

'Nou, als ik "Hete slipjes" had verzonnen, ik weet het niet. Ik geloof dat ik een zwaard door mijn lichaam zou steken. Het is het ziekste van allemaal.'

Selvy hoorde de man van de receptie tegen iemand praten. Hij leek van streek, hoewel hij door de gesloten deur de woorden niet goed kon onderscheiden.

'Als je geprikkeld wordt door het verhaal – let op – dan kun je me een extra tientje geven als je wilt, of een extra twintigje, hangt ervan af. We laten dat aan de klant over. Wat is er?'

'Niks,' zei hij.

'Dat is Stony maar die het joch dat zijn sandwich brengt het leven zuur maakt.'

Selvy knikte.

'Het "Verhaal van Naomi en Lateef",' zei ze, en ze stond even op om de ritssluiting aan de achterkant van haar hemdjurk naar beneden te trekken, waarna ze uit de jurk stapte en weer ging zitten. Ze keek hem ongeduldig aan.

'Wat is er?' zei hij.

'Als je je kleren aanhoudt, ben je een smeris.'

'O, ik begrijp het. Dat wist ik niet.'

'Naakt verhalen vertellen staat er op de deur.'

'Dat geldt voor iedereen.'

'Je begint het te snappen,' zei ze.

'Ik probeer een paar mensen zo'n beetje te ontwijken,' zei hij.

'We moeten allebei naakt zijn. Als je niet meedoet, ben je een smeris. Dat hebben ze tegen me gezegd. Ze verwachten ook van me dat ik de twintigdollaractiviteit aanbeveel, dat is die waarbij we het bed nodig hebben. Dit hoort nog bij het eerste deel waar we daarnet aan begonnen waren.'

'Ik heb een beter idee.'

'Natuurlijk, als je je schaamt. We krijgen ze hier in alle soorten. Misschien kunnen we een compromis sluiten. Ik vind niet dat je iemand kunt dwingen om zich in aanwezigheid van een vreemde uit te kleden. Het is alleen dat iedereen zo onverschillig is over zijn lichaam.'

'Ik probeer een paar mensen hier in de buurt te ontlopen. Wat zou je ervan zeggen als jij en ik naar buiten gaan om een hapje te eten? Kom op, trek je jurk aan en dan gaan we. Is er een achteruitgang?'

'Ho, gewichtige kerel, hè.'

'Ik neem de twintigdollaractiviteit. Alleen niet hier, goed? We gaan ergens wat eten, kom mee.'

'Kom, ga; eet, slaap; kleed je aan, kleed je uit.'

'Nadine. Heet je zo?'

'Ja.'

'Hoe oud ben je?'

'Dat doet er niet toe.'

'Je zult de twintig niet halen als je hier nog langer blijft rondhangen. Ik ben je laatste kans.'

'Nu lach je tenminste. Het is beter om te lachen.'

'Kom mee, we gaan naar Little Rock.'

'Hoe kom je daar nou bij.'

'Trek je kleren aan.'

'Mijn zus woont in Little Rock.'

Toen ze aangekleed was, nam ze hem mee door een hele reeks opslagruimtes. Ze kwamen uit in een groter vertrek dat gebruikt werd door een vrouw met zwarte laarzen en een lang, zwart legerhemd aan die een ijzeren kruis om haar hals droeg. Om een van de mouwen van haar hemd zat een rode band met een zwart hakenkruis op een ronde witte ondergrond. De vrouw zat te roken en had haar voeten op de bovenste tree van een laddertje gezet.

'Ik moet er alleen even door.'

'Jij bent de nieuwe.'

'Nadine Rademacher. Hoi. Hoe gaat het?'

'Het is weer klote,' zei de vrouw.

'Geniet van je pauze.'

'Wie is Johnny Eenzaam?'

'Een vent die ik niet kwijt kan raken,' zei Nadine. 'Kan hem niet van me afschudden.'

In de gang kwamen ze langs dezelfde man die Selvy al eerder had gezien, deze keer stond hij in een andere deuropening.

'Fotografeer levende naakten.'

'Angelo, waarom ga je niet naar huis?' zei Nadine.

'Er komt een hele bus Japanners aan van het Hilton.'

Boven aan de trap vroeg Selvy Nadine om even te wachten. Hij liep dezelfde route terug die hij had genomen toen hij binnenkwam. Terwijl hij de hoek omsloeg, een lege gang in, legde hij zijn hand op zijn .38 en drukte die plat tegen zijn dijbeen aan. Liep voorbij het raam en de kamer vol spulletjes. Opende de zwarte ijzeren deur. Niemand. Stony's formulier voor de paardenrennen lag op het bureau. Hij liep door de receptie naar de kamer erachter. Leeg. Hij stak de revolver in de holster en ging op zoek naar Nadine.

Op straat was het nog drukker dan tevoren. Er was blijkbaar iets gebeurd. Surveillancewagens, een ambulance, een televisieploeg. Mensen trokken malle gezichten voor de camera. Selvy zocht met zijn ogen de menigte af, daarna trok hij Nadine mee langs de voorzijde van het gebouw en een zijstraat in naar het dichtstbijzijnde restaurant. Dat bevond zich in een donkere kelder, een steakrestaurant; de ober droeg slobkousen. Er waren maar twee tafeltjes bezet. Een buitenechtelijke relatie aan het ene. Rechter Crater zat aan het andere.

'Mijn dramaleraar praatte me LA uit mijn hoofd,' zei Nadine. 'Hij zei alsmaar New York. New Yorkse acteurs. Typetjes. Mensen met een gezicht.'

'Dus hij vond gezichten belangrijk?'

'Hij zei alsmaar gezichten. Mensen met een gezicht. Hij zei dat ik niets zou leren in een stad waar de mensen maar één soort gezicht hebben.'

De ober gleed langs.

'De keuken gaat dicht, mocht u nog willen bestellen.'

De oude man met zijn lange witte haarslieten, die bij hen in de buurt zat, nam kleine teugjes van zijn gratis likeurtje.

'Dus je bent actrice,' zei Selvy.

'Hoop ik.'

'Die plaats waar je werkt.'

'Het was vroeger een opslagplaats. Bedoel je dat? Waarom het zo is ingedeeld dat elke kamer moeilijk te bereiken is? Ze sloegen er materiaal op. Boeken, rubber en leer, filmspullen, montage-uitrusting, van alles. Toen besloot iemand in de organisatie om het open te stellen voor straathandel, ook al zit het op de eerste en tweede verdieping weggestopt. Het zijn de accountants, zei Stony. Een kwestie van belastingen. Jij bent geen smeris. Tot die conclusie zijn we al gekomen. Heb ik gelijk?'

'Ja.'

'Talerico,' zei ze en ze keek hem betekenisvol en doordringend aan.

'Klinkt bekend.'

'Er zijn er twee. Paul. Die is hier. Een van de New Yorkse maffiafamilies, zoals je je wel kunt voorstellen. Porno, markthandel, automaten. Vind je het niet geweldig? Dat is de legale tak. De andere. Dat is Vincent. Die zit ergens in het noorden van de staat New York. Ik geloof dat het neven zijn.'

'Die namen komen me bekend voor,' zei Selvy.

'Vincent is hoofd van de aankoop, zei Stony. Aankopen. Hij is gespecialiseerd in bioscoopfilms. Als ze de rechten niet via onderhandelen kunnen krijgen, sturen ze Vincent. Hij krijgt de film. Die pikt hij gewoon in. Dan maken ze hun eigen kopieën. Daarna distribueren ze die.'

Ze zat samenzweerderig ineengedoken op haar stoel, haar gezicht stak maar een klein eindje boven de tafel uit.

'Ze noemen hem Vinny het Oog. Vind je dat niet geweldig? Het is zo stom, dat ik het geweldig vind. Ik heb alleen Paul gezien. Hij kwam een paar dagen geleden langs. Iedereen zei alsmaar: "Paul is er, Paul, hij is in het gebouw." Paul was een teleurstelling. Ik was niet onder de indruk. Het was een desillusie voor een meisje van buiten zoals ik. Ik denk dat Vinny de Hollywoodman is. De man die zich chic kleedt.

Het opzichtige gangstertype. Het is echt stom. Ik wou dat hij kwam, want dan kon ik hem eens zien.'

Toen het eten was opgediend, liet ze er geen gras over groeien, ze had kennelijk flinke trek. Het ontspande hem om haar te zien eten. Selvy bedacht dat hij al in geen jaren trek had gevoeld. Hij had wel zwakte en pijn gekend door gebrek aan voedsel, maar hij had er niet echt naar verlangd, behalve om de pijn weg te nemen. Hij probeerde zich de laatste keer te herinneren dat hij echt trek had gehad.

'Ga je heus naar Little Rock?' vroeg ze.

'Daar ergens in de buurt, ja, waarom niet.'

'Ik denk al vanaf de eerste dag dat ik in dat hol werk, dat de hele wereld naar lysol stinkt.'

'Je bent me een verhaal schuldig, weet je dat.'

'Naomi en Lateef.'

'Ik kan nog van gedachten veranderen,' zei hij.

'Ik weet wel dat ik niet "Hete slipjes" doe. Dat is zo'n ziek verhaal dat ik het stukje bij beetje heb veranderd. Elke dag een beetje. Het kan me niet schelen of er iemand klaagt. Het is een verhaal dat op combinaties berust. Incest is nog maar het begin. Het begint met incest. Aan het eind moet ik alleen nog maar woorden opsommen. Sommige woorden zeg ik gewoon niet. Er worden zinnen op elkaar gestapeld. Het wordt rood vlees.'

'Je klanten.'

'Die lachen vooral. Sommigen generen zich. Daar zou je nog van opkijken.'

'Ze zitten daar in hun blootje te lachen.'

'Schaapachtige naakten, zei ik tegen Stony.'

'Sommige woorden weiger je uit te spreken.'

Ze nam haar laatste hap gepofte aardappel.

'Wie probeer je eigenlijk te ontlopen?'

Selvy keek naar de oude man, die strak voor zich uit zat te staren. *Tieu to dac cong.'*

Hij glimlachte wat laat naar haar, nog steeds op zijn hoede, en gebaarde om de rekening.

Buiten stond een wegsleepwagen van de politie op het punt de gammele Cadillac mee te nemen. Toeristen hadden belangstelling voor de pooierbak. Een man, twee vrouwen en twee kinderen poseerden voor foto's, met de auto als achtergrond. Toen ze klaar waren, namen twee andere vrouwen en drie kinderen hun plaats in voor het voorportier en het spatbord. Een congresganger met een reusachtig naamplaatje op zat gehurkt in de goot en zette een flitsblokje in zijn Instamatic.

Earl Mudger stond op het terras met zijn gezicht naar het oosten en, ondanks de kou, met bloot bovenlijf – een beker koffie in zijn hand. Hij hield ervan als eerste op te zijn, om in het donker naar beneden te gaan en koffie te zetten. Hij bewoog zijn schouders wat terwijl hij rondliep in huis, zwaaide af en toe met zijn armen, en voelde de stijfheid er langzaam uit verdwijnen. Zolang als hij zich kon herinneren, in welke barak of welk huis hij ook woonde, en met welke mensen, familie of het leger, was hij altijd als eerste op geweest.

Toen het vale licht intenser werd en het eerste schijnsel van de zonsopgang zichtbaar werd tussen de bomen, ging hij weer naar de keuken. Op het aanrecht lag een manilla map en een spoel met een magneetband. Hij schonk nog wat koffie in en ging op een kruk zitten, opende de map en nam de bovenste bladzij door, een document met het opschrift: *Departement van Financiën, Districtsdirecteur, Belastingdienst.* Daaronder was een wit etiket met bovenaan dwars over de hele breedte een lange reeks cijfers, gevolgd door Grace Delaneys naam en adres.

Mudger begon de bladzijden om te slaan, wierp een blik op accountantsonderzoeken, fotokopieën van documenten, fotokopieën van cheques en bankafschriften, evaluaties van agenten, aantekeningen van 'ongunstige actie'. Hij sloeg de map dicht en keek naar de band. Hij bevatte vertrouwelijke informatie over de rekeningen van ongeveer vijfhonderd belastingbetalers en Lomax had hem verkregen van dezelfde bron, een chef bij de belastingdienst, die toegang had tot vertrouwelijke archieven. Tussen de gegevens bevond zich nog meer informatie met betrekking tot Grace Delaneys boekhouding.

Mudger dronk zijn beker leeg en ging naar beneden. Hij controleerde opnieuw of het lemmet goed paste en werkte nog wat aan het handvat. Daarna zette hij zijn vergrotende bril op en bekeek het lemmet.

Het mes was een aangepast jachtmes. Het had een breed uitlopend eenzijdig lemmet met een botte punt. In zijn volle lengte mat het mes ongeveer dertig centimeter. Het lemmet mat ruim achttien centimeter.

Aan de muur boven de werktafel hing een soort paneel, een drieluik met scharnieren, waaraan Mudgers messen hingen; sommige had hij zelf gemaakt, andere waren speciaal voor hem door messenmakers vervaardigd.

Ze vrijden op de voorbank van Selvy's auto, die in de kale kom bij de West Side Highway stond. Toen ze door de donkere straten naar de auto liepen, wisten ze al dat het zou gebeuren. Het hielp bepaalde verontrustende energieën te verdrijven. Zaterdagavond op Times Square.

'Mijn hotel is vlak bij dat restaurant. Waarom doen we het dan hier?'

'Omdat ik een beetje gek ben vanavond.'

'Kijk of je bij die asbak kunt en schuif hem dicht.'

Oude sigarettenpeuken. De geur van het plastic waaruit het interieur van de auto bestond. Ten slotte gingen ze weer rechtop zitten. Zij zat op de bestuurdersplaats, met haar rug tegen het portier en haar voeten op de stoel. Selvy keek recht voor zich uit. Stilte, gevolgd door:

'Naomi is een Israëlisch meisje met een flinke boezem die we op een dag badend in een rivier die door haar kibboets loopt aantreffen. Ze heeft reusachtige witte borsten, enzovoort, enzovoort, tepels, enzovoort. Dus Lateef komt eraan en hij is een Arabische deserteur. Oké, om het verhaal wat korter te maken, ze ontmoeten elkaar en worden verliefd en ze neuken en neuken en neuken, altijd op een plek waar ze niet ontdekt kunnen worden. Verboden liefde met een hoofdletter V. Je snapt wel dat ik de details weglaat. Er is een heleboel over Lateefs Arabische piemel, en je vindt het vast niet erg als ik dat oversla. Hoe dan ook, op een dag zien we ze op de Golanhoogte picknicken. Het is erg fatalistisch en teder.'

'Wacht even.'

Hij keek in het achteruitkijkspiegeltje. Nadine draaide haar hoofd om, en wilde uit het open raampje achteroverleunen om te zien wat hij had gezien.

'Niet doen.'

Een minuut of vijf zeiden ze geen van beiden een woord. Selvy keek aldoor in het spiegeltje. Hij leek in diep en melancholiek gepeins verzonken.

'Het is al bijna dag,' zei ze.

Hij stapte uit de auto, liep naar haar kant en leunde, een sigaret rokend, tegen het portier.

'We moeten mijn kleren ophalen. Ik vind het helemaal niet erg om uit dat hotel weg te gaan. Ook weer die lysollucht. De nachtreceptionist is helemaal gek. Duiven in de lift. Nog een week langer hier en ik zou me op mijn zwaard kunnen storten.'

Hij zou graag weten welke instrumenten, apparaten, gereedschap ze bij zich hadden. Als hij die informatie had, zou hij de zaak in de

juiste proporties kunnen zien. Het zou de relatie verduidelijken, aan-
passingen in aanmerking genomen.

'Glen met één n,' zei ze. 'Als je zo nodig iemand moet ontlopen,
hoe komt het dan dat je duidelijk zichtbaar naast de auto staat waarin
je straks weg zult rijden?'

Hij reageerde alsof hij uit een trance ontwaakte, uit een staat van
onthechtheid van zijn omgeving. Toch stond er ook alertheid op zijn
gezicht en in zijn hele lijf te lezen, alsof hij midden in die verdoofde
staat een niveau had ontdekt dat helderder was dan wat hij ooit tevoren had bereikt.

Hij keek naar het oosten en zag hoe in het diffuse licht de daken
van de gebouwen kleur kregen.

1. Een gebogen fileermes voor het verwijderen van ingewanden.
2. Een fileermes met een handvat van rozenhout.
3. Een bowiemes uit Arkansas met een handvat van bizonhoorn.
4. Een bowiemes dat ongeveer 145 g woog, met een lemmet van 25
   cm, een gekartelde handvatbeschermer en een koperen riem.
5. Een werpmes, zonder handvat.
6. Een jachtmes met een handvat van vijgencactus.
7. Een jachtmes met een lemmet met een neerwaarts gebogen punt
   en een handvat van hertenleer.
8. Een mes voor de rekruten van de marine met een ivoren handvat.
9. Een stiletto.
10. Een dolk van palmhout.
11. Een jachtmes in Engelse stijl in een zuiver decoratieve schapenle-
    ren hoes.
12. Een overlevingsmodel met een hol stalen handvat met ruimte
    voor codeïnepillen en waterzuiveringstabletten.
13. Een gevechtsmes met een mahoniehouten handvat.
14. Een gevechtsmes met een koperen beveiliging en een lemmet van
    12,5 cm.
15. Een gevechtsmes, walnoten handvat, in een leren hoes.
16. Een gevechtsmes met een tweezijdige punt en een lemmet van
    17,5 cm.
17. Een gevechtsmes met een dubbelzijdige punt en een lemmet van
    20 cm.

5 De koffietafel was nieuw en in het blad zat een plexi-
glazen terrarium vol miniatuurboompjes en -struik-
jes. Grace Delaney zat te telefoneren terwijl ze met
haar vrije hand meisjesachtig met het koord speelde.
Na een tijdje begon ze weer met haar ronddraai-
nummer tot ze met haar gezicht naar het raam zat. Omdat ze haar
handen nog niet met lotion had ingesmeerd, bleef Moll nog even zitten en bestudeerde intussen de bonsais. Ze verbaasde zich erover dat
de ander in staat was zo overtuigend intiem te lachen.

Grace draaide weer naar haar toe en legde de hoorn op de haak.

'Waar waren we ook alweer gebleven?'

'Je vindt dat er een solide basis ontbreekt.'

'Moll, één naamloze bron.'

'Daar baseren we ons toch altijd op. Dat is de reden dat Percival mij
het verhaal heeft gegeven. Wij hebben totaal geen verantwoordelijk-
heidsgevoel. Hij weet dat anderen het zullen overnemen nadat wij het
hebben geplaatst.'

'We plaatsen het niet, schatje. Zoals jij het hebt geschreven is het in
feite een onleesbaar stuk. Het is in de allervaagste bewoordingen gesteld.'

'Ik noem namen,' zei Moll. 'Ik noem Mudger. Ik noem Radiale
Matrix.'

'Het is zo ondoorzichtig en gecompliceerd en vaag dat geen mens er
wijs uit kan worden. Het is een onleesbaar artikel van tienduizend
woorden. Bats. Het gaat erin als een brandijzer voor varkens.'

'Wat wil je eraan veranderen?'

'Dat zei ik toch al, het is niet te redden. We kunnen deze ingewikkelde schijnconstructie niet in elkaar zetten door maar één naamloze bron
te gebruiken, die al van tevoren tegen jou heeft gezegd dat hij alles zal
ontkennen. De senator is eropuit om jou bij zijn verzameling weg te
houden. Dat is zo ongeveer de enige basis die dit verhaal lijkt te hebben.'

'Hij weet niet dat ik op zijn verzameling uit ben.'

'Uilskuiken, natuurlijk weet hij dat.'

'Grace, verdomme.'

'Wil je koffie?'

'Nee.'

Delaney trok een bureaula open en maakte een vragend gebaar.

'Oké,' zei Moll. 'Wat heb je?'

'Wodka.'

'Goed dan.'

Ze nam de zilveren flacon aan en dronk eruit.

'Hij weet het, Moll. Natuurlijk weet hij dat. Hij heeft zijn bronnen. Hij heeft overal zijn mensen. Hij is toch goddomme senator?'

'Ik houd niet van deze planten.'

'Doe niet zo stom. Ze zijn prachtig.'

'Te exact gevormd. Ze lijken onecht.'

'Ga aan je seksstuk werken,' zei Delaney. 'Dat was toch oorspronkelijk de bedoeling?'

'Dat is nu juist de aanleiding geweest van het onderwerp waarover ik uiteindelijk ben gaan schrijven.'

'Tijdverspilling, Moll.'

'We hebben riskantere dingen gedaan.'

Delaney pakte de handcrème. Haar secretaresse kwam binnen, een vrouw van middelbare leeftijd die Bess Harris heette. Moll gaf haar in het voorbijlopen de flacon die ze op het bureau zette. Grace pakte de flacon en dronk ervan.

'Wil je mijn theorie horen?' vroeg ze. 'Dit is de manier waarop ik de wereld zie. Waar het allemaal uiteindelijk om draait. Lloyd Percival en Earl Mudger en jij en ik en Bess en wij allemaal. De essentie.'

'Ga je gang,' zei Moll.

'Alle mannen zijn misdadigers. Alle vrouwen zijn maffia-echtgenotes.'

'Stom, vreselijk stom.'

'Ik was elf jaar met dezelfde man getrouwd. Ik voerde zijn bevelen uit. Zonder me daar volkomen bewust van te zijn. Zijn stilzwijgende bevelen. Op de een of andere manier, geheimzinnig, onuitgesproken. Het zit in de lucht tussen ons ingebakken. Het wordt door radiogolven van melkweg naar melkweg gezonden.'

Bess Harris dronk uit de flacon.

'Helemaal niet,' zei Moll. 'Ik geloof er geen barst van.'

'Ik ben een maffia-echtgenote.'

'Houd toch op, Grace.'

Delaney nam de flacon van haar secretaresse aan en dronk.

'Het werkelijk geniale van mannen. Wil je weten wat dat is? Mannen willen iets. Vrouwen hangen maar wat rond. Vrouwen denken dat ze doorstomen naar een geweldige carrière, toet, toet. Niks. Absoluut niks, laat me je dat vertellen. Mannen willen iets. Boem, krak, pang. De schok, christus nog an toe. Mannen willen zo hevig. Daar voelen wij ons een beetje high door, een beetje duizelig. Wat zijn wij nou helemaal naast dit grote willen, naast hun universele bloedzuigende behoefte? Bess, maak dat je wegkomt. Wat doe je hier eigenlijk?'

'Je overtuigt me totaal niet,' zei Moll.

'Ik ben al zo vaak in de hoek gedrukt dat ik op een punt ben gekomen dat ik alleen nog automatisch reageer. Ik ben zo moe. Ik moet er zo tegen vechten. Boem. Ik ben al zo oud. Dat kun je je gewoon niet voorstellen.'

'Je overtuigt me niet.'

'Ze zijn geschift. Dat is hun andere geniale kant. Ze zijn volslagen, doorgedraaid krankzinnig. Kijk er eens goed naar. Denk er eens echt over na. Ze zijn geschift.'

'Tegen wie heb je het?' zei Moll.

'En wij zijn hun vrouwen. Wij leven met ze.'

'Want je hebt het niet tegen mij.'

'Kijk er eens goed naar. Naar je eigen leven. Wroet er eens in. Het zit er. Op de een of andere manier speel je hún spel. Laat dat eens goed tot je doordringen. Zodat je maar niet gelooft dat het anders in elkaar zit. Want je bent heus pappies kleine meid niet meer.'

'Dat weet ik, Grace. De radiogolven. De melkwegsystemen.'

'Denk er eens goed over na. Graaf eens diep.'

'Geef me de flacon eens, Grace.'

'Ik ben zo oud en zo moe.'

'Je wilt het stuk niet plaatsen,' zei Moll. 'Zeg het maar, want dan kan ik nu gaan.'

'Ik was tegen jouw idee over Percivals verzameling om de redenen die ik je heb gegeven. Wat ze ook waren. Gebrek aan opzet, aan politieke vertakkingen. Dit is een ander onderwerp, dat geef ik toe, dit artikel hier, omdat er wel opzet bij is, en er wel vertakkingen zijn, er is een soort van web, een reeks onderlinge verbanden. Maar ik kan en wil het niet plaatsen.'

'Omdat je oud en moe bent,' zei Moll.

'Omdat het te zwak is. Er worden te veel dingen in verondersteld. Niet genoeg bewijslast.'

'Dankjewel.'

'Even goede vrienden?' vroeg Grace.

Moll nam een taxi naar het kantoor van het blad aan de West Side, waar ze haar eigen hokje had. Ze begon een stuk te redigeren dat was geschreven door een professor in Oost-Europese studies. Hij beweerde dat Russische parapsychologen op aandringen van de KGB bijna een systeem van moord via telepathie hadden uitgedokterd. Moll twijfelde daar eigenlijk niet aan. Ze begon wat titels te verzinnen toen de telefoon ging.

'Je ouwe citroenlimonade-drinkende maatje.'

'Wie?'

'Earl Mudger.'

'Wat wil je?'

'Ik ben binnenkort bij jou in de buurt.'

'O ja?'

'Voor het een of ander. En ik vroeg me af of jij en ik misschien ergens ons gesprek zouden kunnen afronden.'

'Was dat dan niet af?'

'Ik zal je wat zeggen, ik vond dat we nog niet eens waren begonnen.'

'Bel me maar,' zei ze.

'Ik denk dat ik er volgende week dinsdag ben. Schikt dat je?'

'Bel me maar.'

Wat het bedrukte papier je niet kon geven, het nieuwsbericht of het verslag van de rechtbank, was de kracht van de onmiddellijke nabijheid van een ander, de uitwerking van iemands stem, gebaren, het fysieke element, de ogen en het lichaam. Neem Grace Delaney, bijvoorbeeld. Haar ogen, haar intonatie, de manier waarop ze onder het spreken in haar stoel ronddraaide. Dat waren de dingen waaruit Moll opmaakte dat ze een geheime reden had om het stuk over Radiale Matrix niet te plaatsen. Glen Selvy in een lange onderbroek, zijn scheve mond en koude grijze ogen. Mudgers blauwe ogen. Earl Mudgers stem toen hij over Lomax en senator Percival sprak, over het feit dat de eerste de voornaamste bron van de laatste is, met een smidsvoorschoot voor, zijn hoge schouders, de scheve stand van de brug van zijn neus. Mudgers stem toen hij het over zijn dierentuin in Vietnam had. Mudgers ogen die even een blik wierpen op de oude vrouw die de limonade op hun tafeltje zette, het witte riet, de grazende Shetlanders. Ogen, lichamen, stemmen. De kracht van de persoonlijkheid. Het is nooit de stem die de leugens vertelt. Wees op je hoede voor persoonlijkheid. Dynamisch temperament, wees ervoor op je hoede.

Moll overpeinsde dit alles terwijl ze op zoek was naar een pakkende titel. KGB gekoppeld aan ESP was te veel letters. Telepathische huurmoordenaars. Het was de bedoeling het in een groter kader te zetten zonder het hele verhaal in de titel bloot te geven. Of moest je juist wel het hele verhaal in de titel onthullen?

Even zag ze de man met de oorbeschermers en de zonnebril in de deuropening van Frankie's Tropical Bar staan; het wapen dat op en neer danste in zijn handen toen hij schoot.

Selvy had moeite zich te concentreren. Achter in zijn hersens rolden de kilometers langzaam voort en leidden hem naar een verdwijnpunt, naar diepe slaap, het einde van waakzaam bewustzijn. Hij stond bij het raam van het motelhuisje. Het motel heette Motel in het Bos. Het meisje lag in het bed te slapen. Hij vond het prettig om haar als het meisje te zien. Het meisje is keurig gezelschap. Het meisje maakt de zaken niet gecompliceerder.

Over enkele minuten zouden ze hier zijn.

Interessant dat hij het nu weer had gedaan. Seks met een ongetrouwde vrouw. Goed, hij was die avond een beetje gek geweest. Seks met een ongetrouwde vrouw op de voorbank van een auto die op straat in de stad stond geparkeerd en al die tijd werd hij door twee bijzonder gemotiveerde oorlogsveteranen achtervolgd. Buitenlanders. Onverschillig voor plaatselijke seksuele gewoontes.

Eigenlijk stond zijn hele leven in de clandestiene dienst in het teken van een vlucht voor vrouwen. Hij kon beter manoeuvreren door zijn affaires tot getrouwde vrouwen te beperken. Hij was in staat om de stijl van een bepaalde affaire te bepalen, de grenzen van zijn betrokkenheid. Dat kwam hem goed uit. Het leven gereduceerd tot intense momenten. Het eendere genot van aankomst en vertrek. Sommigen van die vrouwen voelden het ongetwijfeld ook zo. Hun komen en gaan werd door externe factoren bepaald. Het voegde kracht en diepgang en niveau aan seks toe. Selvy gebruikte deze druk van buitenaf om zijn rol binnen bepaalde, duidelijke grenzen te houden.

Hij probeerde zich te concentreren.

Het meisje stuurde de routine niet erg in de war. Het meisje was keurig gezelschap. Ze zou de zaken niet bemoeilijken. Ze was er niet op uit een neurotische relatie met hem aan te gaan. Ze ademde nu rustig en hij hoopte dat ze van een of ander landelijk tafereel droomde.

Toen hij het minibusje de hobbelige weg van het motel hoorde oprijden, glipte hij de deur uit en liep in het donker naar het achterste huisje langs het pad naar het bos. Hij wist dat het niet bezet was. Zijn auto stond ervoor.

Hij stond aan de rand van het bos, drie meter van de auto vandaan. Hij zag dat het vw-busje bij het huisje ernaast, dat ook leeg was, ging staan. Ze klommen er behoedzaam rondkijkend uit. Ze lieten de voorste portieren openstaan. Een van hen kwam zijn kant uit en onderzocht zijn, Selvy's, auto. De ander liep weer naar het busje, waarschijnlijk om de koplampen uit te doen.

Selvy kwam het bos uit met de .41 duidelijk zichtbaar. De eerste commando reageerde, maar Selvy hield de revolver op zijn gezicht gericht, terwijl hij naar hem toe bleef lopen en steeds dichterbij kwam. De commando deed een stap achteruit, nu met zijn armen langs zijn zij, blijkbaar als een teken dat hij zich niet verzette. Hij liep achteruit tegen de zijkant van de auto aan, hij viel en probeerde weer op te staan. Selvy hield een oogje op de andere commando en duwde de revolver tegen de mond van de eerste, met de loop naar voren waardoor zijn tanden braken en de man weer op zijn hurken tegen het voorwiel aanbelandde.

Om hem te beletten op te staan, sloeg Selvy met de kolf van de revolver tegen zijn linkerkaak. De andere commando klom achter in de minibus. Selvy haalde een paar oude handboeien uit zijn achterzak. Hij legde de man op zijn buik en boog een van zijn knieën naar achteren en omhoog, de lenige kleine duivel, en maakte de enkel vast aan de pols aan de andere kant. De andere commando deed het portier dicht.

Selvy fouilleerde de man en vond alleen een klein mes met een smal toelopend lemmet. Hij gooide het door het raampje van zijn eigen auto naar binnen. Daarna liep hij naar de vw en opende het achterportier een eindje, hij duwde de magnum door de opening, zodat een centimeter of tien van de loop zichtbaar was. Geen reactie. Geen geluid. Hij opende de deur nog iets verder.

De commando zat in het donker op zijn hurken met een mes in zijn rechterhand, twee centimeter boven de vloer. Hij zat onbeweeglijk. Hij was zo stil als een houten beeld. Hij zat met zijn gezicht naar Selvy gekeerd te wachten.

De laatste knikte en sloot het portier. Hij ging het lege motelhuisje binnen, waar hij bij het raam ging staan. De commando kwam het busje uit, sleepte zijn kameraad weg en tilde hem op de voorbank. Daarna klom hij er zelf in, ging naast hem zitten en reed langzaam in de achteruit de motelweg af en daarna in de richting van de snelweg.

Lomax zat aan een hoektafel naar Earl Mudger te kijken die zich een weg baande door de eetzaal van de Motor Inn De Presidentstoren, vlak bij Arlington Boulevard.

'Het wordt langzamerhand tijd dat we bericht krijgen over hoe het in het veld gaat. Het is de hoogste tijd. Wat wil je drinken, Earl?'

'Bericht. Er is bericht.'

'Ik moet erbij zeggen dat ik denk dat het een vergissing is. Selvy was misschien een beetje overijverig. Maar ik geloof niet dat hij een schikking trof met de Ludeckevrouw.'

'Wie is Selvy?'

'Het doelwit,' zei Lomax. 'Ik denk dat hij misschien iets in zijn schild voerde. Maar ik geloof niet dat hij al iets had bereikt. Ik vermoed dat hij het Robbinsvrouwtje misschien heeft geholpen om met de senator in contact te komen. Om persoonlijke redenen. Hij wilde van die opdracht af.'

'Hij vernielde mijn afluisterapparatuur.'

'Earl, dat wist hij misschien niet.'

'Hij is getraind om dat te weten. Hij wist het. Natuurlijk wist hij dat.'

Lomax streek met zijn vingertoppen zijn bakkebaarden glad. De ober bracht de drankjes en de kaart. Hij zei iets wat ze niet verstonden. De mensen in hun buurt keken om naar de bar. Mudger en Lomax wierpen er ook een blik op. Er gingen twee mannen en een chimpansee aan de bar zitten. Ze trokken zich niets aan van alle aandacht en even later was iedereen weer aan het eten en drinken. De chimpansee droeg een vrijetijdspak met wijd uitlopende pijpen.

'Die zaak van de PTT,' zei Mudger.

'Die speelt nog steeds. Die moet wel spelen. De belastingdienst zit erbovenop sinds haar dagen als Pantherzwerfster. Ze vermoeden fraude.'

'Kunnen we ze zover krijgen dat ze zich terugtrekken, en zo ja, wanneer?'

'Nee,' zei Lomax. 'Het was al mooi dat ik het archief en de band te pakken kreeg.'

'Maakt het wat uit?'

'Ik denk het niet. Ze moet wel geloven dat wij daar invloed hebben en ze weet dat ze haar willen vervolgen. Wij kopen tijd, meer niet. Ons geldgebrek in aanmerking genomen, kunnen we ook niet hopen meer te doen.'

'Dat wilde ik je al eens vragen. Hoe komt het dat je die Dorishrapporten gebruikt? We zijn dan wel een vennootschap, maar we hebben toch onze eigen inlichtingendienst? En als we die niet hebben, hoe komt dat dan? Ik vind het geen prettig idee dat wij dezelfde onderzoeksdienst gebruiken als General Motors of de Chase Manhattanbank.'

'Het is ironisch, Earl, maar Selvy was bezig een rapport over de PTT op te stellen. We zijn tot vereffenen overgegaan voor hij het af had. Nu Selvy niet meer meedoet, Earl, hebben we werkelijk niemand meer die hier honderd procent geschikt voor is.'

'Hoe is dat zo gekomen, in vijftig woorden of minder?'

'Hoe dat zo is gekomen, Earl, is dat toen jij bij PAC/AAU wegging, er een eind kwam aan beschikbare getrainde onderzoekers voor ons. We zijn vandaag de dag helemaal niet zo goed in onderzoek. We zijn sterk op paramilitair gebied. We hebben contraterroristen die min of meer vierentwintig uur oproepbaar zijn, voor wat dat waard is.'

'Jij denkt dat ik er niet in ben geslaagd om goed te anticiperen.'

'In de zaak van de PTT hoeven we maar één goede onderzoeker te hebben. Maar die hebben we helaas niet. Vandaar het Dorishrapport. Vandaar dat we op onze knieën moesten smeken om de gunst van een oude vriend bij de belastingen.'

'Ik zal je zeggen wat we moeten doen.'

'Jij wilt dat ik mijn mond houd,' zei Lomax. 'Je vindt me een beetje prekerig. Oké, ze hebben hier lekker rundvlees. Laten we bestellen.'

Lomax verweet zichzelf dat hij niet eerder doorhad dat Mudger een slecht humeur had. Hij was teleurgesteld. Hij had een paar woorden van lof verwacht voor zijn vindingrijkheid in het vergaren van inlichtingen in de zaak van de PTT. Nu moest hij het geschikte ogenblik afwachten om er weer over te beginnen, of het anders helemaal laten zitten.

PTT waren de letters waarmee ze Grace Delaney bedoelden. Ze betekenden Platte Tieten Teef.

Mudger zat telkens naar de chimpansee te kijken. De manager van het restaurant sprak met de twee mannen die aan beide kanten van het dier zaten. Lomax kreeg de indruk, zover hij dat kon zien, dat hij het goedvond dat ze bleven zolang er maar niets onbetamelijks gebeurde.

'Ik doe een nieuwe zet,' zei Mudger. 'Dat is de manier om door te gaan. Jezelf vernieuwen. Au fond ontbreekt het systeemontwerpen in één opzicht aan iets.'

'Dat zei je, ja. Mensen.'

'Mensen, klopt.'

'Earl, het heeft zijn mooiste tijd gehad.'

'Ik bestudeer nu al een hele tijd pornografie. Vreselijk interessant onderwerp. Er komt dynamiet bij kijken. De psychologie. Interessant aspect. Vreemde combinaties van mensen. Verdragen en overeenkomsten en schikkingen. Dat intrigeert me. Systeemplanning bestaat alleen uit formuleren. In wezen steriele concepten. Daarin mis ik het menselijke aspect. De oorlog zat vol menselijke aspecten.'

'Het heeft zijn beste tijd gehad, Earl.'

'Multimiljoenen. In de buurt van een miljard, als je het softe spul meerekent.'

'Je hebt succes gehad met het toepassen van bijzondere methodes. Als je op grote schaal aan porno begint, merk je dat die methodes niet zo bijzonder zijn.'

'Maar ik ben toch juist dol op uitdagingen?'

Lomax streek over zijn hoofd.

'Het draait immers allemaal om geld? Als je het goed bekijkt? Het hele geval is toch een rechtstreeks ondernemersavontuur? Arthur? Dat klopt toch?'

Lomax hield niet van die buien.

'De winst op hardcore films is verbazingwekkend. Je kunt voor vijftigduizend een film voor boven de achttien maken en er miljoenen mee verdienen. Je hoeft hem niet eens zelf te maken. Er bestaan alternatieven. Ik heb de mensen. Ik ben er al afspraken over aan het maken. Ik hoef alleen nog maar een product te hebben.'

Mudger draaide zich weer om om naar de bar te kijken.

'De chimpansee behoort tot de apenfamilie,' zei hij na enige tijd.

'Wist ik niet.'

'Wist je dat?'

'Nee,' zei Lomax.

'Het intelligentste lid, hoewel er mensen zijn die het daar niet mee eens zijn.'

'Ik ben een hondenman.'

'Sommigen vinden dat de gorilla dat is.'
'Toetje, Earl?'
'Heb je ooit goed naar dieren gekeken? Langdurig? Want je kunt iets van dieren opsteken, van de manier waarop ze dingen doen.'
'Ik heb honden. Ik kijk naar honden.'
'Als je nou wolven zei.'
'Tam. Daar kan ik mee overweg.'
'Wolven. Heb je ooit naar wolven gekeken? Ik kan me herinneren dat in de buurt van Tha Binh...'
'Slangen wel, wil ik wel toegeven. Ik kijk naar slangen.'
'Slangen zijn goed,' zei Mudger. 'Er bestaan slechtere keuzes dan slangen.'
'Maar alleen in de dierentuin.'
De ober bracht koffie.
'Er zijn wel degelijk berichten,' zei Mudger.
'Waarvandaan?'
'Van ligt in het ziekenhuis. In elkaar geslagen. Gebroken kaakbeen. Tanden en tandvlees.'
'Wie van de twee is Van?'
'Ik ben met zijn zuster getrouwd.'
'Sorry,' zei Lomax.
'Jezus, het is om je rot te lachen. Cao weet bij God niet waar ze zijn. Het enige dat ik weet is het Mercyziekenhuis.'
'Niet in welke stad.'
'Niet in welke verdomde staat,' zei Mudger. 'Hij wil graag dat iemand hem vertelt in welke staat hij is. Hij kent ongeveer vier woorden Engels. Van, die met gemak tweemaal zoveel woorden kent, heeft zijn mond vol draden en kleine zilveren radertjes.'
'Ik heb je dat verteld over Selvy.'
'Ze zijn daarginds ergens. Bij een van de twee ligt het gezicht in de kreukels. De ander lukt het maar net om Tran Le op te bellen. Weet je dat ze zijn nummer niet opschrijft? Ze zegt alleen: Mercyziekenhuis.'
'Ik zei toch al tegen je. Selvy. Ze hebben hem niet serieus genoeg genomen.'
'Hij zal die fout weer maken als hij ervan uitgaat dat wat er nu is gebeurd een goede aanwijzing is. Ze hebben hem niet serieus genomen, dat is mogelijk. Maar deze jongens zijn er wel tegen opgewassen. Ik heb ze gezien. Ze zijn niet het doorsnee ARVN-joch. Hij zit tot over zijn oren in de stront. En die stijgt steeds hoger.'

'Ik zeg je dat hij het wel aan zal kunnen.'

'Jij zegt dat hij het wel aankan.'

'Het zit namelijk zo met Selvy: Selvy is serieuzer dan één van ons. Hij gelooft. Je zou eens moeten zien waar hij woont. Waar hij hiervoor woonde. Ergens achteraf in een smerige slum. Afgesneden van elk contact. Selvy zou het voor niets doen. De klootzak gelooft.'

'Gelooft wat?'

'Gelooft in Het Leven.'

'Het Leven,' zei Mudger.

'Tussen twee haakjes, elf weken bij de mijnen.'

'Was hij bij de mijnen?'

'Dat zei ik toch al. Selvy. De beste die ik ooit voor me heb laten werken.'

Lomax wenkte om de rekening.

'Hoe zullen ze hem nu vinden?'

'Al sla je me dood,' zei Mudger.

'Als hij niet voor zijn blindedarm naar het Mercyziekenhuis moet, hoe kunnen ze hem dan in godsnaam vinden?'

Lomax betaalde de rekening en ging naar het toilet. Op weg naar buiten bleef Mudger bij de bar staan. De chimpansee at fruitsla uit een plastic kom.

'Hoeveel wilt u voor het dier hebben?'

'Niet te koop,' zei een van de mannen.

'Kom op, noem een prijs.'

De man draaide zich om op de kruk.

'Niet te koop. Wordt niet verkocht.'

'U moet het dier niet aankleden. Het is vernederend voor een dier om kleren te dragen.'

'Wat bent u?'

'U denkt dat het leuk is om met een dier naar een bar te gaan. Dat is een grap, het dier aankleden en ermee naar een bar gaan.'

'Wat bent u, een Christian Scientist?'

'Voor de grap,' zei Mudger.

'Een Jehovah's getuige. Die geven geen bloed.'

De andere man draaide zich om naar Mudger.

'Hij vraagt u wat. Wat bent u?'

'Zeg maar tegen hem dat hij dood kan vallen,' zei Mudger.

'Hij vraagt het beleefd.'

'Zeg maar dat hij dood kan vallen.'

Mudger zette zijn middelvinger tegen zijn duim alsof hij een insect van zijn mouw wilde vegen. In plaats daarvan gaf hij de man ineens een harde dreun op zijn oor. De man reageerde alsof er op hem was geschoten. Daarna draaide hij zich weer om naar de bar, met zijn hoofd omlaag en zijn rechterhand tegen zijn oor.

'Zeg maar tegen hem dat hij dood kan vallen,' zei Mudger.

Lomax stond erbij te kijken. De man wendde zich naar zijn metgezel en sprak tegen hem over het hoofd van de chimpansee heen.

'Je kunt doodvallen, Stanley.'

Terwijl Lomax reed zat Mudger naast hem uit het raampje te staren. Hij was nog steeds in een slecht humeur. Hij dacht aan zijn eigen dieren, aan de dieren die hij uit Vietnam mee had kunnen nemen. Hij had ze één voor één op Guam achter moeten laten, in quarantaine. Praktische overwegingen en eindeloze formaliteiten hadden hem gedwongen om zijn dieren ten slotte over te laten aan de willekeur van de plaatselijke autoriteiten. Toen het schieten eenmaal voorbij was, waren er dingen die je niet kon doen.

Hij dacht aan de vrouwen in Saigon in hun zijden bloesjes en satinet broeken. Bedden met klamboes erover gedrapeerd. De meedogenloze vochtige hitte.

Hij dacht aan de mensen die hangmatten met elkaar deelden in hutten die aan de voorkant open waren, even buiten Tha Binh. VC-gongs die de hele nacht galmden. Parachutelichten van een C-47 verlichtten gedeeltelijk de hemel. De enerverende herrie van Medivac-helikopters die ergens in de buurt landden.

Hij dacht aan GI's die over junglepaden liepen met transistorradio's en kauwgumpapiertjes in de bush gooiden. Af en toe het schieten van een M-60 machinegeweer. De controleposten met zandzakken. De kisten met nieuwe wapens die ze openbraken. De *punji*-stokken besmeurd met menselijke uitwerpselen.

Richie Armbrister wierp een blik op zijn digitale laserhorloge. Nadat het hek van de lift met een luide klap was opengegaan, volgde hij Lightborne de galerie in. Ze liepen door naar de woonruimte erachter, waar Lightborne theewater opzette.

'Dus uitstel nummer twee. Hoe zit dat, Lightborne? Ik heb er al geld in gestopt.'

'En dat geld zit op een veilige plaats. En de dame krijgt het zodra ze het filmblik overhandigt.'

'Met de film erin.'

'Ik blijf er het volste vertrouwen in hebben, Richie.'

'Ik ben met allerlei dingen bezig. Een aantal projecten.'

'Dat snap ik,' zei Lightborne.

'Weet je hoe lang ik weg ben geweest?'

'Ga naar Dallas terug, Richie.'

'Ik ben nog nooit zo lang weggeweest.'

'Ik handel het van hieruit wel af.'

Het polshorloge, of de chronometer, was het enige uiterlijke teken van Richies rijkdom behalve zijn DC-9. Hij droeg een stevige kaki broek, versleten schoenen van Corduaans leer en een trui met een boothals, versierd met rendieren en met rafelige mouwen.

Hij zag er jonger uit dan tweeëntwintig; hij had wel iets weg van een tiener die aan een nerveuze aandoening leed. Hoog voorhoofd, uitstekende jukbeenderen, grote tanden. Hij maakte een intense indruk, alsof hij overdreven toegewijd was aan iets, zijn stem klonk klagend uit een mager, benig gezicht – elke keer dat Lightborne naar dat gezicht keek, vroeg hij zich af of hij met een genie of met een imbeciel te maken had.

Niet dat hij reden had om Richies prestaties in twijfel te trekken. Hij had bijna in zijn eentje een koninkrijk opgebouwd. Hij had de technologie van porno geperfectioneerd door distributiekanalen te openen en slimme marketingstrategieën te ontwikkelen. Tegelijkertijd was hij erin geslaagd om ongrijpbaar te blijven voor de wet, zich te verstoppen in een papieren doolhof.

'Ik laat Odell achter.'

'Wie?' vroeg Lightborne.

'Ik laat Odell hier. Odell is mijn technische man voor alle filmprojecten. Jij en Odell moeten voortdurend met elkaar contact houden, Lightborne. Dan weet ik hoe de zaken ervoor staan.'

'Dat vind ik een uitstekend idee.'

'Odell is mijn neef.'

'Ik snap het, Richie.'

'Hij is een van de weinige mensen om me heen op wie ik de woorden goed geïnformeerd van toepassing vind.'

'Ik weet hoeveel waarde je aan die woorden hecht.'

'Als je in aanmerking neemt welke mensen ik meestal om me heen heb.'

'Plus dat hij familie is.'

'Het zijn imbecielen. Ze kwijlen. Je moet ze alles tien keer uitleggen.'

'Geloof me, Richie, ik snap het, ik voel met je mee, ik kan het me volkomen indenken.'

Lightborne goot kokend water op de theezakjes. Als Richie liever in het gebarricadeerde pakhuis woonde waarin zijn materiaal opgeslagen was, dan had Lightborne daar geen enkel probleem mee. In Richies plaats zou hij zelf waarschijnlijk voor een rustige straat in Highland Park kiezen.

Als Richie ervoor koos om zich te omringen met mensen die hij zijn hele leven had gekend – bodyguards, adviseurs, familieleden, klaplopers, en de mannen, vrouwen, vriendinnetjes en vriendjes van al die mensen – zou Lightborne niet snel triviale bezwaren opperen, al zou hij in zijn positie een raad van bestuur installeren. Mannen en vrouwen met vaardigheden in diverse bedrijfstakken. Misschien een academicus erbij.

'Ik weet niet of ik kan blijven, Lightborne. Is er nog tijd voor een kop thee?'

'Het is jouw vliegtuig, Richie. Het toestel kan pas vertrekken als jij zover bent.'

'Ik ben zover. Ik wil er graag vandoor.'

'Drink je thee op. Ik heb een cadeautje voor je.'

'Er zit een kant aan deze zaken,' zei Richie. 'Ze eisen steeds meer. Ze zijn erg inhalig. Ik vertrouw de boel niet. Mijn bodyguard denkt dat hij de afgelopen drie dagen, waar we ook komen, steeds hetzelfde gezicht ziet. Niet dat zijn expertise op de open markt ook maar twee dollar waard is. Maar het is voor mij beter om thuis te zijn. Waar ik weet waar ik ben.'

'Zeg maar tegen Odell dat ik paraat ben.'

'Ik zal de berichten afwachten. Ik verwacht iets van je te horen. Vandaag de dag is dit heel populair. Bioscoopfilms. De mensen willen hun fantasieën oppoetsen. Speelfilmlengte is de kant die het op gaat. Ik wacht erop, Lightborne. Ik zal ernaar uitkijken.'

'Drink je thee op, Richie.'

Eerder die dag had Lightborne, na in ijzerwarenwinkels, hoeden-winkels en rommelwinkeltjes te hebben gesnuffeld, uiteindelijk ge-vonden waar hij naar op zoek was. Hij vond het in een kruideniers-winkel in Thompson Street, niet ver van zijn huis. De zaak was, met Thanksgiving vlak voor de deur, goed voorzien van specialiteiten. De Deense boterkoekjes, zag Lightborne, zaten in ronde blikken, precies wat hij zocht. Hij koos de supervoordeelverpakking.

'Een kleinigheidje dat ik voor je reis heb gekocht, om op de terug-weg in het vliegtuig op te knabbelen.'

'Wat is het, snoep?'

'Koekjes,' zei Lightborne.

Nadat hij hem het glimmende blik had laten zien, pakte hij het ste-vig in met bruin pakpapier, zodat het heel strak zat en iemand die Richie het gebouw uit zou zien komen zonder enige moeite de ronde vorm op zou vallen. Met doorzichtig plakband, afplakband en touw hield hij de verpakking stevig op zijn plaats.

'Koekjes, feestelijke koekjes. Dan lijkt de vlucht minder lang.'

Hoeveel aangenamer was het niet om met mejuffrouw Robbins te praten, die ongeveer een half uur na Richies vertrek kwam. Niet dat hij een hekel aan Richie had. Richie had menselijke kwaliteiten. Meer dan eens had hij Lightborne een teken van zijn aanhoudende vriend-schap gegeven. Veterdassen. Een stel onderzetters waarop taferelen uit de Alamo stonden afgebeeld. Het was alleen maar passend dat Light-borne een keer wat terugdeed.

Hij vroeg Moll Robbins of ze niet liever in een andere stoel wilde zitten. Ze zat in de stoel met de kapotte veren en was er diep in wegge-zonken. Ze wuifde zijn aanbod weg; ze was vreselijk benieuwd te ho-ren waarom hij haar had gevraagd langs te komen.

'Ik ben nog steeds de grootste scepticus in deze hele onderneming.'

'Ik herinner me dat u dat indertijd zei.'

'Herinnert u zich Glen Selvy nog? De man die hier die avond was toen ik voor het eerst iets over de Berlijnse film vertelde?'

'Ja zeker.'

'De man die een bod deed uit naam van een bepaalde persoon.'

'Die herinner ik me wel,' zei ze.

'Die bepaalde persoon heeft zelf contact met mij opgenomen.'

'Lloyd Percival.'

Lightborne leunde achterover en streek over zijn kaak.

'U hebt niet stilgezeten.'

'Niet aldoor, nee,' zei ze.

'Ik was verbaasd te horen dat u de serie niet hebt afgemaakt.'

'Ik raakte op een zijspoor.'

'Maar u bent er nu weer mee bezig.'

'Zo te zien wel.'

'Dan ben ik blij dat ik u heb gebeld,' zei hij. 'Naar mijn mening is een journalist ter plekke dikwijls bevorderlijk voor wat gepast en rechtvaardig is in een bepaalde situatie.'

'Hoera.'

'Mijn eigen rol moet natuurlijk voorzichtig worden belicht. Het is niet Lightborne, de handelaar in erotische spulletjes, vriendelijk en kleurrijk. Het is een bron dicht bij de situatie. Het is een bron in een gunstige positie. Mijn naam moet er niet bij staan.'

'Ik geef u de gebruikelijke verzekering.'

'Die film begint geweldige begeerten aan te wakkeren. Ik zal u vertellen, ik heb er veel over nagedacht. De ongelooflijk dwingende kracht van die man. Hij was niet impotent, weet u, ondanks eerdere berichten daarover.'

'U bedoelt Hitler.'

'Hij had een opmerkelijke aantrekkingskracht voor vrouwen. Ze stuurden hem liefdesbrieven, seksgedichten, ondergoed. Tijdens zijn autocolonnes gooiden vrouwen zich tegen zijn auto aan. Net als bij een popheld. Een of andere moderne rock-'n-roller. Vrouwen wierpen zich onder de wielen.'

'Oppervlakkige genegenheid,' zei Moll.

'Meisjes boden hem voortdurend hun maagdelijkheid aan. Bij zijn toespraken zien we vrouwen hysterisch worden. We zien collectieve opwinding. Hij oefende een hypnotische macht over vrouwen uit. Ik denk dat dat wel duidelijk is.'

'U suggereert hiermee dat er een grond voor is.'

'In de geruchten werd de man nooit met name genoemd,' zei hij.

'U bent iets aan het aanwakkeren.'

'Denk eens hoe waardevol een dergelijke film zou zijn. En de man met wie ik oorspronkelijk deze zaak besprak – ik herinner me nog goed dat hij beweerde dat ik niet teleurgesteld zou zijn in de identiteit van de personen die erin voorkomen.'

'Dood, herinner ik me dat u zei.'

'Er spelen in deze zaak allerlei soorten pressie mee. Ik heb zelf enkele krachten in werking gezet. Ik heb ook actie ondernomen om de aandacht af te leiden. Ik voel me veiliger nu mensen weten dat er een journalist in de buurt is.'

'Hoe weten ze dat?'

'Ik denk dat ze het weten.'

'U hebt het gevoel dat ze er op verschillende manieren achter kunnen komen.'

'Ze weten het. Ik denk dat ze het weten.'

Hij deed een van de lampen in het vertrek uit. Moll besloot dat ze inderdaad niet comfortabel zat, en duwde zich overeind uit de stoel en liep naar een metalen klapstoel naast de boekenkast.

'In zijn jeugd fantaseerde hij over een blond meisje in Linz,' zei Lightborne. 'Later waren er andere blondines en bleef het niet bij fantasieën. Misschien had hij een voorkeur voor blondjes. En ook voor actrices. Zijn nicht, natuurlijk. Dat was een verhouding die hem totaal in beslag nam. Als een man een intense relatie met zijn nicht heeft, duidt dat op een diepe hartstocht.' Stilte. 'Hij maakte tekeningen. Hij schetste haar geslachtsdelen. Van dichtbij.'

'Dat getuigt van slechte smaak.'

Lightborne gaf met een gebaar blijk van zijn ruimdenkendheid.

'Vóór popart bestond er zoiets als slechte smaak. Nu heb je kitsch, rotzooi, camp en porno.'

'Maar op het laatst was hij er toch heel slecht aan toe? Zwaar hallucinerend door de medicijnen.'

'Dat bedoel ik juist,' zei Lightborne. 'Dat heb ik al eerder beweerd. Hij was verzwakt. Ik geloof dat het zijn rechterarm was die zo verschrikkelijk trilde. Ze behandelden hem met bloedzuigers voor zijn bloeddruk. Het was schokkend hoeveel ouder hij eruitzag.'

'U geeft toe dat dit bewijsmateriaal ertegen pleit.'

'Dat beweer ik ook steeds,' zei hij. 'Ik poneer voornamelijk voor mijn eigen vermaak wat theorieën. Dat geef ik toe. Ik verspreid alleen maar wat geruchten.'

'Ik heb nooit een minnaar in hem kunnen zien.'

'Niet uw type.'

'Ik moet erbij zeggen dat ik eigenlijk niet begrijp waarom hordes mensen geld zouden betalen om wat oud grijs statisch filmmateriaal te zien met een rare vent die naakt rondrent, zelfs niet als hij het werkelijk was.'

'Dat beweer ik juist. Dat is een heel essentiële vraag: wie kan het iets schelen? Maar toch vang ik van alle kanten die vibraties op. Mensen met geld en macht. Er bundelen zich krachten om deze hele zaak, wazige filmbeelden of niet. Zo te zien vindt u dit saai, juffrouw Robbins.'

'Nee, helemaal niet,' zei ze. 'Ik begrijp alleen niet wat er zo aantrekkelijk aan is. Het is eerlijk gezegd een beetje onsmakelijk. Niet dat ik boven dat soort dingen sta, meneer Lightborne. Maar toch, al die activiteiten, en waarvoor?'

'Omdat het om hém gaat. Hitler. De naam, het gezicht. Al die tegenstrijdigheden en dat gebrek aan samenhang. Ik zou er een uur over doen om het allemaal op te noemen.'

'Alle grote mannen. We weten hoe het zit met grote mannen en hun publieke en privé-persoonlijkheden.'

'Een zeer ongrijpbare geest. Veel gesloten deuren. Aanwijzingen, gefluister over onnatuurlijke seksualiteit. Nog steeds een diep geheim. Vaak pleegden vrouwen die iets met Hitler te maken hadden gehad, zelfmoord of deden daar op zijn minst een poging toe. Na zijn dood hebben in heel Duitsland vrouwen zich van het leven beroofd. Ontelbare zelfmoorden.'

'Probeert u me te deprimeren?'

'De bunker kende een zeer gemengd gezelschap. Je had er secretaresses, ordonnansen, ss-bewakers, keukenpersoneel, enzovoort. Er werden vrouwen van de straat geplukt door en voor de ss'ers. Er kwamen bezoekers van militaire eenheden. Er was een drank-orgie, iets met seks, in de kamers van de ss-bewakers. Ik weet niet hoeveel mensen daaraan meededen.'

'Misschien staat dat op de film.'

'Ze dachten dat hij dood was. Ze vierden het. Maar hij heeft het pas later gedaan. Dat is waar, misschien staat dat erop. Maar ik blijf op iets beters hopen.'

'De ouwe kerel zelf.'

'We beleven vreemde tijden,' zei Lightborne nadenkend.

Hij bedankte haar voor haar komst en beloofde dat hij haar op de hoogte zou houden. Ze liepen door de donker geworden galerie naar de deur. Moll stootte tegen een tafel en Lightborne bood zijn verontschuldigingen aan en vroeg haar om te blijven staan tot hij licht had gemaakt. Ze zag dat hij niet naar het knopje aan de muur liep, maar naar een hoek van het vertrek waar hij een lamp aandeed met een peertje van hooguit vijfentwintig watt.

'Het is al zover met mij gekomen dat ik niet van goed verlichte kamers houd, en ook niet van praten door de telefoon. Ik ben nooit achterdochtig van aard geweest. De oude dag, vermoed ik. De eerste tekenen van verval.'

'U hebt nog een lange weg te gaan, meneer Lightborne, zou ik denken.'

'De eerste tekenen.'

'We zijn allemaal een beetje op onze hoede.'

Hij knikte, staande in de schemer. Ze moest weer denken aan de eerste avond dat ze hier was, toen de kamer steeds donkerder werd terwijl hij rondging om de lichten uit te doen en hij haar aanwijzingen gaf voor Selvy's bestemming die avond.

'Als je een bank binnengaat, word je gefilmd,' zei hij. 'Als je een warenhuis ingaat, word je gefilmd. We zien het steeds vaker. Als je in een paskamer een jurk aanpast, kijkt er iemand door een *one-way screen* naar je. Niet alleen de klanten, weet u. Het personeel wordt ook in de gaten gehouden, bespied met verborgen camera's. Waar je je auto ook heen rijdt. Radar, controle met de computer. Ze kijken bij de baarmoeder naar binnen om er foto's te maken. Overal. Wat draait er voortdurend om de aarde heen? Spionagesatellieten, weersondes, U-2 vliegtuigen. Wat doen ze? Foto's nemen. De hele wereld op de foto zetten.'

'De camera is overal.'

'Dat is zo.'

'Zelfs in de bunker,' zei ze.

'Beslist.'

'Iedereen wordt gefilmd.'

'Ik geloof het wel, mejuffrouw Robbins.'

'Zelfs de mensen in de bunker onder de Rijkskanselarij in april 1945.'

'Ongetwijfeld de mensen in de bunker.'

'U gelooft dat, meneer Lightborne.'

'Ik heb de film,' zei hij.

Hij was langzaam naar achteren gelopen, zo'n zeven meter van de lichtbron vandaan, waar hij tegen een lege muur ging staan, waardoor hij opeens misvormd leek, een illusie die werd versterkt door zijn schaduw op de muur achter hem. Zijn lichaam leek piepklein. Hij bestond voornamelijk uit hoofd.

'Heeft u hem gezien?'

Hij deed een paar stappen in haar richting, alsof hij iets wilde fluisteren, een vreemd gebaar, gezien de ruimte tussen hen.

'Ik heb het blik nog niet eens opengemaakt.'

Hij lachte.

'Ik wacht op technische hulp.'

Hij lachte weer.

'Ik ben bang dat het hele geval zal verpulveren als ik het blik niet op de juiste manier openmaak. De film zit er al meer dan dertig jaar in. Waarschijnlijk is er een goede en een foute manier om een filmblik te openen waar de film al zo lang in zit. Er is misschien een bepaalde vochtigheidsgraad voor nodig. Veiligheidsmaatregelen. Aanbevolen procedures.'

'Van wie krijgt u technische hulp?'

'Odell Armbrister.'

Deze keer lachte Moll.

'Richies neef,' fluisterde hij.

'Wie is Richie?'

'Richie Armbristers neef. De pornokoning uit Dallas. Het jongensgenie. Die in een pakhuis woont.'

'Fascinerend,' zei ze.

Lightborne liet zich in een stoel vallen, uitgeput door de onthulling.

'Ja, fascinerend. Interessant woord. Van het Latijnse *fascinus*. Een amulet in de vorm van een fallus. Een woord met dezelfde wortel als "fascisme".'

Hij fluisterde weer.

Glen Selvy besloot op een lang recht stuk van de US 67 om met beide handen aan het stuur zijn ogen te sluiten en tot vijf te tellen. Hij deed het zonder enige haast. Bij vijf wachtte hij zelfs even voor hij zijn ogen weer opendeed.

Hij reed honderdtwintig.

PAC/AAU had openlijk personeel geworven. Ze hadden behoefte aan

bestuurders, administratief personeel, personeelsconsulenten, beroeps-
panelleden, budgetbeheerders. Terwijl Selvy zich door een reeks testen
en gesprekken heen werkte, begon hij zich er rekenschap van te geven
dat hij deel uitmaakte van een steeds selecter wordende groep kandidaten. De anderen gingen allemaal één voor één Kamer 103, 104 of 105
binnen. Selvy's groep kwam achter een deur zonder nummer bij elkaar.

Er volgden weken van verder selecteren. Regelmatig werden er gesprekken gevoerd, leugendetectors gebruikt. Het beeld werd steeds
helderder. De kandidaten werd met tussenpozen gevraagd hun bereidheid om met het programma door te gaan te kennen te geven.

Selvy kreeg een salaris en werd op een afdeling van PAC/AAU geplaatst die Expansiebeperkingsdiensten, Begeleiding en Ondersteuning heette. Zes weken lang controleerde hij personeelsdossiers en eva-
lueerde hij kandidaten voor diverse banen. Hierop volgde een tweede
reeks testen, waaronder een grondig lichamelijk onderzoek. Met tussenpozen werd hem gevraagd zijn bereidheid of weigering om door te
gaan met het programma te bevestigen.

Hij zag haar wuiven: Nadine Rademacher.

Ze stond voor een Howard Johnson-wegrestaurant dat dicht bij een
kruising lag. Ze stapte glimlachend in de auto en terwijl Selvy wegreed
tilde ze haar koffer over de voorbank heen.

'Het was leuk om Joanie te zien. Je had het slechter kunnen treffen
als je een vorkje mee was komen prikken. Waar gaan we nu naartoe?'

'Waar nu naartoe.'

'Al die opritten en verschillende niveaus. Zorg maar dat je de goede
weg kiest.'

'Ik vind dat we gewoon door moeten rijden langs dezelfde rechte
lijn die we al volgen sinds we New York achter ons hebben gelaten.'

'Hebben we in een rechte lijn gereden?'

'Vanaf New York.'

'Ik ben blij je te zien, Slim. Was je bang dat ik zou denken dat je
niet zou komen opdagen?'

'Die vraag zullen we op een keer punt voor punt moeten doorne-
men.'

'Het is een gemene vraag.'

'Waar nu naartoe,' zei hij. 'Kijk eens in het handschoenenkastje.'

'Je ziet er een beetje moe en somber uit.'

'Daar ligt een kaart.'

'Ik zal je eens zeggen wat me niet bevalt. De lucht is een beetje te fris. Daarvoor is het nog te vroeg en zitten we al te ver naar het zuiden.'

Ze trok haar hand terug uit het handschoenenkastje met de kleine dolk erin die Selvy anderhalve dag eerder van de man met de revolver had afgepakt. Ze wachtte tot hij hem zou zien.

'Wat is dat?' zei hij.

'Hé, jongen.'

'Ik gebruik hem voor mijn nagels. Om ze te vijlen.'

'Is dit nou wat ze een bowiemes uit Arkansas noemen?'

'Dit ding is kleiner.'

'Want we zíjn in Arkansas.'

'Je dacht, ik vraag het maar.'

'Waar is hij voor?' vroeg ze.

'Ik snijd matrassen open als ik depressief ben.'

Ze hadden hem naar de Marathonmijnen gestuurd. Daar volgde hij lessen in coderen en elektronisch monitoren. Er werd uitvoerig met wapens getraind. Hij nam deel aan kleinschalige militaire oefeningen. Hij bestudeerde buitenlands geld, internationale bankprocedures, de fijne handelskneepjes. Hij hoorde voor de eerste keer het woord 'sponsormechanisme'.

Zijn instructeurs gaven hem de indruk dat hij deel uitmaakte van de beste spionage-eenheid van het land. Die was hanteerbaar klein, die was bijna onbekend, er was geen verloop, geen verspilling, geen directe aansprakelijkheid. Hij hoorde de woorden 'Radiale Matrix'.

Er werd veel tijd besteed aan het bestuderen en bespreken van de paramilitaire structuur van rebellengroepen elders in de wereld.

Ze analyseerden de organisatie die de Vietcong hadden opgezet. De parttime-dorpsguerrilla. De onafhankelijke driemanscel. En *tieu to dac cong*, de speciale taakeenheid die beschouwd werd als het gevaarlijkste element bij uitstek in het vc-systeem. Zelfmoordbrigades. Speciale sabotagehandelingen in gebieden die onder het gezag van het Amerikaanse leger stonden. Aanslagen met granaten en een hoog risico. Moordbrigades.

Ze bestudeerden de Algerijnse *moussebelines*, of doodseskaders, groepen die, onafhankelijk van het plaatselijke militaire gezag, buitengewoon gevaarlijke operaties uitvoerden. Ze bespraken de actie van het FLN-bommennetwerk dat vanuit de kashba opereerde en ondanks het beperkte aantal deelnemers bijna een jaar lang een staat van terreur in stand hield.

Selvy vond het eigenaardig dat de inlichtingenofficieren van een grote industriële macht bereid waren de tactieken van slecht uitgeruste revolutionairen over te nemen, wier acties, direct of indirect, tegenstrijdig waren aan de belangen van de vs. De vijand. Over dat eigenaardige feit werd niet gesproken en het werd niet bestudeerd. Hij hoorde de uitdrukking 'handhaving van binnenlandse aangelegenheden'.

Groepen die met verschillende instanties waren verbonden, zowel Amerikaanse als buitenlandse, trainden bij de mijnen. Selvy hoorde van mensen die tot sommige van die groepen behoorden, telkens weer over de heldendaden van de eerste hoofdopleidingsofficier – de man die, meer dan enig ander, verantwoordelijk was voor de methodes en procedures die nu werden toegepast. Earl Mudger. Er werd van hem gezegd dat hij tegenwoordig ergens in het oosten in zaken was.

'Herinner je je chocoladesigaretten nog?' vroeg Nadine.

Selvy volgde een tweebaansweg tot ze een restaurant zagen. Binnen was een lang vertrek waar aan een van de tafeltjes een plaatselijke politieagent met een serveerster op gymschoenen in gesprek was.

'Mis je de lichten?' vroeg Selvy.

'Ben je mal.'

'Times Square.'

'Arm, been, heup, borst.'

'Denk je dat die vrouw voor zonsondergang naar ons toe zal komen om onze bestelling op te nemen?'

'Ze heeft bezoek, Glen.'

'Wat doet hij?'

'Ik denk dat hij iets op het spoor probeert te komen.'

'Dat denk ik ook.'

'Ik denk dat hij op het punt staat hem te smeren.'

'Roep jij haar eens,' zei hij.

'Waarom zo'n haast?'

'Om weer op onze rechte lijn te komen.'

Nadat het eten was gebracht, aten ze het zwijgend op. Een wit wormpje kroop over een slablad midden op Selvy's bord. Hij at eromheen.

'Ik werkte vroeger in Sample's Café in Langtry,' zei Nadine. 'Ik vind het zo raar dat de rechte lijn langs mijn zuster loopt, en ook langs mijn vader.'

'Je wilt hem toch zien?'

'Ik weet het niet,' zei ze. 'Hij kwam aardig dicht in de buurt van een totale klootzak, en ontzag niets of niemand. Alleen dankzij mijn moeder was het nog draaglijk. Toen zij overleed, ging Joanie er als een haas vandoor. Ik deed er wat langer over. Het duurt bij mij altijd heel lang eer ik iets in de gaten heb. Maar ik zie het nu duidelijker. Die man is gewoon niet erg aardig.'

'Woont hij alleen?'

'Je zou het huis eens moeten zien. Het is meer een hut. Ongeveer de helft van alles in ons huis is door mijn moeder van oude voederzakken gemaakt. Theedoeken, handdoeken, servetten, zelfs een heleboel kleren. Kussenslopen. Kussenslopen van voederzakken. Jurken en rokken van voederzakken.'

'Recycling.'

'Armoe,' zei ze.

Ongeveer een halve kilometer van de snelweg af kwamen ze langs een verlaten boerderij. Selvy zette de auto ergens tussen het onkruid. Uit een kartonnen doos op de achterbank pakte hij het kleinste van zijn twee handwapens – de .38. Hij liep het hek door naar een waterput niet ver van het woonhuis. De revolver lag plat op zijn handpalm en hij gooide hem bijna een meter de lucht in; daarna keek hij hoe hij in de put viel. Er klonk een gedempt geluid uit op.

Nadine keek recht tegen de ondergaande zon in en kneep haar ogen samen toen ze hem naar de auto terug zag lopen.

'Hoe zit dat met die rechte lijn?' vroeg ze.

Toen hij in Washington was besefte hij dat er iets was veranderd. Een man met de naam Lomax kwam naar zijn hotel. Er werd met geen woord over PAC/AAU of over Expansiebeperkingsdiensten gesproken. Mensen met wie hij had samengewerkt belden hem niet terug. Hij bleek niet langer op de loonlijst te staan.

Lomax nam hem mee voor een ritje in een zwarte limousine. Hij zei dat Radiale Matrix alle banden met officiële overheidsdiensten had verbroken. Systeemplanning zou nog steeds vanuit het hoofdkwartier in Fairfax County worden gedaan. Alle clandestiene opdrachten zouden door dit bedrijf en zijn branches worden verstrekt. Er was geen ander hoofdkwartier. Er was geen organisatieschema. Er was geen structuur en geen infrastructuur. Alleen maar de allervaagste lijnen van gezag.

Lomax herhaalde wat Selvy in de mijnen had geleerd. Rebellenbewegingen ontleenden hun kracht aan het feit dat hun politieke en hun militaire functie een en dezelfde waren. Hier, vertelde Lomax hem, worden zakelijke ondernemingen en clandestiene activiteiten op precies dezelfde manier gecombineerd. De een is er niet ter ondersteuning van de ander. De een ís de ander.

Selvy reisde door Noord-Amerika, daarna door Europa en delen van Azië. Hij won informatie in over concurrenten van Radiale Matrix. Hij deed geheime betalingen aan vertegenwoordigers van toekomstige klanten van Radiale Matrix. Hij betaalde geheime commissies aan agenten van buitenlandse regimes. Hij zorgde voor de verdwijning van een handelsattaché op vakantie in Griekenland. Hij financierde het bombarderen door terroristen van een fabriek van machineonderdelen. Legitieme zakelijke onkosten.

Lomax haalde hem terug naar de Verenigde Staten. Ze hadden een observator nodig. Een tijdelijke opdracht. Selvy's naam was uit de computer gerold.

Vier dagen per week ging hij naar een wit houten huis in Alexandria. Een vrouw die mevrouw Steinmetz heette, gaf hem privé-les in kunstgeschiedenis met dia's. Ze begeleidde hem op bezoeken aan de National Gallery en het Hirshhorn. Ze liet hem reproducties zien van pornografische kunst en besprak de esthetische aspecten ervan.

Twee dagen per week ging hij naar een suite in een kantoorgebouw in de buurt van Union Station. Hier legde een zekere meneer Dempster hem het protocol en de procedures in het Huis van Afgevaardigden en de Senaat uit. Hij gaf Selvy materiaal over het onderwerp te lezen. Na enige tijd voorzag hij hem van een cv – achtergrond, opleiding, vorige banen, enzovoort. Het was allemaal na te gaan, en niets ervan was waar.

Het hoofd van Percivals staf was onder de indruk. Hij maakte een afspraak voor een gesprek met de senator. De senator kwam steeds weer terug op Selvy's kennis van kunst. Hij sprak met hem af om te gaan lunchen, en tijdens die lunch werd Selvy aangenomen.

De zwarte limousine dook weer op. Lomax vertelde hem dat hij tot nader bericht betaald zou worden via een geheime plek. Er werd aan een pensioenregeling gewerkt.

Een maand lang deed Selvy stafwerk op Percivals kantoor. De senator gaf een dineetje in zijn huis in Georgetown. Selvy bleef nadat de andere gasten waren vertrokken. Ze dronken een paar glaasjes. Ze praatten. Ze namen er nog een. De senator liet hem een kamer zien met een spinnewiel en een antiek bureau. Daarna leidde hij hem door de open haard naar het interieur van het huis ernaast.

'Dit is mijn echte leven,' zei hij. 'Dit ben ik eigenlijk.'

Ze reden de heuvels uit en kwamen nu door land met boerderijen, een ononderbroken horizon en kale vlaktes. Ze reisden langzaam, stopten wanneer dat mogelijk was langs de grote weg om te eten en te rusten. Sommige dagen reden ze niet meer dan dertig kilometer. Selvy sliep niet veel. De nachten waren koel.

Hij zag een bocht in een kleine glooiing in de weg die voor hem lag. Hij sloot zijn ogen en telde tot zeven, op de vierde tel liet hij het stuur iets naar links draaien, want dan moest de auto volgens zijn schatting bij de bocht zijn gekomen.

Richie Armbrister zat in zijn blootje in de sauna. De man op de bank tegenover hem was ook bloot. Richie probeerde zonder te staren het gezicht van de ander door de stoom heen goed in zich op te nemen. De man was mollig. Begin veertig waarschijnlijk. Enigszins grijzend aan de slapen. Hij leek volmaakt ontspannen, wat erop wees dat hij hier thuishoorde, of dacht dat dat het geval was.

Ze glimlachten vaag naar elkaar door de stoom.

Richie stond op en stak zijn hoofd om de hoek van de deur. In het passagiersgedeelte was een feestje aan de gang. In het discogedeelte dansten mensen, terwijl anderen snacks zaten te eten en wat te drinken. De copiloot kwam door een kralengordijn uit de cockpit en kreeg een sandwich van de vriendin van Richies lijfwacht.

Richie probeerde de aandacht van deze lijfwacht te trekken. Daryl Shimmer. Een slanke zwarte man die al deinend en dronken wankelend over de dansvloer gleed. Richie vroeg zich af waarom die intense concentratie, zo typerend voor zijn entourage, altijd weer werd aangewend voor andere doeleinden dan zijn, Richies, gemoedsrust.

Toen hij er niet in slaagde Daryls aandacht te trekken, sloot hij de deur, pakte een karaf en goot nog wat water over de hete bakstenen. Daarna ging hij weer zitten.

De man boog zich in de mist naar hem toe.

'Wij willen over een filmblik praten.'

'Wie zijn wij?' zei Richie.

'Jij en ik.'

'Ik wil helemaal niet over een of ander filmblik praten.'

'Dat zich in dit vliegtuig bevindt.'

'Niets van wat je zegt is van toepassing op enig vliegtuig dat ik ken.'

'Richie, word eens volwassen.'

'Kennen wij elkaar?'

'Ik heet Lomax.'

'Waarom ben je hier?'

'Ik zou tegen je kunnen zeggen dat ik een andere partij had horen te ontmoeten. Aan boord van een ander vliegtuig. Dat er verwarring was. Ik kwam tot de ontdekking dat ik in het verkeerde vliegtuig zat. Dat is één versie.'

'Heeft niemand je gecontroleerd? Heeft niemand je iets gevraagd?'

'Ik ben blijkbaar zo iemand die niet opvalt tussen anderen. Ik trek de aandacht niet. Dat is iets waarmee ik heb moeten leren leven. Onopvallend zijn. Niet opgemerkt worden.'

'Ze weten dat ik hier ben. Daryl en de anderen. Voor het geval je je dat afvraagt.'

'Maar er is een tweede versie.'

'Die hoef ik niet te horen.'

'Je bent volwassen, Richie. Groter zul je niet worden. Het is niet meer dan netjes om als volwassenen met elkaar om te gaan.'

'Ja, ja, maar op dit ogenblik moet ik me klaarmaken want we gaan zo dadelijk landen.'

'Zeker.'

'Landen is al erg genoeg met je kleren aan.'

'Ik snap het,' zei Lomax. 'We praten straks wel verder.'

Richie kleedde zich aan en ging naar de passagiersafdeling. Hij werd staande gehouden door een jonge vrouw die Pansy heette. Zij was Daryl Shimmers vriendin en ze had al wekenlang geprobeerd Richie over te halen om voor Daryls verjaardag een strandbuggy met verchroomde uitlaatpijpen te kopen. Richie was niet in de stemming.

'Kijk eens om je heen,' zei hij tegen haar. 'Al die Vic Tanny-idioten met hun brillen, hun mannensieraden, hun gebeeldhouwde haar. Het lijkt wel of ze helmen dragen. Het komt nooit van zijn plaats, behalve bij een aardbeving. Gooi ze eruit met hun diep uitgesneden hemden, met hun ruimtelaarzen. Ik wil voor de verandering normaal. Ik wil gewoon. Mensen met echt haar. Ik wil minder van dat orgastische gedoe hier. Iedereen ziet eruit alsof hij een climax beleeft. Wanneer ik het pakhuis binnenkom, zijn er livebands, kronkelende mensen. Ik stap in het vliegtuig, en ze zijn nog steeds aan het schudden; het houdt nooit op. Wat is er met normaal gebeurd? Waar is normaal?'

Ongeveer een kwartier later, terwijl het vliegtuig DFW naderde, zat Lomax in een draaistoel, met de riemen vast, op geroosterde nootjes te kauwen. Er waren nog steeds mensen aan het dansen. Hij wierp een blik op Richie Armbrister. Toen het vliegtuig naar de landingsbaan begon te dalen, was Richie voorover gaan zitten. Hij had zijn schoenen uitgetrokken. Hij hield een kussen tussen de vastgemaakte veiligheidsriem en zijn buik geklemd. Een tweede kussen lag op zijn knieën. Zijn bovenlichaam was helemaal voorovergebogen, en zijn hoofd lag op het tweede kussen. Zijn benige handen waren achter zijn knieën gevouwen.

Nadine kroop over het motelbed. Ze reikte over Selvy's lichaam heen om de cilindrische leeslamp recht op zijn gezicht te laten schijnen.

'Wat ben je?'

'Wat bedoel je,' zei hij.

'Ik probeer je gezicht te analyseren.'

'Wat ras betreft, bedoel je. Wat het type aangaat en zo.'

'Wat ben jij?'

'Een indiaan.'

'Je lijkt niet op een indiaan.'

'Ik heb mezelf getraind er anders uit te zien. Er bestaan oefeningen voor. Door je spieren te spannen.'

'Dat zijn geen indiaanse trekken, Glen. Jij stamt niet van indianen af.'

'Je kunt er anders uitzien als je je erin oefent. Je begint met een goede spiegel. Zo is het met alles. Kwaliteit is belangrijk. Je zorgt dat je een spiegel van goede kwaliteit hebt.'

'Als je een indiaan bent, dan is dit niet je echte naam, wat je mensen al die jaren hebt verteld. Wat is je echte naam, je indianennaam?'

'Jachthond,' zei hij.

III

DE MARATHONMIJNEN

I Van kon nog geen vast voedsel verdragen. Hij leefde van milkshakes en soep. Hij klaagde nooit, merkte Cao, maar hij kon zien dat hij meer gespannen was dan gewoonlijk. Dat was erger dan klagen.
Ze luisterden naar country en reden steeds verder, ze kwamen door Lexington, Bowling Green, Memphis, Little Rock, Dallas, San Angelo, en weer door, naar een stipje op de kaart dat Ozona heette.

Verkeersborden stelden Cao voor een raadsel. Het landschap werd ruig, leeg en uitgestrekt. Hij wilde terugkeren. Van zette door. Zijn wang was nog steeds bont en blauw. Zijn bovenlip was gezwollen en paarsachtig. Als hij niet reed, zat hij op zijn wegenkaart te kijken.

In Ozona, het enige stadje in een zich naar alle kanten uitstrekkend district, zagen ze een Toyota die precies leek op de auto waarnaar ze op zoek waren. Hij stond naast een benzinestation geparkeerd, opzij ervan, niet in de buurt van de pompen. Een jonge vrouw zat op de bumper een cola te drinken. Door zijn verrekijker kon Cao het nummerbord ontcijferen. Een bord uit DC. De nummers kwamen overeen.

De commando's parkeerden op het stadsplein. Van liet zijn maat de kaart zien, en wees opgewonden naar de lijn die hij had getekend vanaf New York, waaruit ze waren vertrokken, door een punt dat uitkwam bij de bocht in de Ohiorivier bij Huntington, waar ze in de val gelopen en vernederd waren, en zuidwaarts, door vier staten en dan Mexico in. Het was een rechte lijn en hij liep vlak langs Ozona.

Cao was blij omdat Van blij was.

Ze besloten dat Van Earl Mudger zou bellen. Van kende de plaatsnamen en kon ze bijna moeiteloos uitspreken.

Moll zat achter in een oude blokbandtaxi en bedacht dat dit zonder twijfel de beste tijd van het jaar was – die korte periode van kou en helderheid in de herfst. De taxichauffeur was telkens te laat voor het stoplicht en zat in zichzelf te mompelen.

Bij een van de stoplichten verscheen rechts van haar een auto, een zilverkleurige Chrysler. Moll zag vanuit haar ooghoeken hoe het raampje aan de bestuurderskant rustig omlaag werd gedraaid. Spiegelingen weken geleidelijk voor Earl Mudgers glimlachende gezicht.

'Ik heb je gebeld.'

'Eén keer.'

'O, gaat het zo,' zei hij. 'Je werkt met een puntensysteem.'

'Heb je een nummer ingesproken?'

'Er wordt kennelijk een puntensysteem gebruikt. Ik heb punten verloren.'

'Volgens mij heb je geen nummer ingesproken.'

'Ik heb maar één keer gebeld en ik heb geen nummer achtergelaten. Ik ben dood. Ze halen me weg. Een nieuw laagterecord wat punten betreft.'

Het licht sprong op groen. Haar chauffeur trok langzaam op. Mudger bleef naast hen rijden, zodat het voorste portier van zijn auto ter hoogte van het achterportier van de taxi was.

'Mijn auto of de jouwe?' zei hij.

'Ik vind het zo wel best.'

'Wacht maar.'

Er werd getoeterd. Haar chauffeur mompelde weer iets. Ze kropen voort over Central Park West. Ineens gaf Mudger plankgas. Een fractie van een seconde van luid bandengeknars, en toen schoot de Chrysler naar voren. Een halve straat verderop remde hij, draaide 180 graden om, en dook een parkeerplaats in. Het portier ging open en hij kwam op zijn dooie gemak naar buiten. Hij stak de middenstreep over op hetzelfde moment dat de taxi eraan kwam. Hij liep door en dwong de taxi tot stoppen. Vervolgens liep hij naar de andere kant en opende het achterportier. Moll schoof een eind op. Mudger stapte in en trok het portier dicht onder het aanzwellende getoeter van de auto's achter hen.

'We willen naar het park,' zei Mudger tegen de chauffeur. 'Zodra je kans ziet, maak je een R en dan rijd je rondjes in het park.'

Hij keek Moll aan.

'Jij houdt wel van die oude taxi's.'

'Sfeer.'

'Ik weet niet hoe ik met je moet praten. Wist je dat? Ik geloof dat ik daarom hier zit. Om te leren hoe ik met je moet praten.'

'Ik vond dat ons gesprek aardig goed was gegaan.'

'Ik voelde me in de verdediging gedwongen,' zei hij.

'Het was jouw territorium.'

'Je weet niet hoe je me moet noemen, hè? We hebben een probleempje met namen.'

'Het was jouw territorium. Jij regelde mijn aankomst en vertrek.'

'We voelen een beetje spanning tussen ons.'

Ze reden noordwaarts door Central Park in de richting van 86th Street, een dwarsstraat.

'Ik dacht dat je zei dat je hier voor zaken bent.'

'Om klanten te werven.'

'Waarvoor?'

'De Mudgertip.'

'O ja, je uitvinding, die herinner ik me.'

'Staal,' zei hij.

Toen ze afsloegen naar het oosten kwamen ze langs het volleybalveld waar ze met Selvy had getennist. Die verdomde hufters. Wie waren ze en wat wilden ze?

'Dit is jouw territorium,' zei hij. 'En dat betekent dat ik geen enkele kans maak.'

'Jij regelt nog steeds de aankomsten.'

'Alleen mijn eigen.'

'Je geeft bevelen aan taxi's. Dat oude mannetje staat doodsangsten uit.'

'Als we een tijdje hebben rondgereden en de hele dialoog hebben doorgewerkt, moeten we maar ergens wat gaan eten, vind ik.'

'Dat doe ik niet langer,' zei ze.

'Wat heb je nog meer opgegeven?'

'Je raadt het al.'

'Waar zou je dat nou voor doen?'

'Er zit geen humor meer in. Het is eigenlijk een humoristisch tijdverdrijf, maar er werd de laatste tijd niet meer zo hard en zo vaak gelachen.'

'Er zijn twee mythes over vrouwen. Vrouwen zien de humoristische kant van seks en ze houden van mannen die dat ook zien. En vrouwen zijn meer gesteld op tederheid dan op de seks zelf, al dat gereedschap dat eraan te pas komt – technieken, afmetingen, enzovoort.'

'Wie heeft het over seks? Ik heb het over film. Naar de film gaan.'

'Ik zei het al, hè? Ik maak geen schijn van kans. Ik kan haar niet bijhouden.'

'Waarom heb je toch zo veel lol in dat gekibbel en gevecht van ons?'
'Kun je dat zien?' vroeg hij. 'Ik wist niet dat je het kon zien.'
'Ik geloof dat het glunderen wordt genoemd.'
'Dat is mijn militaire glimlach. Daar kom ik blijkbaar niet van los.'
'Iedereen heeft gelezen over de zware tijd die jullie als oorlogsveteranen doormaakten met de overgang naar de burgermaatschappij. De ene dag sta je in een provinciaal ondervragingscentrum toezicht te houden op de foltering van een of andere boer.'
'Loop niet te hard van stapel,' zei hij tegen haar.
'Een dag later ben je terug in de Verenigde Staten, en kijk je wat verbouwereerd om je heen. Geen wonder dat je nog steeds die glimlach hebt. Ik weet heus wel dat die boer gevaarlijk was. De vijand was overal.'
'Je snapt er geen reet van.'
'Dat is waar,' zei ze. 'Het is truttig en zelfingenomen voor niet-strijders om kritiek te hebben op Wie-Er-Geweest-Zijn. Ik heb begrip en sympathie voor dat standpunt. Toch vind ik altijd dat je het best iets objectief kunt bekijken, en soms is je blik scherper en intelligenter door de afstand. Door die duizenden kilometers ertussen. Het is mogelijk dat het lijden dat beide kanten ons laten zien, een leugen is. Maar je hebt grotendeels gelijk. Vanwege mijn belachelijke rechtvaardigheidsgevoel heb ik heus wel begrip voor jouw standpunt. En ik ben het met je eens. Ik snap hier geen reet van. Dus laten we wat dichter bij huis blijven. Bij de dingen die ik heb gehoord en gezien.'
De taxi reed aan de westkant van het park, in zuidelijke richting.
'De senator en jij zitten achter hetzelfde artikel aan. Ik weet wat het is, maar ik kan niet zeggen dat ik de diverse beweegredenen helemaal begrijp. Hindert niet. Wat wel van belang is, is dat hier een man om werd vermoord.'
'Jij acht dat belangrijk.'
'Het is in ieder geval belangrijk genoeg om er aandacht aan te schenken.'
'Ik geloof niet dat het zo belangrijk is.'
Hij schoof een beetje haar kant op waardoor ze minder ruimte had, en zijn linkerarm gleed over de achterkant van de bank.
'Heb je al een beetje geleerd hoe je met mij moet praten?' zei ze.
'Wat?'
'Je zei dat je niet wist hoe je met mij moest praten. Daarom ben je hier, zei je.'

'Ik leer in ieder geval íets. Ik weet niet precies wat. Jij denkt dat het belangrijk is. Een man werd vermoord. Vond je dat tien jaar geleden ook belangrijk? In de dagen met je vernietigingsexpert?'

'Dat weet je. Natuurlijk.'

'Natuurlijk weet ik dat. Wijlen de grote Gary Penner. En jij was er ook, een jong meisje, in je mannenoverjas met epauletten. Hoeveel mensen heeft Gary tijdens het uitoefenen van zijn beroep de ruimte ingestuurd? Dat hoor jij te weten. Omdat je met die man samenwoonde. Met die man hebt samengewoond. Een paar nachtwakers. Een paar voorbijgangers. Een arm hier, een been daar.'

Ze keek uit het raampje.

'Je nam er zelf geen deel aan. Het was al leuk om vanaf de zijlijn toe te kijken. Maar je bent toch volwassen geworden? Terreur is niet langer het erotische vehikel dat het vroeger was. We weten te veel. We hebben het gezien. We houden ons nu met organisch tuinieren bezig.'

'Volgens jou ben ik dus volwassen geworden?'

'Een beetje,' zei hij. 'In zekere zin. Genoeg om een grens te kunnen trekken.'

De glimlach. Het hoofd schuin naar rechts.

'Dat wat jij denkt dat er gaande is – ik zeg het je heel eerlijk – dat ligt heel anders. Wat ik jou over de verbindingen al eens duidelijk maakte, dat gaat nog steeds op. Nu doe je het alweer. Dankzij jou ga ik weer in de verdediging.'

'Jij kan in levenden lijve soms heel overtuigend overkomen. Ik ben de eerste om dat toe te geven.'

'Er hangt een zekere spanning tussen ons. De lucht kraakt een beetje. Misschien moet ik me daar niets van aantrekken. Het zou heel goed gunstig kunnen zijn. Ik leg het misschien helemaal verkeerd uit. Soms moet je de spanning juist opvoeren. Ja zeker, spanning kan een geweldige prikkel zijn. Kijk, thuis is alles zo gladjes, zo zachtaardig, dat een man van streek kan raken door het spottende geklets dat hij in een stad als New York opvangt, de zweepslaagjes, de scherpe steken. Persoonlijke relaties zijn net machines. Er zit spanning in de lucht. De mensen weten wat ze willen. Er is een raspend geluid, een soort zacht, machinaal gepiep, dat je in gesprekken in restaurants en winkels opvangt. Vrouwen lopen rond met ogen waarin cijfertjes klikken. Ik vraag me af wat ze daarmee zien. Ik heb de indruk dat New Yorkse vrouwen altijd iets in reserve houden, iets achterhouden, de kleine extraatjes bewaren. Voor wie, voor wie? Hun psychoanalytici. Daarom kijken kaalhoofdige joden altijd zo blij. Geen mens houdt iets achter voor een kale jood. Zij krijgen alle kliekjes, de interessantste stukjes, de vetste en natste en zoetste en beste. Laat me eens kijken of ik die spanning tussen ons kan verklaren. Ik wil erachter komen wat mensen zo leuk vinden aan die ongemakkelijke codes die ze voortdurend de ether insturen, al die nerveuze spanning. Spanning verleent scherpte, dat moet haast wel, het is een stuwende kracht, die alles intenser maakt. Het voorspelt iets goeds. Misschien ligt er een wilde tijd in het verschiet. Wat denk jij? Wie weet het? Een paar krachtige ultrasone trillingen.'

Hij schoof weer een eindje haar kant uit. Schemer. De taxi reed nu uptown. De taupekleurige stenen gebouwen langs 5th Avenue. Die surfersglans die op Mudgers gezicht verscheen. Het was of zijn fonkelende blauwe ogen onafhankelijk van zijn andere gelaatstrekken in zijn gezicht waren geplant. Er sprak een gevoeligheid en eigenheid uit die ze niet bij hem vond passen, hoewel ze bereid was de mogelijkheid te overwegen dat ze zich vergiste. Ze hoefde alleen maar aan al die verschillende stemmingen te denken die hij had opgeroepen en weer onttakeld in de betrekkelijk korte tijd dat ze samen in de taxi zaten.

Ze had haar oordeel liever opgeschort, en in zekere zin haar eigen vermogen tot inzicht in de essentie van de dingen om zeep geholpen. De vorige keer dat ze met Mudger samen was, toen ze in Virginia onder de rode eiken zaten, had ze het gevoel gehad dat ze aan twee kanten van een doorzichtig gordijn of toneelscherm met elkaar communiceerden. Dat was een van haar zwakheden. Ze dwaalde graag af naar vreemde gebieden. Dat had ze een tijdje met Selvy gedaan. Die andere hufter. Die in een heel ander opzicht een hufter was.

Maar de zaken waren nu duidelijker. Ze kon de aanvalstactiek van iedere willekeurige man van begin tot eind volgen. De enige vraag die nog restte was retorisch, een klacht, die ze alleen omwille van het effect uitte: wie zijn deze hufters en wat willen ze?

Ze passeerden een rijtuigje met een paard ervoor, waar vier toeristen in zaten, dicht op elkaar gepakt in de koude lucht. Een paar kinderen renden elkaar achterna de straat over, waardoor de chauffeur opnieuw in gemompel verviel. Mudger zat met zijn hoofd achterovergeleund. Ze zag de littekens en de arceerlijnen van zijn vingers, de weggevreten huid rond de nagels van zijn duimen.

'Met wie ga jij tegenwoordig naar bed?' vroeg hij.

'Dat vroeg mijn vader me altijd.'

'Was hij jaloers?'

'Alleen maar wereldwijs, meer niet, en een beetje dom.'

'Je had met Percival naar bed moeten gaan. Hij kent interessante mensen. Je had er stiekem heel wat lol aan kunnen beleven. Plenty snoepreisjes. Je had er een boek over kunnen schrijven. Lloyd heeft overal een vinger in de pap. Hij zou het prachtig vinden om voor zo iemand als jij een voorstelling te geven. Lloyd en ik communiceren met elkaar. Niet rechtstreeks. Er zijn kanalen. Het kan nooit kwaad contact te houden.'

Hij stond op het punt nog een verkooppraatje af te steken. Het was Moll bij hun eerste ontmoeting al opgevallen dat hij probeerde te bewijzen dat hij lang voor haar er al overtuigingen en standpunten op na hield waarvan hij veronderstelde dat zij ze had. Ze vond dat een amusante tactiek.

'De mensen worden conservatief geboren. Ze moeten leren ruimdenkend te zijn. In wezen, in de grond, zijn we allemaal conservatief. Ik heb het over de mensen die aan het roer staan. Lloyd is daar een goed voorbeeld van. Langzaam maar zeker keert hij weer terug. Vooruitgang, milde hervormingen, daarin heeft de beste Lloyd naam gemaakt. Maar dat is de franje, dat zijn de toevalligheden. Dat verdwijnt op den duur allemaal. Op een bepaald punt wordt het pure biologie.' Hij glimlachte hierbij flauwtjes, alsof hij een grapje over zichzelf verwachtte. 'Je gaat terug naar je wortels. Wat is ouderdom anders dan een blasé soort kindertijd? Lichamelijk word je kleiner. Je begint te brabbelen. Seksueel word je neutraal.'

'Arme Lloyd Percival.'

'Wat mij betreft – ik knijp ertussenuit voordat een van die vreselijke dingen mij kan overkomen.'

'Ja, dat zei je al.'

'Het logische gevolg van geheimhouding en macht in dit land is zelfmedelijden. Ik wil dat vermijden als het kan.'

De meter stond op eenentwintig dollar.

'We schieten hier niets mee op, Earl.'

'Je noemt me tenminste bij mijn voornaam.'

'Dat is een teken dat de spanning weg is. Al die energieën die jij zegt in de lucht te ontwaren.'

'Ik voel alleen maar dingen aan die er zijn.'

'Einde van de rit.'

'Dat is jammer.'

'Jouw gespecialiseerde flauwekul tegenover mijn ontaarde fijngevoeligheid.'

'Eindelijk begint ze warm te lopen.'

'Als flauwekul muziek was, was jij een fanfarekorps.'

'Ga door.'

'Het is echt over.'

'Wat heb je verder nog?'

'Verder niks,' zei ze.

Mudger boog zich naar de kogelwerende afscheiding.

'Maak snel een L-bocht,' zei hij tegen de chauffeur.

'Maak een R. Maak een L.'

'De ouwe mag mij blijkbaar niet.'

'Hij hoort opgeborgen te worden in de archieven,' mompelde de chauffeur tegen zijn stuur.

'Schilderachtige figuur.'

'Hij is orale geschiedenis. Hou hem aan de praat. Dan zoek ik een museum.'

'Hij zou een rijtuig moeten besturen. Met zo'n kleurrijke persoonlijkheid zou je in een rijtuigje moeten zitten.'

Mudger leunde glimlachend naar achteren. Het was een onbevredigende manier om dit te beëindigen. Karikaturen en grapjes. Moll had het gevoel dat haar eigen, ingewikkelde gevoelens onrecht was aangedaan.

Het begon te stortregenen. De taxi stond stil voor haar flatgebouw. Mudger zat in het donker recht voor zich uit te staren. Hij sprak pas weer toen Moll het portier aanraakte, en hij begon heel zacht. Door de regen die op het dak en de motorkap kletterde, moest ze zich inspannen om hem te kunnen verstaan.

'Ik heb je lichaam maar één keer zien bewegen. Die keer toen je naar mijn huis toe liep. Je stapte uit de limousine en liep langzaam op het huis af. Dat herinner ik me. Het staat in me gegrift. Het is het duidelijkste beeld dat ik van je heb. Je lichaam in beweging. Lange benen. Lange benen maken me gek. Ik zou kunnen sterven voor lange benen. Ik zie je lopen. Je aarzelt, je weet niet precies waar je bent. Het is prachtig, een lichaam van topklasse. Neem me mijn grofheid niet kwalijk. Het is een lichaam van topklasse. Je staat stil. Je kijkt naar mij in de deuropening. Ik zou dolgraag met mijn handen aan dat lichaam komen. Dat is een beetje overdreven. Het is grof. Het klinkt een beetje gewelddadig. Maar ik zou het wel dolgraag doen. Mijn handen, die benen. Die lange benen om me heen geslagen voelen. Dat dacht ik toen ik in de deuropening stond. De eerste keer dat ik je zag. Zou dolgraag met mijn handen aan dat lijf komen. Het zal gebeuren, dacht ik. Het moet gebeuren. Ik wil die teef. We zullen elkaar suf neuken. We zullen twee weken lang in kringetjes ronddraaien. Ik probeer niet grof te zijn. Hoewel je dat niet erg vindt, denk ik. Zoiets vind jij allang niet meer erg. Vrouwen zoals jij. Lange benen zoals de jouwe. Je hebt geen bezwaar tegen een beetje grove taal, een tikkeltje onverfijnd. Benen als de jouwe, en ik gis hier alleen maar, het is onmogelijk dat een beetje openhartigheid, een ruw woord zo nu en dan jou stoort. Dit is de tweede keer. De tweede keer dat ik kijk. Alleen loop je deze keer van me weg. Trut. Dat ben je toch? Alleen vertrek je deze keer in plaats van dat je komt. Dat is toch zo? Kut. Teef. Kut.'

Hij sprak van het begin tot het eind zachtjes, bijna melancholiek, er klonk verlangen in zijn stem. Dat was natuurlijk vreemd, de stem waarmee hij sprak, als je zijn woorden in aanmerking nam. Het had veel weg van een formele voordracht. Een feitelijk en vrij mooi verhaal. Een kalme en prachtig onthechte en nogal roerende opsomming van kleine waarheden.

Ze liep door de regen naar de voordeur. Toen ze boven was, was het eerste waar haar oog op viel de rokende revolver, de neon afbeelding die ze had gekocht om de laatste avond te gedenken die ze in Frankie's Tropical Bar had doorgebracht. Met die andere klootzak. Die in een heel ander opzicht een klootzak was. Het was allemaal zo vreemd. Ze voelde zich nog heel lang neerslachtig.

De telefoon in Mudgers auto zat op een bord aan de achterkant van de stoel naast de chauffeur. Toen de telefoon ging, verplaatste hij zijn linkervoet naar het gaspedaal, leunde naar rechts en reikte met zijn arm over de stoel om hem op te nemen, al die tijd bleven zijn ogen op de weg gericht.

Zijn chauffeur was een week geleden weggegaan om voor de Nationale Parkdienst in Arizona te gaan werken. Op doktersbevel, zei hij. Mudger wist dat hij terugging naar PAC/AAU.

Het was Lomax in Dallas.

'Er komt wat schot in, Earl.'

'Vertel op.'

'Ik heb contact gelegd. Ik ben hier zelfs naartoe gevlogen in het vliegtuig van het joch. Er hing wat je een kermissfeer zou kunnen noemen.'

'Hoe kreeg je dat voor elkaar?'

'Gemakkelijk,' zei Lomax. 'Maar ik weet nog niet waar het voorwerp zich bevindt. De volgende stap is het pakhuis. Richie is zenuwachtig, maar volgens mij kan ik ons er wel binnenloodsen.'

'Ik heb begrepen dat ze een slotgracht hebben met krokodillen.'

'Ze hebben er honden, bedoel je. Het is veel beter beveiligd dan de DC-9.'

'Ik heb iets van Van gehoord,' zei Mudger.

'Waar is hij?'

'Zuidwest-Texas.'

'Hoe is het met zijn gezicht? Doet het nog pijn?'

'Ze hebben het doelwit gevonden.'

'Jezus, echt waar? Dat is fantastisch. Oké, jij zei het al. Het zou ze lukken. Ik moet toegeven dat ik je niet geloofde. Ik zal nooit meer de spot drijven met de commando's.'

Op de Jerseytolweg passeerde Mudger een Mercedes; het regende hard, de telefoon zat tussen zijn hoofd en zijn schouder geklemd.

'Hij wil gevonden worden.'

Stilte, terwijl Lomax dit overwoog.

'Leg dat eens uit, Earl.'

'Hij wil gevonden worden. Er valt verder niets uit te leggen. Hoe hadden ze hem anders in godsnaam kunnen vinden?'

'Waarom wil hij gevonden worden?'

'Dat weet ik niet.'

'Zijn ze ergens of rijden ze nog steeds?'

'Ze rijden nog steeds.'

'Waarheen denk je?'

De Mercedes kwam links van hem in zicht. Mudger gaf gas.

'Hij is op weg naar de mijnen.'

'Dat zou best eens kunnen, denk ik, als hij ze al zo ver heeft geleid.'

'Ja, hij is op weg naar de mijnen.'

'Weet Van dat hij daarheen wordt geleid?'

'Om je de waarheid te zeggen, Arthur, hij was zo verdomd blij, dat ik niet het hart had om hem dat te vertellen.'

Cao kwam, een taco etend, van het stalletje langs de weg. Toen hij in de minibus stapte, reed Van meteen weg, zichtbaar ongeduldig. Op het dashboard zat een polaroidfoto die Cao van zijn maat had gemaakt, staande voor een standbeeld van Davy Crockett op het dorpsplein van Ozona.

2

Talerico keurde de planten die voor het grote raam van de woonkamer stonden. Een politiewagen draaide de straat in en reed langzaam voorbij. Gele surveillancewagens. Smerissen met kleine, nette snorren, als legerofficieren in films over de Eerste Wereldoorlog. Hij zag de auto een hoek omslaan en in de richting van de golfbaan rijden. Zijn vrouw had de hanggeranium te veel water gegeven. Dat moest hij haar zeggen.

Zijn dochters vroegen hem vaak naar de *Mounties*. Ze hadden ergens foto's gezien. Felrode jasjes en breedgerande hoeden. De beroemde exercitie met muziek. Talerico dacht niet aan ze als Mounties. Ze waren de RCMP en droegen weliswaar felrode uniformen als ze op hun paardjes rondhuppelden, maar de rest van de tijd waren ze een stuk minder opvallend. De provinciale politie was hem ook al opgevallen. Om het nog maar niet over de zedenpolitie in Toronto te hebben, waarvan de agenten zich wat graag bezighielden met het in beslag nemen van materiaal, outillage en foto's, en het sluiten van boekwinkels, peepshows en andere zaken.

Talerico was van de Buffalobranche hierheen gekomen om in Toronto de markt voor harde porno te ontwikkelen, voor het geval en wanneer die legaal zou worden. Intussen was het voor hem een tijd van vallen en opstaan, en balanceerde hij op de randen van wat legaal gedistribueerd mocht worden, stelde hij zich op de hoogte van de handel onder de toonbank en legde hij contact met plaatselijke lieden die de maffia misschien zou willen aanstellen als bedrijfsfunctionarissen.

Hij zag ineens zijn jongste dochtertje, buiten op het grasveld, waar ze met haar vriendinnetjes speelde. Na Buffalo, een stad waar sofa's werden verbrand en ook grotere branden woedden, kostte het geen moeite om aan deze stad te wennen. De kinderen waren het meest enthousiast. Maar zijn vrouw bijna evenveel. Hij, Vincent, verlangde heimelijk naar de vertrouwde gezichten en stemmen. Zijn moeder, zuster, neven, ooms, nichtjes.

Toch was hij hier maar een paar uur rijden van Buffalo vandaan en van al die smeulende ruïnes die voortdurend werden natgespoten door overwerkte brandweerlieden. Om zijn verlangen naar vertrouwde dingen te stillen, reed hij één keer per week naar de Pasquale Brothers in King Street, waar hij een paar boodschappentassen vulde met kaas, pasta, paprika's, worst, broodbeleg, ansjovis en olijven.

Hij keek op zijn horloge. Een tijdsverschil van twee uur. Nog een beetje te vroeg om te bellen.

Talerico had een verlamde gezichtszenuw. Hij was ongeveer een jaar geleden op een ochtend opgestaan en tot de ontdekking gekomen dat zijn rechter gezichtshelft min of meer naar beneden was gezakt. Hij was omlaag gegleden, als een hectare modder. Hij kon zijn mond niet meer goed sluiten; de rechtermondhoek ging niet meer helemaal dicht. Zijn borstelige snor hing aan de rechterkant omlaag en zijn stem had soms een holle klank.

Het verschil was duidelijk te zien. De linkerhelft van zijn gezicht was normaal. In de rechterhelft zat geen beweging en hij hing lager dan de linker en was uitdrukkingsloos. Wanneer hij niesde of met zijn ogen knipperde, ging alleen zijn linkeroog dicht. Het rechteroog bleef star, verstijfd, en zonder enige uitdrukking voor zich uit staren. Het zakte schuin omlaag, in een hoek ten opzichte van het andere oog. De mensen zeiden dat het op een dierenoog leek. Van een havik, een slang, of een haai. Het oog was mysterieus en fel, staarde onbewogen voor zich uit, zonder te worden beïnvloed door wat zich aan de andere kant van het gezicht afspeelde.

Vinny het Oog.

Hij ging naar de hobbykamer beneden. De telefoon was hier aangesloten op een apparaat dat een blauwe doos werd genoemd. Het mat ongeveer 10 × 15 cm, en was voorzien van digitale toetsen. Als hij een ongebruikt nummer in een plaats in de omgeving draaide en daarna de blauwe doos aanzette, kon hij naar willekeurig welke andere plaats in de vs en Canada doorschakelen, terwijl alleen de verbinding in de omgeving in rekening werd gebracht. Wie op de kleintjes let...

Ditmaal belde hij interlokaal naar Dallas. Naar een man die Talerico alleen maar kende als Kidder. Hij had gehoord dat Kidder een veelvoudige beantwoordingsdienst had. Nadat de telefoon een keer of negen was overgegaan, nam een man op.

'B en G Makelaars.'

'Ik wil Kidder.'

'Eén moment. Ik verbind u door.'

Een halve minuut later kwam een vrouw aan de lijn.

'Sherman Kendall Catering.'

'Kidder.'

'Wie kan ik zeggen?'

'Vincent Talerico.'

Hij hoorde gefluister. En een seconde of vijf alleen maar ademhalen. Op de achtergrond rinkelde een telefoon, de vrouw nam op en zei: 'Lange Mannen Mode.'

Talerico hoorde de eerste mannenstem weer.

'Vinny Tal.'

'Is dit Kidder?'

'Spreek je mee.'

'Kennen wij elkaar?'

'Jij kent me als Sherman Kantrowitz. Of Sherman Kaye.'

'O, ja,' zei Talerico.

'Ben jij die met het oog? Of is dat Paul?'

'Dat ben ik.'

'Ik ken je nog van voor je oog. Ik kende je in Lockport, die keer met Bobby en Monica. Ze hebben hem in elkaar geslagen, hoorde ik.'

'Ze hebben hem in een vat gestopt.'

'Waar?'

'Dat maakt niks uit, vind ik. Maakt het wat uit?'

'Je wilt geen herinneringen ophalen, Tal. Ik snap het. Ik neem aan dat we interlokaal bellen.'

'Ik bel je over een zekere Richie Armbrister. Handelt flink wat in porno daarginds.'

'Voorvertoningen Distributies. Dat is het moederbedrijf. Op papier heeft hij ongeveer tweehonderd vliegtuigen. En verder een boekhoudsysteem dat volledig bombestendig is.'

'Dat is hem.'

'Waarom, wil je meedoen?'

'Ik ben op het moment in een bepaald artikel geïnteresseerd. Ik wil het joch helpen om zich verder te ontwikkelen. Hem tot een ander standpunt overhalen.'

'Persoonlijk?'

'Ik zou er op bezoek moeten gaan,' zei Talerico. 'Samen met hem iets eten.'

'Weet iemand uit deze buurt dat je komt?'

'Niemand.'

'Wil je het niemand vertellen?'

'Jij bent mijn agent in het veld, Kidder. Houd dat joch Richie in de gaten. Probeer zijn vesting binnen te dringen. Ik kom binnenkort. Jij laat me de bezienswaardigheden zien.'

'Hoor je hem niets te zeggen? Dat zijn de regels. Je vertelt iemand dat je op visite komt.'

'Ik sta erom bekend dat ik de dingen een beetje anders aanpak,' zei Talerico. 'Daar ben ik een legende door geworden.'

Zijn vrouw Annette keek in de keuken naar een film met Richard Conte, in het Frans, op kanaal 25. Richard Conte was Talerico's lievelingsacteur. De vroege Richard Conte.

Hij zag Annette over de ontbijtbordjes leunen, en zich op de film concentreren, die proberen te begrijpen. Niemand kon zich zo concentreren als zij. Ze verloor zichzelf in iets, ze ging er helemaal in op. Als je haar de volgende dag ernaar vroeg, kon ze je niet vertellen wat ze had gezien.

'Hé.'

'Je laat me schrikken,' zei ze.

'Richard Conte wordt over een minuut of twee doodgeschoten.'

'Ik wist niet dat je hier was.'

'Hij sterft op straat.'

'Nee, dat is niet waar.'

'Je hebt de geranium te veel water gegeven. Ik ben anderhalve dag weg, en dan ga jij in paniek water geven. Hoe vaak moet ik dat nog tegen je zeggen? Wat moet ik doen? Moet ik soms een grafiek maken?'

'Laat me nou kijken.'

'Hij wordt doodgeschoten. Hij sterft op straat.'

'Ik ben veel te aardig voor je,' zei ze.

'Jij bent niet aardig voor mij. Ik ben aardig voor jou.'

'Ik ben veel te aardig. Dat is altijd mijn probleem geweest.'

'Ik ben aardig voor jou,' zei hij. 'Je weet nog niet half hoe aardig.'

'Ralphie zei altijd tegen me: "Je bent te aardig voor de mensen. Wees toch niet altijd zo aardig." Hij had gelijk, zoals gewoonlijk.'

Talerico smeerde jam op een overgebleven geroosterde boterham.

'Wie is Ralphie in godsnaam?'

'’t Is mijn broer maar.'

'Die van school werd gestuurd. Die zijn ouders te schande maakte. Die broer?'

'Hang hier niet zo rond. Ik vind het niet leuk als je rondhangt. Ga naar buiten. Ga joggen, als een Canadees.'

Hij nam een hap van de harde toost.

'Wanneer je de planten water geeft – luister, Annette. Als je ze water geeft, en ze dan te veel water geeft, of als je het te vaak doet, dan komen er gaatjes in de bladeren. Weet je welke plant de geranium is? Het is de hangplant. Het is de enige hangplant in de woonkamer. Ik ga weer weg, daarom zeg ik dit tegen je, dat je voorzichtig bent. Niet te veel. Je moet de gieter niet zo vlug leeg willen maken. Te veel water, dan barsten de cellen.'

'Ik word moe van je. Door jou ben ik altijd zo moe.'

'Ik ben aardig voor je,' zei hij. 'Jij weet niet wat zich allemaal afspeelt in de wereld.'

Selvy hield de magnum bij de loop vast. Hij dook wat in elkaar en bracht zijn arm eerst langzaam naar achteren en daarna weer snel naar voren om zo de revolver, om en om duikelend, in de Rio Grande te werpen.

Hij liep langs het zandpad terug naar Sample's Café. Er stond een pick-up naast zijn auto opzij van het huis. Nadine stond op de stoep voor het huis en ze had zich een beetje opgefrist, zag hij.

'Je hebt eindelijk andere kleren aangetrokken,' zei hij.

'Ik heb besloten een van die mensen te worden die alleen nog spijkerbroeken dragen.'

'Nu je weer thuis bent.'

'Misschien ga ik er zelfs in slapen. Dat is een openlijk dreigement. Mijn pa is hier.'

'Dat weet ik.'

Enkele huizen stonden leeg. Andere waren spookachtig; ze waren blijkbaar nog wel bewoond, maar er zaten geen ramen meer in, of er zat plastic in in plaats van glas, gescheurd plastic, plastic dat in de wind opbolde. Er was overal zand, en op plaatsen waar de grond hard was, waren in duidelijk reliëf bandensporen te zien, als tekens die er door een stam waren achtergelaten om het klimaat en de geologie van de streek aan te geven.

Haar vader zat aan de keukentafel met een zakmes tussen de draden van een fluorescerende neonlamp te porren. Hij was ouder dan Selvy had verwacht, met een ruig voorkomen, dat helemaal bestond uit baksteen en zand, en hij droeg een met de hand geverfde blauwe halsdoek om zijn hals. Functioneel, dacht Selvy. Vangt het zweet op zodat het niet zomaar neerdruppelt.

'Mijn pa, Jack Rademacher. Glen met één n Selvy.'

Ze praatten wat over het weer. Nadine ging weg om bij een kruidenier verderop een ijsje te kopen. Het was een poosje stil. Haar vader kraste in de lamp.

'Ik geloof dat ze bier heeft meegebracht.'

'Nee, dank u wel.'

'Ik drink zelf geen druppel.'

'Ik drink de laatste tijd niet.'

'Ik heb nooit gedronken. Ik begreep nooit waar het goed voor was.'

'Ik wel,' zei Selvy. 'Maar onlangs besloot ik om ermee te stoppen. Met onlangs bedoel ik een dag of twee geleden.'

'Wat deed ze in New York?'

'Acteren.'

Jack schudde zijn hoofd, maar niet uit ongeloof. Het was een verbitterd, negatief commentaar. Hij mompelde iets over de stabilisator in de lamp. Er moest een nieuwe stabilisator in.

'Ze is bij haar zuster geweest.'

'In Little Rock,' zei Selvy.

'Die is helemaal gek. Voor die hadden we al heel vroeg alle hoop laten varen. Wat spookt ze daar toch uit?'

'Nadine is er in haar eentje geweest.'

'Ze verkoopt daar zeker schilderijlijsten,' zei Jack.

Hij was klaar met de lamp en ging naar boven. Selvy zag door het raam Nadine staan praten met een paar kleine meisjes, stoffige kinderen in jurken waar ze uitgegroeid waren. Jack kwam weer naar beneden, met een paar oude bokshandschoenen in de hand, die hij voor Selvy op de keukentafel legde. Ze waren klein en verkleurd, de voering was dun. Het leer was op veel plaatsen versleten.

'Ik bokste vroeger voor geld. Voordat haar zus werd geboren. Stadjes langs de grens. Hun moeder wilde dat ik ermee ophield. Ik heb aan meer dan twintig wedstrijden meegedaan.'

'Was u daar toen al niet te oud voor?'

'Ik was in goeie conditie,' zei Jack. 'Ik trainde nooit. Ik rende nooit zoals zij doen. Zag er de zin niet van in. Maar haar moeder was zwanger van de eerste. Ach, dacht ik, waarom ook niet, toen ben ik er maar mee gestopt.'

Hij nam de handschoenen weer mee naar boven en kwam even later terug. Weer was het een tijdje stil. Nadine zei iets waar de twee meisjes om moesten lachen. Een van hen maakte een paar sprongetjes met drie vingers in haar mond.

'U weet wel, die trainingsbasis,' zei Selvy. 'Als je naar het westen rijdt, naar Marathon, ligt zij daar ten zuidoosten van, dicht bij waar vroeger de zilvermijnen waren, verderop langs een zandweg.'

'Muildierhert, wat duiven en kwartels.'

'Is die daar nog steeds?'

'Ze zijn in juli vertrokken.'

'Waarheen?'

'Daar hebben ze niets over gezegd. Probeer Midden-Amerika.'

'Hebben ze alles meegenomen?'

'Ze lieten een paar barakken staan,' zei Jack. 'Er stonden een stuk of twaalf van die lange barakken. Er staan er nog twee, misschien drie.'

'Ik had gehoord dat ze waarschijnlijk zouden vertrekken.'

'Ik zou je niet precies kunnen zeggen waarom. Ze lieten nooit veel los. Het was altijd een geheimzinnige plaats. Ik denk dat ze daar hun redenen voor hadden.'

'Ja.'

'Zonder die redenen waren ze niet in niemandsland neergestreken.'

Selvy reed met zijn auto naar een plek met een mooi uitzicht boven de rivier. Hij liep terug naar het huis.

Die avond zat hij op een veldbed in een kamer naast de keuken die schaars gemeubileerd was. De temperatuur daalde nog steeds. Hij hoorde het plastic voor de ramen van de huizen ernaast slaan en klapperen in de wind.

Het meisje kwam binnen.

'Wat zijn de plannen?'

'Geen plannen,' zei hij.

'We vertrekken toch weer gauw?'

'Ik dacht dat je een tijdje hier wou blijven. Hij lijkt het fijn te vinden dat je er weer bent. Jij wilt toch ook hier blijven?'

'Zie ik er in deze trui uit alsof ik lange koeientieten heb?'

'Dat weet ik niet. Trek hem eens uit.'

'Jij wilt alleen verder, hè? Laat maar zitten. Ik heb niets gezegd.'

'Trek hem eens uit. Dan kan ik het zien.'

Ze strekte een van haar benen naar achteren en trapte de deur zachtjes dicht. Ze trok haar trui, haar schoenen en haar spijkerbroek uit en stond in haar slipje voor hem. Onder het elastiek stond geborduurd: *Vanavond niet – ik heb hoofdpijn.* Selvy leunde achterover op het veldbed, met zijn knieën opgetrokken om zijn veters los te maken.

'Ik krijg het gevoel dat je me expres hiernaartoe hebt gebracht.'

'Waarom?' zei hij.

'Om me ergens achter te kunnen laten. Op die manier hoef je er niet op een ochtend stiekem vandoor te gaan, en mij in een of andere motelkamer in diepe slaap achter te laten. Je wilt me bij hem laten.'

Hij trok zijn hemd uit.

'Als ik van plan was je ergens stiekem achter te laten, had ik dat wel bij je zus gedaan. Ik ben toch teruggekomen, toen je bij je zus was.'

'Dat was iets anders.'

'Waarom?'

'Dit is het einde van de lijn,' zei ze.

Hij glimlachte en stapte uit zijn broek. Nadine glimlachte ook en kwam naar hem toe en gaf hem een speels klapje op zijn arm. Ze probeerden te vrijen zonder geluid te maken. Het was een oud bed en het piepte, en Jack scharrelde ergens in de buurt rond. Ze glimlachte nog steeds, met haar ogen dicht. Toen ze samen in bed lagen, sprak uit haar hele wezen een gezonde aantrekkelijkheid. Dat zat hem dwars. Ze dacht blijkbaar dat seks gezond en lief was.

Selvy zou haar nooit begrijpen. Een reden temeer om haar als het meisje te zien. Maar hij begon wel iets anders te begrijpen. Zwarte limousine. Bepaalde dingen werden nu duidelijk.

Nadat Nadine naar haar kamer was gegaan, hoorde hij Jack naar beneden komen en op zijn deur kloppen. Hij liet Selvy een foto zien van drie mannen met wie hij vroeger ging vissen. Ze stonden voor een pick-up, met sportvesten en lieslaarzen aan.

'Dit is Jack Brady. Net als ik. Jack. Dit is Vernon Floyd. En dat is Buck Floyd.'

Selvy knikte.

'En dan die pick-up. Ik week goddomme uit voor een gat in de weg – zó groot – en mijn achterbanden slipten. De auto sloeg mooi over de kop. Moest je Vernon zien. Hij schold me uit voor alles wat lelijk is. Zijn broer Buck kon van het lachen geen woord meer uitbrengen.'

Hij keek Selvy aan, die opnieuw knikte. Daarna ging hij met de foto weer naar boven. Selvy luisterde naar het klapperen van het plastic in de wind.

Het werd duidelijk. Hij begon te begrijpen wat het betekende. Al die testen. De leugendetectors. De uitgebreide lichamelijke onderzoeken. Die halve geheimzinnigheid. Al die weken bij de mijnen. Elektronica. Het breken van codes. Buitenlands geld. Wapens. Overleving. Al die paramilitaire sessies. Een beetje geopolitiek. De psychologie van het terrorisme. De voornaamste punten van contrarevolutionaire operaties.

Wat het betekende. De totale geheimhouding. Het observeren. De routine. Het dubbelleven. Zijn privé-discipline. Zijn handwapens. Zijn ontzag voor voorzorgsmaatregelen. Hoe je geest werkt. De steeds beperktere keuzes. Wat je bent. Het werd eindelijk duidelijk. Waar het allemaal om te doen was. Alles.

Hij had zich al die tijd voorbereid om te sterven.

Het was een leerschool in sterven. In hoe je op gewelddadige wijze moet sterven. In hoe je door je eigen kant gedood kunt worden, in het geheim – even goede vrienden. Daar hadden ze hem op voorbereid. Ze hadden zijn mogelijkheden in hem gezien, zijn vermogen om zich goed te ontwikkelen. Al die tijd. Het was een rituele voorbereiding.

We leren je hoe je gewelddadig kunt sterven. Dit is de enige dood die ertoe doet, staal of lood of wolframlegering, dood door wapens, in het geheim uitgevoerd. Om verzekerd te zijn van het succes van de cursus zullen wij je zelf doden.

Hij lag in het donker te roken.

Natuurlijk. Hoe zwaarder de testen, hoe meer je ervan uit kon gaan dat ze je voorbereidden om te sterven. Zij willen perfecte exemplaren, fysiek en anderszins. Het is minder romantisch als er iets aan je mankeert.

Dus. Nu zou hij kunnen slapen. Goed.

Alle samenzweringen beginnen met de onderdrukking van het ego door het individu. Ze hadden gezien waartoe hij in staat was. Hij had de juiste getallen aangekruist in de uitgebreide psychologische testen. Ze waardeerden zijn stijl tijdens de gesprekken. De computers gaven hun goedkeuring.

Zwarte limousine.

Natuurlijk. Het klopte perfect. Ze waren al die tijd bezig geweest hem naar het kerkhof te begeleiden. Met korte sprongetjes. Stap voor stap. Nu wist hij het. Hij zou eindelijk kunnen slapen. Goed.

Hij luisterde. Het geluid van de wind klonk spookachtig, een reeks schreeuwen met regelmatige onderbrekingen, eentonig en helder. De wind veranderde van richting en woei harder. Hij klonk nu heel anders. De wind stootte op krakende obstakels, en zwiepte door de geraamtes rondom het huis, de spookgebouwen met de ramen, er door de wind uit geslagen, en de scheefhangende deuren en het onkruid dat door de vloeren omhoogschoot.

Tegen de ochtend kwam het meisje bij hem, bleek, er vielen strepen maanlicht over haar, donkere ogen vol dromen. Ze stootte een stoel omver toen ze door de kamer liep. Ze kroop onder de deken. Het was ijskoud en ze bibberden aan één stuk en ze moesten lachen van de kou toen ze zich in het donker dicht tegen elkaar aan drukten.

De volgende dag was het 26 °C. Ze liepen het slingerende zandpad af naar de auto, die nog bij de rivier stond. Nadine ging op de bumper zitten. Selvy zat op het dak met zijn voeten op de motorkap. De hemel was glazig blauw, met een enkele sluiersliert achter een overvliegend vliegtuig.

'Voel jij je ook zo sloom?'

'Nee,' zei hij.

'Het is mijn bioritme. Dat is vandaag helemaal van slag.'

'Ik voel me geweldig, ik ben in goede conditie.'

'Bioritmisch voel ik me afschuwelijk.'

'Je zou ervan opknappen als je even ging zwemmen,' zei hij.

De rivier was hier niet breed. Aan de Mexicaanse kant was de rotswand nu eens grijs en dan weer koperkleurig, dat hing ervan af hoe de schaduw erop viel. Maar hier, waar geen huizen te zien waren, geen mensen ook, bestond het landschap louter uit rotsen en hemel. Een havik zeilde evenwijdig met de rotswand over een recht, ononderbroken stuk van vijftig meter. Hij zag hoe Nadine voorzichtig naar de lager gelegen oever klauterde, en op haar achterste het laatste zanderige stuk omlaag gleed, haar voeten als rem gebruikend.

Haar stem klonk klein, maar opmerkelijk helder.

'Ik kreeg een steentje precies in mijn mond.'

Ze trok al haar kleren behalve haar slipje uit en stapte in het water. De rivier kolkte op deze plaats. Hij zag vanaf zijn uitkijkpost stofjes drijven in het water, daar waar de zon op scheen. Mineraaldeeltjes, bruinachtig bezinksel. Ze liet zich helemaal in het water glijden en begon als een hond in kringetjes te zwemmen.

'Het is niet zo koud. Ik had verwacht dat het kouder zou zijn. Ik heb hier vijf jaar geleden voor het laatst gezwommen.'

De klank van haar stem veranderde voortdurend terwijl ze naar de andere oever zwom en daarna weer in kringetjes zijn kant op. Hij zag hoe ze met haar voeten de grond raakte toen ze bij de oever was en rechtop ging staan, terwijl ze met haar handen door haar haar streek. Toen ze weer wat zei kon hij aan de zuivere klank van haar stem horen dat ze naar hem opkeek.

'Hé, joh, kom naar beneden, word es nat.'

Selvy keek over de rivier naar de bovenkant van de rotswand. Er waren twee gestaltes op de wand verschenen. Eerst de ene, daarna de andere ARVN-commando. Even voelde hij spijt toen hij aan zijn handwapens dacht. Er was geen vergissing mogelijk wie van de twee hij had toegetakeld. Snor. Hij staarde onafgebroken naar Selvy. De ander, de messenwerper, die onbeweeglijk in de minibus had zitten wachten, veroorloofde zich een blik op Nadine.

Ze keek ook die kant uit, Selvy's blik volgend. Daarna keek ze weer naar de auto. Haar stem klonk dunnetjes.

'Ik heb geen flauw idee wie het zijn.'

Selvy bleef op het dak van de auto naar ze zitten kijken.

'Het zijn in ieder geval geen mensen van hier,' zei hij. 'Waarom blijf je niet even waar je bent? Trek je hemd aan als je wilt.'

De twee mannen bleven lange tijd boven op de rotswand staan. Cowboyhoeden, zonnebrillen, strakke spijkerbroeken. Achter hen niets dan de wolkeloze lucht. Ten slotte gingen ze weg. Omdat ze van Selvy uit gezien hoger waren, waren ze met twee stappen verdwenen. Aan het oog onttrokken.

Het meisje trok haar spijkerbroek aan en klom naar boven.

'Dit lijkt zo langzamerhand wel een cowboyfilm,' zei ze.

'Wat was het hiervoor dan?'

'Ik weet niet wat het hiervoor was. Maar het lijkt nu erg veel op een cowboyfilm.'

'Niets zo lekker als even zwemmen,' zei hij tegen haar. 'Je voelt je nu vast beter.'

Selvy stapte in de auto en startte de motor. Nadine bleef naar de Mexicaanse kant staan kijken. Toen de auto wegreed, liep ze erachteraan, opende het portier en stapte in. Hij reed naar het postkantoor. Nog geen honderd meter verderop kwamen toeristen uit een bus.

Selvy stapte uit en liep naar de buschauffeur om een praatje te maken. Boven de gewelfde voorruit, op de plaats waar de bestemmingen staan aangegeven, verschenen de woorden: HET WILDE WESTEN EN MEXICO. Nadine zag dat de afdruk van haar natte ondergoed zich langzaam op haar spijkerbroek begon af te tekenen.

Hij liep naar de auto terug en leunde tegen het portier aan haar kant. Een paar toeristen slenterden hun kant op, gingen de kruidenier binnen en maakten foto's van elkaar.

'Ik laat de auto bij jou.'

'Je wilt dat ik hem voor je bewaar.'

'Ik wil dat je hem houdt.'

'Hem houdt, punt uit.'

'Ja, dat bedoel ik.'

De toeristen verspreidden zich geleidelijk door de stad, het waren voornamelijk oudere mensen en een stuk of tien Japanners. Selvy liep naar het huis. Ze zag hem door de voorruit met haar vader praten. Hij kwam het huis weer uit met een blikje bier en een blikje frisdrank in de hand. Hij hield ze allebei in één hand, van achteren tegen zijn dijbeen aan.

Nadine bleef in de auto zitten en nam kleine teugjes bier. Selvy leunde tegen het portier. Een man vroeg hem of hij weg wilde gaan met de auto. Hij wilde een foto maken van zijn vrouw voor de deur van het postkantoor. De auto stond in de weg. Selvy weigerde.

Na een tijdje kwamen de toeristen in paren en groepjes weer bij elkaar bij de bus. De chauffeur kwam opdagen terwijl hij een pakje kauwgum loswikkelde. Er ging niemand aan boord tot hij achter het stuur zat.

Selvy gooide het lege frisblikje op de achterbank. De spijkerbroek van het meisje was vochtig, er was duidelijk een omtrek op te zien. Haar bloes had hier en daar natte plekken. Uit het handschoenenkastje had ze een kaart gepakt die ze omzichtig uitvouwde, en over het dashboard en tegen de voorruit aan spreidde. Hij liep naar de bus en stapte in. Achter hem sloot de deur met een zucht van samengeperste lucht. Vlak voor hij op zijn plaats schoof, viel het Selvy op dat er iets eigenaardigs met de mensen aan de hand was, met hoe ze zaten, of iets anders – hij wist niet precies wat.

Pas toen ze al een eind op weg waren en in westelijke richting op de US 90 reden, wierp hij een blik achterom om nog eens goed te kijken. Het kwam door de Japanners. Ze zaten verspreid door de bus, alleen of met z'n tweeën; ze waren met z'n negenen, en ze sliepen allemaal. De andere toeristen zaten te praten, lieten elkaar hun ansichten zien, keken uit het raam naar buiten. Het was alsof de Japanners elkaar in het geheim en op een natuurlijke manier vreedzaam het bevel hadden doorgegeven: slaap.

Hij keek weer voor zich. Ze waren prompt in slaap gevallen en ze sliepen door ondanks het lawaai en het geschommel van de bus. Hij had dat anderszijn van Aziaten altijd interessant gevonden. Die uitdagende kalmte. Nu hoefde hij er alleen nog maar achter te komen of ze allemaal tegelijk wakker zouden worden en hun hoofden tegelijk zouden oprichten.

3

Alle ramen zaten dicht. De rolgordijnen waren neergelaten. Lightborne sloot de deur van de galerie met twee sloten af. Daarna wendde hij zich tot Odell en maakte met uitgestrekte armen en de handpalmen naar boven een gebaar: wat hebben we?

Odell keek op uit een boek met etsen. Hij was wat ouder dan Richie, maar niet veel, en zijn gezicht was voller, maar met dezelfde vooruitstekende tanden. Het boek was getiteld: *Buitenaardse seksposities*.

Zestien millimeter, zei hij. Dat werd in de tijd dat dit werd gefilmd als amateurformaat beschouwd. Geen optische of standaardgeluidsband. Er zou eventueel een magnetische geluidsband aan toegevoegd kunnen worden. Dan krijg je problemen met bepaalde projectors. Het was mogelijk dat er problemen zouden zijn om de 16 mm voor bioscopen aan te passen. Scholen en kerken, ja. Televisie, ja.

'Schitterend,' zei Lightborne. 'Scholen en kerken, dat is schitterend.'

Hij moest zich inspannen om te verstaan wat Odell zei. Odell sprak vlug en soms onduidelijk, en hij sprak met veel meer accent dan zijn neef – een rappe Georgiastem, hup-hup, in plaats van Richies lichte, maar doordringende schelle geluid.

Lightborne liep om het tafeltje heen waarop de projector stond die Odell had meegebracht. Ze zouden de film pas de volgende dag kunnen bekijken. Er was een onderdeel van de projector defect, had Odell ontdekt, en het was tien uur 's avonds – te laat om nog ergens een vervanging te vinden.

Vreemd genoeg was Lightborne niet teleurgesteld. Hij merkte dat hij geen haast had om de film te zien. Op een zeker elementair niveau was het een ervaring waar hij bang voor was. Hij was er de hele tijd al bang voor geweest, besefte hij. Angst speelde een belangrijke rol bij zijn bemoeienissen.

Moll Robbins zou komen om samen met hem naar de vertoning te kijken. Hij had behoefte aan een intelligent wezen dat er geen belang

bij had om erbij te zijn. Dat niet alleen. Hij had behoefte aan gezelschap. Menselijke warmte. Iemand die hem kon uitleggen wat zijn
angst betekende.

Het was allemaal zo echt. Het woog zo zwaar. Objecten waren wat
ze leken te zijn. Geschiedenis was waar.

Odell zei dat hij met Richie had gesproken. Richie had zich gebarricadeerd in het pakhuis. Hij voerde de honden onregelmatig zodat
ze agressiever werden. Hij had dat gevoel al maanden, zei Odell. Dat
iemand eropuit was om hem te pakken te krijgen. Een donkere macht.
Er zat ergens een sluipschutter het juiste moment af te wachten. Die
zat op een bed in een of ander pension de kijker van zijn geweer
schoon te maken. Hij had een kogel met Richies naam erop, zei Richie
soms. Wat doe ik in godsnaam in Dallas?

'Hij praat alleen nog maar over John F. Kidney, Bobby Kidney,
Martin Luther Kang, Jaws Wallace.'

'Wat?' vroeg Lightborne.

'Ik vertel hem steeds weer wat Rose Kidney tegen Tiddy Kidney zei.'
Lange stilte.

'Wat zei ze tegen hem?'

'Dat was Harry Truman.'

'Als je de hitte niet kunt verdragen,' zei Lightborne.

'Dat was toch Harry S. Truman die dat zei?'

Odell praatte door.

Richie werd niet alleen geobsedeerd door de ophanden zijnde
moordaanslag op hem, maar ook door de elkaar tegensprekende rap-
porten die erop zouden volgen. Hij was door één blanke man neerge-
schoten, of twee blanke mannen, of één blanke man met een mulatten-
kind. Er zaten geen vingerafdrukken op het geweer dat werd gebruikt,
er zaten verscheidene afdrukken op, die nu werden onderzocht, of er
hadden verschillende soorten afdrukken op gezeten, maar die waren er
per ongeluk door de politie afgeveegd.

Richie werd vooral hevig geobsedeerd door de vingerafdrukken die
er door de politie afgeveegd waren, zei Odell.

Lightborne liep langs de afscheiding naar de woonruimte. Hij
draaide allebei de kranen van de wastafel open, in de hoop dat Odell
zou denken dat hij zich aan het scheren was. Daarna ging hij op het
voeteneind van zijn veldbed zitten en staarde naar het zwarte rolgordijn vlak voor hem.

Geschiedenis is waar.

Selvy kreeg een lift van een man in een pick-up, ten zuiden van Marathon. De man was een jaar of vijfenzeventig. Op een rek achter in de cabine lag een geweer voor de hertenjacht. Nog vier uur tot zonsondergang. De woestijn.

Hij keek ernaar als naar een herinnering. Diepe geulen die loodrecht op de weg stonden. Waarschuwingen voor plotselinge overstromingen. Yuccastammen en Mexicaanse ocotillo's staken omhoog uit het zand. De dingen hervatten hun bestaan gewoonlijk niet op precies die wijze waarop ze in de herinnering zijn achtergebleven. Grashalmen, hoogtes, bergtoppen, geërodeerde overblijfselen, links en rechts, in schilferige roestkleur en koper en zandbruin. Ver voor zich uit zag hij de golvende vorm, het magere silhouet van de Chisosbergen in de allerlichtste leisteentint, maar ze rustten zo volledig op een horizontaal vlak dat het onmogelijk meer dan grillig licht, een stemming of een verzinsel kon zijn.

Er naderde eindelijk een auto die hen passeerde. Daarna weer niets. Een buizerd op de paal van een hek. Een windmolen in de verte. Alles was hier in de verte. Verte was waar het hier allemaal om draaide. Zelfs als je iets was genaderd, bleef je in verte ondergedompeld. Dat hield pas op bij de bergen, maar zo ver ging hij niet.

Ze stopten voor benzine bij de oude frontierswinkel, een gebouwtje van adobeklei met een pomp en de overblijfselen van een kleine huifkar ervoor. Selvy ging er naar binnen. Er was een brede toonbank, bezaaid met stenen die te koop waren. Langs een muur de rommelverzameling van de eigenaar. Er stonden vitrines vol met allerlei spullen. In een van de vitrines zag Selvy iets wat een Filippijnse guerrilla-*bolo* of -hakmes werd genoemd.

De eigenaar haalde het er voor hem uit. Een lang, zwaar eenzijdig hakmes met een breed lemmet. Roestvlekken. Kleine inkepingen in het snijvlak. Vijftien dollar.

'Ik dacht altijd dat Filippijnse bolo's gekromde lemmeten hadden.'

'Machetefamilie,' zei de eigenaar. 'Voor planten, suiker.'

'Ik denk dat ik dat idee had door de hoekstoot,[1] die met een grote zwaai wordt toegebracht. Heeft u slijpolie?'

'Die kan ik misschien wel ergens vinden.'

'Zou u misschien tussen al die stenen die u daar heeft, er een kunnen vinden die een volmaakte rechthoek is, van ruim een centimeter dik?'

---

1. In het Engels: bolo punch.

'Als u een slijpsteen nodig hebt, heb ik wel een Washitasteen, als ik die kan vinden.'

Selvy kocht verder nog een veldfles die hij met water vulde. Daarna betaalde hij de man en ging naar buiten. Een tienermeisje was de ruiten aan het schoonmaken. Toen ze klaar was reden ze de weg weer op.

'Ik wil er voor donker zijn.'

'Er is nog tijd zat,' zei Selvy.

'Dat betwijfel ik.'

'We zijn er al bijna. Ik denk dat we er binnen vijf minuten zijn.'

'Vergeet de wandeling niet.'

'Ik ben in goede conditie,' zei Selvy. 'Die wandeling is al zo goed als achter de rug.'

Een prairiewolf stak de weg over en verdween in de struiken langs een greppel.

'Wat heb je daar?'

'Een Filippijnse guerrilla-bolo.'

'Waar is je jungle?'

'Ik kocht hem om de naam.'

'Als je er geen jungle bij kreeg is het weggegooid geld.'

'Ik vind het een mooie naam,' zei hij tegen de oude man. 'Het is een romantische naam.'

Langs een lichte glooiing in de weg zag hij het primitieve pad dat naar de mijnen leidde. De man stopte en Selvy sprong uit de pick-up en begon naar het oosten te lopen. Het pad was zanderig behalve op enkele plaatsen met opgedroogde modder, waar hij oude bandensporen zag, de meeste met een zwaar loopvlak.

Links bungelde de veldfles aan een haakje aan zijn riem. Aan de andere kant de bolo, in een hoek van vijfenveertig graden met zijn been, de snijkant omhoog.

Hij begon te rennen. De veldfles sloeg tegen zijn dijbeen aan. Hij rende twintig minuten. Dat voelde prettig. Met elke volgende minuut voelde het beter. Vijgencactussen en mesquitebomen. Een herinnering die zich ontvouwde. Hij liep een uur, daarna rende hij een kwartier. Een kleine zandhoos wervelde rechts van hem in het rond. Daarginds sloeg het weer om, ver voorbij de kortstondige wervelwind. Over de bergen begon iets aan te zwellen.

Anderhalf uur later zag hij de barakken, het waren er twee, te midden van allerlei soorten afval, keuken- en sanitairspullen, een uitgebrande jeep, een onbruikbare windmolen, anonieme rotzooi. Hij voelde zich even ontroerd door al deze alledaagse voorwerpen bij elkaar op een hoop. Tekenen van bewoning en verlatenheid. Uitgesneden in treurig licht. Menselijke aanwezigheid. In het roze en goud van de zonsondergang.

De houtkachel stond nog in de lange barak. In een kast vond hij blikjes eten. Er stonden twaalf veldbedden langs de muur in het kleinste gebouw. Hij sleepte er een mee terug naar de lange barak en plaatste het bij de kachel.

Nadat hij had gegeten ging hij naar buiten, gewikkeld in een deken. Het was nog helder licht in deze streek, een breed scala aan sterren. De temperatuur was even onder het vriespunt en daalde nog steeds. Droge koude. Een zuivere staat. Een opwindende staat van koude. Niet het weer. Het was niet zozeer het weer, maar de herinnering. Een zijnscategorie.

De temperatuur daalde maar dat betekende niet dat er iets veranderde. Het betekende intensiteit. Het betekende dat het herinneringsvermogen intenser werd. Dat het beeld scherper werd. Geen verdoold licht.

In de bergen sneeuwde het.

Dat lag nu allemaal achter hem. Steden, gebouwen, mensen, systemen. Al de verhoudingen en verbanden. Het plan, de uitvoering, het vervolg. Dat mocht hij nu vergeten. Hij had de rit tot het eind toe uitgereden. Hij was helemaal langs de rechte witte lijn gegaan.

Hij besefte dat hij de deken waarin hij zich had gewikkeld niet nodig had. De kou kreeg niet op die manier vat op hem. Op een manier die vroeg om bescherming. Het was volmaakt koud. De temperatuur waarbij dingen plaatsvinden op een absolute schaal.

Al die ongerijmdheden. Selectie, verkiezing, keuze, alternatief. Dat lag nu allemaal achter hem. Codes en formuleringen. Bepaalde gevechtstactieken. Waarden, vooroordelen, uitverkiezing.

Keuze is een subtiele vorm van ziekte.

Toen hij wakker werd was het nog donker. Grijze as in de kachel. Hij liep naakt naar het raam en keek oostwaarts naar het enorme uitspansel voor de zon opkwam. Hij hurkte neer bij het raam. Hij sloeg zijn armen om zijn knieën en boog zijn hoofd voorover. Doodstil wachtte hij tot er licht op het zand en de randwal en de dode bomen zou branden.

4

Voor het pakhuis in het centrum van Dallas liepen rails van oost naar west. Het gebouw had vijf verdiepingen en deuren van golfplaat; de verf bladderde ervan af. Er stond een laadperron voor. Een bordje: VOORVERTONINGEN DISTRIBUTIES. Alle ramen zaten dichtgespijkerd.

Binnen zat Richie Armbrister aan een lange tafel de toetsen van een zakrekenmachientje in te drukken. De bureaulamp naast zijn elleboog brandde. Dicht bij hem lagen drie honden te slapen. In het duister erachter lag Daryl Shimmer, Richies lijfwacht, languit op een divan. Er sliepen ook twee honden voor de divan. En verderop, in de totale duisternis, stonden vorkheftrucks en pallets en enorme containers, wel honderden.

Daryl begon steeds chagrijniger en terughoudender te worden. Hield fysiek afstand. Richie had gemerkt dat hij zich geleidelijk steeds verder had teruggetrokken. De divan was vanuit Daryl gezien een stap achteruit. De hele avond had hij in het donker in een vorkheftruck gezeten, een meter of dertig verderop. Hij moest naar de divan teruggaan toen hij wilde slapen.

Alle anderen waren vertrokken. Ze waren alleen, in koppels, in groepjes, vertrokken, in de loop van vierentwintig uur waren ze eerbiedig de deur aan de noordkant uitgeglipt. Voor het eerst sinds Richie het pakhuis had gekocht, was het er rustig.

Er was een paar keer gebeld door iemand die zich Sherman Kramer noemde. Daryl kende de naam. Kidder. Een kleine misdadiger. Maar wel met connecties. Belangrijke connecties.

Een of andere man bracht veel tijd door op de parkeerplaats aan de overkant van de straat. Door een opening tussen twee planken die over een van de ramen zaten gespijkerd had Richie hem geobserveerd. De meeste tijd hing hij rond aan de Ross Avenue-kant van de parkeerplaats, die het verst van het pakhuis verwijderd was. Hij leunde tegen een auto. Of liep heen en weer. Richie had een vermoeden dat het de man was die hij in zijn sauna aan boord van de DC-9 had aangetroffen. Dat kon hij van hieraf door een vuil raam niet zo makkelijk zien.

Lightbornes telefoon was afgesloten. Er werd geen nieuw nummer gegeven. Richie wilde Odell spreken. Hij vertrouwde Odell. Odell was familie. Echte familie. Het enige nummer waarop hij Odell in New York kon bereiken was Lightbornes nummer. Afgesloten.

Hij probeerde zich op de cijfers voor hem te concentreren. Dat was het enige dat voor hem telde. Problemen van een hogere orde. Demografie. Distributiepatronen. Wettelijke manoeuvres en formele punten. De fijne boekhoudkundige kneepjes. Hij had er Lightborne zelfs nooit naar gevraagd wat er op de film te zien zou zijn.

Hij stelde zich al voor hoe het onderzoek verprutst zou worden. Ze zouden er niet in slagen het geweer tot de eigenaar te herleiden. Ze zouden zijn autopsierapport kwijtraken. Getuigen zouden naar een andere staat verhuizen en er zou nooit meer iets van ze worden vernomen. Zijn begrafenis. Een gesloten kist.

De telefoon ging. Hij keek naar Daryl die overeind kwam. Hij ging opnieuw. Daryl liep naar de tafel waaraan Richie zat. Met een reeks meesterlijk uitgevoerde norse gebaren nam hij de hoorn van de haak; op zijn gezicht stond een mengeling van wrok en een vleugje verplichting te lezen. Toen ze van het vliegveld hierheen reden, had Richie zijn salaris verdubbeld en hem een strandbuggy met een verchroomde uitlaat beloofd voor zijn verjaardag. Dat was in ruil voor Daryls gezworen trouw, door dik en dun.

'Het is Kidder weer.'

'Wat wil hij?' zei Richie. 'Ik wil niet met hem praten.'

'Hetzelfde. Een ontmoeting.'

'Ik heb helemaal geen blik met film. Meer heb ik niet te zeggen. Dit is onze ontmoeting. Die hebben we nu gehad.'

'Hij weet helemaal niets over filmblikken,' zei Daryl. 'Hij wil alleen een afspraak maken om te praten. Er komt iemand.'

'Niet hier. Ze komen niet hier. Vertel hem maar over de honden.'

'Hij zegt dat het best buiten mag plaatsvinden. Hij wil iemand meebrengen. Morgen, ergens na achten. Buiten, binnen, maakt niet uit.'

'Wat moeten we doen?'

'Hem vragen wie hij meebrengt.'

'Vraag dat maar,' zei Richie.

'Hij zegt dat hij geen namen kan noemen. Iemand die gerespecteerd wordt in het veld.'

'Vraag hem welk veld.'

'Te laat,' zei Daryl. 'Hij heeft opgehangen.'

Richie nam een hapje uit een van de Deense boterkoekjes die hij uit New York had meegebracht. Hij schoof het blik naar Daryl, die hem wegwuifde en met zijn magere lichaam naar de divan terugslenterde. Een van de honden roerde zich even toen Daryl zich op de divan liet vallen. Richie geloofde dat het goede honden waren. Speurhonden. Duitse herders. Getraind in gesimuleerde gevechtssituaties.

Hij had ze voor het geval er werd ingebroken. Voor acties binnenshuis. Maar hoe moest het op grote afstand? Je had tegenwoordig kogels die door beton heen gingen. Aan de andere kant van de parkeerplaats, aan de overzij van Ross Avenue, stond de General Center Building. Prima plek voor een sluipschutter. Perfecte plek. Daar kon hij op het dak gaan staan en erop los schieten, niet alleen dwars door Richies dichtgespijkerde ramen maar ook door de bakstenen muren. Hij kon het geweer op het dak laten liggen en ervandoor gaan, in het vertrouwen dat de politie zijn vingerafdrukken zou besmeuren.

Het was een geweldig feest. Lawaaiig. De senator hield van lawaai op zijn feestjes. Voor het merendeel jonge mensen. Hij hield van jonge mensen om zich heen.

Hij bewoog zich zijdelings voort door de woonkamer, van groepje naar groepje, glimlachend, begroetingen blaffend, de bovenarmen van mannen beetpakkend, de tailles van vrouwen vastgrijpend. Om de salontafel heen manoeuvrerend stuitte hij op een vrouw die hem deed denken aan een Vestiernaakt dat hij in een privé-collectie in Parijs had gezien – een vrouw met brede heupen, zelfgenoegzaam, belust op status. Een directiesecretaresse.

Naast haar stond een jongere vrouw die lang zo monumentaal niet was. Toen Percival zich in het gesprek mengde, was het geen verrassing voor hem om haar plotseling te zien opleven – de ogen, de glimlach, de gespannen, hoopvolle en plechtige verrukking. Herkend worden zou voor hem altijd een van de immateriële beloningen van het openbare leven zijn.

'Je bent,' zei hij.

De lippen bewogen.

'Museum. Fascinerend, zou ik denken.'

Lawaai muziek gelach.

Hij had natuurlijk verwacht herkend te worden. Het was per slot zijn huis en zijn feest. Toch was het altijd weer interessant om te zien hoe mensen hun tweede zelf blootgaven. Vooral vrouwen. Ze werden glanzende kleine ruimtecabines met hoge-energieontvangers. Percival beschouwde roem als een verschijnsel dat verwant was aan religieuze mystiek. Die advertentie voor de Rozenkruisers. WELKE GEHEIME MACHT BEZIT DIE MAN? Roem brengt het kosmische potentieel van mensen naar de oppervlakte. En dat kon alleen maar goed zijn. Wat was het juiste woord? Heilzaam. Dat kon alleen maar heilzaam zijn.

Terwijl de oudere vrouw, de Vestier, toekeek, leidde Percival het zachtaardige meisje naar de kleine trap aan de andere kant van de woonkamer. Daar gingen ze, intieme maatjes, met hun glazen, op de op één na hoogste tree zitten.

'Zo. Misschien kunnen we even praten.'

'Dit is werkelijk een prachtig huis.'

'Je zei. Museum. Dat zei je.'

'Waar ik werk.'

'Ben je daaraan verbonden? Musea. Ik ben hartstochtelijk. Kunstschatten, kunstschatten.'

'Het Medisch Museum van het Pathologisch Instituut van de Strijdkrachten.'

'Christenzielen.'

'Wie heeft het interieur voor u ontworpen?' vroeg ze.

'Ikzelf.'

'Het is zo liefdevol gedaan.'

Hij zag dat ze behoorlijk teut was. Hij zelf ook enigszins. Een Pakistaner legde ter ondersteuning zijn linkerhand op de vierde tree, en leunde vervolgens schuin naar Percival over om hem de hand te schudden. Percival dacht dat het Peter Sellers zou kunnen zijn.

'Ik vind uw programma's werkelijk geweldig,' zei de jonge vrouw.

'Even denken. Ben je een Renoir? Je bent volgens mij toch iets steviger. Een Venus van Titiaan. Nog niet helemaal gesmolten.'

'Ik vind de inrichting zo charmant.'

'Laat me je eens iets vragen,' zei hij. 'Een belangrijke vraag. Maar privé. Vereist absolute privacy. Herhaal wat ik zeg. Deze vraag.'

'Deze vraag.'

'Vereist.'

'Wie heeft het behang gedaan?'

'Een of andere Ier met een scheef gezicht heeft het gemáákt. Ik heb de patronen uitgezocht.'

'Ik vind het echt... Er spreekt zo veel liefde en zorg uit.'

'Belangrijke, belangrijke vraag. Wacht even. We moeten samen een rustig plekje zoeken. Want om zo'n vraag gaat het.'

'Ho ho.'

'Precies,' zei hij. 'Ga maar mee. Hoe staat het met je drankje?'

'Mijn drinkje zij heel goed, señor.'

Hij troonde haar mee naar de slaapkamer. Ze boog wat door haar knieën om haar ontzag te tonen. Het hemelbed, de grote kleerkast, het kleine ladenkastje, de kopshouten bank, de tafel in de vorm van een klaverblad waarop de lamp stond, de schommelstoel van zwaar eikenhout.

'Ga zitten, ga zitten.'

Hij moest ineens aan Lightborne denken. Dat kwam misschien doordat hij de telefoon zag. Hij had verschillende keren geprobeerd Lightborne te bellen, want die had hem beloofd de film aan hem te vertonen. Ze hadden elkaar twee keer door de telefoon gesproken en Percival had beide keren zijn stem op een andere manier vervormd. Hij zocht naar een oplossing voor de manier waarop hij de vertoning moest organiseren. Lightborne had hem verzekerd dat het een privé-aangelegenheid zou zijn. Toch moest er een filmoperateur in de buurt zijn, en Lightborne zou waarschijnlijk ook aanwezig willen zijn. Hoe kon hij de film zien zonder herkend te worden? Maar eerst was er nog het probleem hoe hij met Lightborne in contact kon komen. Percival had al twee dagen geprobeerd hem te bellen. Beide keren kreeg hij een bandje waarop stond dat de telefoon was afgesloten. En geen nieuw nummer.

Hij zat op het voeteneinde naar haar te kijken terwijl ze zat te schommelen.

'U wilde iets vragen, senator.'

'Zeg maar Lloyd.'

'Ik vind het hier zo charmant.'

'Je hebt een buitengewoon expressieve mond.'

'Dat weet ik.'

'Engels-expressief.'

'Ik zou u graag een vertrouwelijke vraag willen stellen. Overweegt u om president te worden? Om u verkiesbaar te stellen? Want daar heb ik iets over gehoord. Jonge mensen vinden uw programma's buitengewoon aantrekkelijk.'

'Nee, nee, nee. Dat is een doodlopende straat, het presidentschap.'

'Ik denk dat u tot de ontdekking zou komen dat u veel steun van jonge mensen zult krijgen.'

Hij keek naar haar terwijl ze dronk.

'Ik ben toch niet helemaal overtuigd van het idee van een Titiaan,' zei hij. 'Je mond is zo Engels. Ken je Sussex?'

'Een vrij lange man? Draagt gestreepte overhemden met witte boorden?'

'Zeg maar Lloyd,' zei hij.

Hij stond op en sloot de deur. Hij stond achter haar stoel, greep de achterkant vast, en duwde haar langzaam heen en weer.

'Behalve dat het zuiden een probleem zou zijn,' zei ze. 'Daar zou u geen machtsbasis hebben.'

De telefoon rinkelde. Hij liep snel naar het bed en realiseerde zich net te laat dat het Lightborne niet kon zijn, omdat Lightborne niet wist wie hij was en al helemaal niet waar hij hem kon bereiken. Het was zijn vrouw, thuis. Voor zijn geestesoog verscheen onmiddellijk een beeld. Ze zit rechtop in bed. Haar gezicht glimt van een of andere herstellende crème. Verspreid door de kamer liggen diverse delen van het Warrenrapport en haar aantekenschriften vol 'correlatieve gegevens'. Ze draagt een lichtblauw bedjasje van dikke gewatteerde stof.

'Wat wil je?' zei hij.

' 'k Vroeg me af hoe het met je gaat.'

'Ga weg. Wil je weggaan?'

'Ik ben weg.'

'Ik geef een heel luidruchtig feestje en ik vind het enig.'

'Ik hoor niets,' zei ze.

'Ik ben in de slaapkamer met de deur dicht.'

'Wie is er bij je?'

'Oswald was de enige moordenaar. Wanneer krijg je dat eens in dat garnalenhoofd van je?'

'Er is iemand bij je en dat kan me geen reet schelen, voor het geval je het wilt weten.'

'Een meisje met zachtglanzend haar,' zei hij.

'En wat nog meer? Jezus, ik bedoel, wat zou ze nog meer kunnen zijn?'

'Ik zal je haar even geven.'

Hij bracht de telefoon naar de schommelstoel en vroeg de jonge vrouw om zijn vrouw te vertellen waar ze werkte.

'Het Medisch Museum van het Pathologisch Instituut van de Strijd-krachten.'

Percival pakte het toestel van haar aan en liep weer terug. Toen hij deze keer tegen zijn vrouw sprak, fluisterde hij woedend.

'Zie je wat je mij hebt aangedaan?'

'Heb ik jou iets aangedaan? Heb ik jou iets aangedaan?'

'Ik heb geen geduld voor dit soort dingen.'

'Dat is onzin, Lloyd.'

'Ik ben helemaal leeggezogen.'

'Wat voor soort dingen?'

'Ik ben opgedroogd,' zei hij.

Hij ging naar beneden, praatte even met een paar mensen, en kwam terug met twee volle glazen. Hij stond achter haar stoel en duwde.

'Senator, u wilde iets vragen.'

'Het begon met een vraag.'

'Ik wacht nog steeds.'

'Ja, ja, ja.'

Hij draaide de schommelstoel een slag naar rechts zodat ze hem kon zien, en vice versa, in de spiegel boven het ladekastje. Zijn geest was opmerkelijk helder.

'Hoe zou ik eruitzien met een baard?' vroeg hij.

Ze keek niet in de spiegel maar wierp een blik over haar schouder, alsof alleen het echte artikel, de driedimensionale senator Percival, de basis kon vormen voor een weloverwogen antwoord. Het deed hem genoegen dat ze de vraag behandelde met de aandacht en zorgvuldig-heid waar hij naar zijn gevoel recht op had.

'Zou je mij als Lloyd Percival herkennen als je me met een baard zag? Met een zonnebril, bijvoorbeeld, en een baard. Als je me op een ongebruikelijke plaats tegenkwam. In een griebusachtige buurt. Ver weg van de schittering van Capitol Hill.'

Talerico liep door de aankomsthal. Hij droeg een driedelig suède pak en had een Burberry-trenchcoat over de arm.

Hij zag Kidder bij de bagageafdeling staan wachten. Wat een type. Het waren meestal van die types, mannen met negen telefoonnum-mers en voor elke dag van de week een andere naam. Een man die de indruk wekt dat hij niet over genoeg tijd en geld beschikt. Een man die zijn werk doet in een staat van voortdurende uitputting. Hij leek hoogstens dertig. Jammer. Waarschijnlijk was vermoeidheid zo langzamerhand zijn meest vertrouwde conditie geworden. Hij had die nodig om te kunnen functioneren.

'Vinny Tal, hoe gaat het ermee?'

'Tegenwind.'

'Twintig minuten vertraging. Maar geen probleem. We rijden erheen. Jij praat met die Richie. Lekker makkelijk.'

'Er is een afspraak gemaakt.'

'Er is min of meer iets afgesproken,' zei Kidder.

Ze liepen naar buiten en stapten in Kidders gedeukte Camaro. Hij startte de motor, deed de koplampen aan en toen reden ze weg.

'Vinny, ik wilde je iets vragen. Op de man af. Wat is er met je gezicht aan de hand? Hoe is het gebeurd?'

'Ongeveer een jaar geleden heeft een vrouw die ik kende loog in mijn gezicht gegooid.'

'Wat vreselijk. Wat vreselijk.'

'Loog.'

'Waarom? Waarvoor?'

'Ze vond me zo hartstikke aantrekkelijk dat ze het niet uit kon staan.'

Kidder sloeg met de muis van zijn rechterhand op het stuur.

'Verdomme, ik dacht echt even.'

'Ze werd al gek als ze me maar zag. Ze was altijd geil. Ze moest iets doen. Haar leven ging er door naar de knoppen.'

'Ik trapte er echt in, Vin.'

'Het lokt altijd een reactie uit. Loog. Zo werkt het op mensen. Loog.'

Het portier aan Talerico's kant piepte. Er ratelde iets in de kofferbak. Hij had spijt dat hij niet voor een huurauto had gezorgd. Hij had zelf een Olds Cutlass Supreme. Hij was een zekere mate van comfort gewend. Dit ding was een koffiepot.

'Ik wil je iets vragen, Vin. Ooit hier geweest? Iedereen heeft hier twee voornamen.'

'Ik kijk tv.'

'Dat is voor het geval ze er een vergeten. Ze zijn niet al te snugger, sommigen dan.'

'Dit is de eerste keer.'

'Ik moet zeggen dat het me hier eigenlijk goed bevalt. Het is menselijk. Overal lopen mensen. Ze leven.'

'We zijn er zeker bijna?'

'We zijn nog steeds op het vliegveld,' zei Kidder. 'Dit is het vliegveld.'

De auto deed Talerico aan zijn jeugd denken. Met een stuk of zeven jongens in een oude Chevy. Iedereen droeg een kwartje bij voor de benzine. Het was geen prettig idee dat deze Kidder in hetzelfde soort auto rondreed. Deze Kidder hier.

'Worden mensen daarginds veel lastiggevallen? Vallen ze mensen in Canada lastig?'

'Jij hebt de FBI. Ik heb de RCMP.'

'En dat betekent wat?'

'Dat betekent dat ze op elk moment van de dag of de nacht mijn deur kunnen intrappen.'

'Dat is in Rusland.'

'Mijn reet, Rusland. Je hebt daar iets wat ze een dagvaarding noemen. Met een dagvaarding komen ze gewoon met z'n allen bij je binnenvallen. Mijn naam hoeft er niet op te staan, of mijn adres, of waar ze naar op zoek zijn. Dat is nog helemaal open. Eerst vallen ze door je deuren en ramen bij je binnen. Daarna vullen ze de blanco gedeeltes in.'

'Het is vast een prettig gevoel om weer in de VS te zijn,' zei Kidder.

'Ik vind het opwindend.'

'We hebben het vliegveld nu achter ons. We hebben zojuist het vliegveld verlaten.'

'Zet hem op.'

'Dat was het vliegveldverkeer daar. We zijn er nu in ieder geval af.'

'Heb je Richie gesproken?'

'Ik heb met die klootzak gesproken die de telefoon aanneemt.'

'Met andere woorden: het is je niet gelukt het pakhuis binnen te komen.'

'Tal, het is een pakhuis. Wat is daar nou zo bijzonder aan? Jij zegt dat je het joch wilt helpen zich te ontwikkelen. Maakt het uit waar je dat doet? Jij praat. Jij maakt hem duidelijk waar het je om te doen is.'

'Ik zal je eens zeggen wat ik heb uitgevogeld door zelf wat rond te vragen. Die honden van hem blaffen niet. Ze zijn erop getraind om zich koest te houden. Ze bespringen je zonder je vooraf te waarschuwen.'

'Zie je wel?' zei Kidder. 'Maar goed dat ik niet heb geprobeerd er binnen te komen. Dat had je me wel eerder kunnen vertellen. Wat zou er gebeurd zijn als ik had geprobeerd om er binnen te komen?'

'Ze bespringen je vanuit het donker,' zei Talerico. 'Ze zijn getraind om eerst naar je keel te springen. Maar zonder geluid te maken. Ze grommen niet eens.'

'Waar is het je eigenlijk om te doen?'

'Een pornofilm, wat anders? Te link voor die Richie. Ik bewijs het joch een dienst.'

'Hoe wist jij ervan?'

'Ik werd uit New York gebeld.'

'De familieleden. Altijd de familieleden.'

'Paulie belde me. Wanneer? Tien dagen geleden?'

'Ik heb hem nooit ontmoet,' zei Kidder. ''k Ken wel de reputatie van de man.'

'Hij belde me. Daardoor wist ik ervan.'

'Hoe wist hij het?'

'Iemand met de naam Lightborne heeft hem gebeld. Zomaar in-eens. Zei dat hij bieders aan het verzamelen was. Wilde weten of Paul geïnteresseerd was een bod te doen.'

'Geïnteresseerd een bod te doen,' zei Kidder.

'Kun je je dat voorstellen?'

'Geïnteresseerd een bod te doen.'

Ze probeerden altijd meisjes over te halen mee te gaan in de auto. Met zeven jongens in de auto waren er niet veel meisjes die daar iets voor voelden. Je trof zelden meisjes die zo nieuwsgierig waren. Ze hadden een eigengemaakt geweer onder de voorbank liggen. Ze gingen nergens heen zonder dat geweer. Deze vent Kidder hier. Dat was zo'n beetje zijn niveau. Zijn seksleven speelt zich waarschijnlijk op de ach-terbank van de auto af. Hij heeft een vuursignaal van de marine in zijn handschoenenkastje.

'Ik zal je eens zeggen waar ik trek in heb,' zei Talerico. 'Ik heb trek in behoje.'

'Hoezo behoje?'

'Joods kezen.'

'Waarom vroeg ik het eigenlijk, hè?'

'Het lokt altijd een reactie uit. Behoje. Het heeft die bepaalde klank waar mensen van houden.'

'Zie je die lichten daar?' vroeg Kidder.

Twintig minuten later reed de auto rustig de donkere parkeerplaats op aan de andere kant van de spoorrails voor het pakhuis. Er stond een goederenwagon op de rails. *Verzend het met de Frisco!* Nadat Kidder de koplampen uit had gedaan, zaten ze naar het pakhuis te kijken. Het was koud. Talerico stapte uit om zijn trenchcoat aan te trekken en schoof weer op zijn plaats. Het liep anders dan zijn bedoeling was.

Een half uur later zagen ze van onder een goederenwagon iemand opduiken die op handen en knieën had gezeten. Een magere jongeman. Zwart. Droeg een dikke trui. Had een zaklantaarn bij zich.

'Hij heet Daryl Shimmer. Zorgt voor het joch.'

'En wie zorgt er voor hem?'

Daryl kwam op de auto af, om de paar stappen om zich heen kijkend. Drie meter van hen vandaan stak hij zijn linkerhand onder zijn trui en trok een kleine revolver uit zijn broekriem. Hij liep naar de bestuurderskant toe.

'Goddomme,' zei Talerico mat.

Daryl richtte de revolver op Kidders gezicht. Een .25 kaliber automaat. Talerico kon zien wat er boven Daryls lange, donkere duim die langs de loop lag, stond gegraveerd: *Hartford Ct. USA.*

'Ik weet dat jullie op zoek zijn naar een film. Wij weten niet waar die is. En Richie, die piest bijna in zijn broek zoals jullie hem onder druk zetten. Wij zeggen: ga terug. Wij weten niet waar-ie is. We willen het niet weten. Wij hebben er niets mee te maken. Het is voorbij, zeggen wij. Als jullie de film kunnen vinden, gefeliciteerd. Je hoeft het ons niet eens te laten weten.'

'Luister es, lul,' zei Kidder.

Daryl beet op zijn onderlip.

'Haal dat ding eens weg voor mijn gezicht. Dat zijn slechte manieren, een revolver op iemand richten. Dat is akelig.'

'Tegen wie heb jij het?'

'Tuig.'

'Ik ga goddomme schieten.'

'Als er iets is waar ik de pest aan heb, man, dan is het dat er iets op mij wordt gericht.'

Overlappende dialoog. Steeds luider.

'Een beetje vet op je botten zou geen kwaad kunnen,' zei Talerico kalm. 'Je bent vel over been. Dat vind ik niet best.'

'Hou je bek.'

'Je zou wat meer *soul food* moeten eten.'

'Haal dat pistool weg,' zei Kidder. 'Als je dat pistool niet wegneemt. Richt het een andere kant op.'

'Tegen wie heb je het?'

'Slome duikelaar.'

Daryl hield het wapen tegen Kidders wang aan en beet weer op zijn onderlip. Kidder schreeuwde tegen hem, schold hem uit voor van alles en nog wat, woorden die Talerico in geen jaren had gehoord.

'Je zou wat meer tijd onder de mensen moeten doorbrengen,' zei Talerico zachtjes. 'Je bent te veel alleen. Dat zie ik niet graag. Het is niet gezond. Moet je jou nou eens zien. Je weet niet hoe je je hoort te gedragen met andere mensen. Je moet vaker uitgaan. En je moet meer eten. Je moet zorgen dat er wat vet op die botten van je komt.'

Er verscheen een tweede figuur. Hij kwam van de kant van de goederenwagon. Hij liep op de Camaro af. Daryl, het wapen nog steeds op Kidders gezicht gericht, scheen met de zaklantaarn in de auto.

'Ze willen nu wel luisteren, Richie.'

'Ik hoorde geschreeuw. Dat kunnen we hier niet hebben. Geschreeuw.'

'Dat komt door jou,' zei Kidder. 'Door jou.'

'Ik ben naar buiten gekomen om te laten zien dat wij niets te verbergen hebben. Ik ben in goed vertrouwen naar buiten gekomen. Ik weet niets van dat artikel dat je wilt hebben. Je blijft maar druk uitoefenen. Het is verschrikkelijk.'

'Die druk zit in je hoofd,' zei Talerico.

'Ik heb niet eens de honden meegebracht, om te laten zien dat ik de zaak vertrouw. Om mijn neus te laten zien. Dan zou het minder geheimzinnig zijn, dacht ik. Als je me zag, als je zag dat er niks aan de hand is en dat ik het artikel niet heb, zou je er niet zo op gebrand zijn om binnen te komen.'

'Hij wil een trap tegen die Bugs Bunny-tanden van hem,' legde Talerico aan Kidder uit.

'Dit komt door jou,' riep Kidder. 'Ik bedoel jou daar.'

Richie droeg een bovenmaatse jopper. Hij had zijn handen in de diepe zakken gestoken. Hij knikte naar Talerico. Een gebaar dat bedoeld was voor Daryl: richt de zaklantaarn op de ander.

Talerico wendde de rechterkant van zijn gezicht naar het licht. De dode kant. De kant met het bevroren vlees. Het felle oog staarde uitdrukkingsloos voor zich uit.

'Ik ben hier niet eens,' schreeuwde Kidder. 'Het is voorbij.'

'Hij wil dit pistool opvreten,' zei Daryl.

'Stomme klootzakken. Kutlikkers. Je weet nog niet hoe laat het voor je is.'

Talerico had dit soort onsamenhangend geschreeuw al vaker gehoord. Het deed hem aan zijn neef Paul denken. Wanneer Paul in een moeilijke situatie belandde, werd hij kwaadaardig, werd hij dodelijk. En dan riep hij soms dingen die maar nauwelijks met de zaak te maken hadden, of zelfs helemaal niets. Talerico had gezien hoe zijn neef mensen angst aanjoeg – meer dan eens smerissen, mannen met wapens – eenvoudig door uit te barsten in een razernij die aan het irrationele grensde. Hij was kennelijk bezeten. Te echt om aan te kunnen. Als ze eenmaal zien dat je het niet erg vindt om dood te gaan, zitten ze pas echt in de rats, en dat weten ze.

Alles welbeschouwd was Talerico onder de indruk van deze kant van Kidder. Kidder was keihard. Hij accepteerde geen gesodemieter. Hij schreeuwde en sloeg wartaal uit. Hoe dichter hij bij de dood kwam, hoe meer hij de situatie onder controle leek te hebben. Hoe meer hij de tegenstander angst leek in te boezemen.

Het was ook geen bluf. Zoveel was duidelijk. Het was oprechte verontwaardiging en agressie en woede. Kidder maakte werkelijk indruk op hem. Hij wist niet dat een dermate uitgeputte man nog tot zo'n razernij in staat kon zijn.

'Ik wil wat je noemt een verklaring afleggen,' zei Talerico.

'Ik geloof dat ons dat verheugt,' zei Richie. 'Als we zoiets als gezichtspunten kunnen uitwisselen, betekent het dat de zaak er beter voor staat.'

'Jij bent vijf minuten geleden al doodgegaan. Je bent al vijf volle minuten dood. Je bent zo dood dat ik je kan ruiken. Dat is mijn verklaring.'

'Ik wil niet weten wie hij is,' zei Richie tegen zijn lijfwacht.

'Kijk maar naar mijn oog,' zei Talerico.

'Als je weet wie het is,' zei Richie, 'moet je het me niet vertellen.'

Hij draaide zich om en liep in de richting van het pakhuis, glipte om de goederenwagon heen en was uit het zicht verdwenen.

'Slik en ren,' schreeuwde Kidder.

'Je bent er geweest, hè?' zei Daryl.

'Ik kijk je recht aan.'

'Je bent er geweest. Dat wil je zeker.'

'Ze kennen de woorden niet. Ze weten niet waar ze het over hebben.'

Daryl beet op zijn onderlip. Toen hij de trekker overhaalde sloeg Talerico tegen het portier aan en veerde weer terug. Daarna greep hij de deurkruk vast en opende het portier. Hij liep snel en met gebogen hoofd; in zijn oren klonk een opgewonden gebrul. Hij liep het pakhuis voorbij en sloeg linksaf. Er waren banken, winkels, hotels. Bijna geen verkeer. Geen taxi te bekennen. Hij moest een taxi bellen.

Hij sloeg rechts een hoek om en zag het Southland Hotel voor zich. Het was ongeveer tien uur. Het centrum van de stad lag er verlaten bij. Hij zou een taxi nemen naar het vliegveld. Het eerste vliegtuig de stad uit. New York, Chicago, Toronto. Zijn weekendtas lag op de achterbank van Kidders auto. Hij ging in gedachten de inhoud na. Er zat niets in dat naar hem kon verwijzen. Zelfs geen overhemd met een monogram.

Er stopte een taxi voor het hotel toen Talerico eraan kwam.

Je kwam vroeg of laat in dit soort werk, in aankopen, op een keer in een stresssituatie terecht, vooral als je voor zaken naar een deel van de vs moest waar iedereen een of ander wapen bezat, voor een of ander doel.

Cowboys.

Earl Mudger stond voor Lien, een Vietnamees restaurant gelegen boven de Riverwalk in San Antonio. In plaats van rechtstreeks naar Dallas te vliegen, had hij zijn reis onderbroken om te kunnen gaan eten met een oude oorlogsmakker, George Barber, die nu verbonden was aan de veiligheidsdienst van de luchtmacht, en gestationeerd op Kelly.

Hij was blij dat hij dat had gedaan. Ze hadden er weer als vanouds plezier aan beleefd. Affectie, sentiment, vage nostalgie. Hij wachtte op George die zijn auto van een dichtbijzijnd parkeerterrein haalde om hem naar het vliegveld te brengen voor zijn korte vlucht naar Dallas.

George had Mudger bijgepraat over de allernieuwste wapens. Het was een complexe ervaring om dat specialistenjargon weer te horen, zo vol nieuwe woorden. Daardoor moest Mudger vanzelfsprekend weer aan Vietnam denken. De merknamen. De troost die mannen uit het jargon van wapens putten.

Het deed hem ook denken aan het surrealistische gesprek dat hij met Van had gevoerd, vlak voor hij van huis vertrok om hierheen te gaan. Met aan het andere toestel Tran Le, die vertaalde wanneer dat nodig was, had Mudger Van horen uitleggen dat hij het doelwit via de lucht wilde benaderen. Ze hadden hem kunnen volgen naar een oud kamp ergens tussen de us 385 en de Rio Grande, waar die boven Stillman naar het noorden afbuigt. Van volstond er niet mee om te zeggen dat hij een helikopter nodig had. Hij probeerde specifiek type, formaat, merknaam, modelnummer en technische kenmerken op te geven.

Door al deze benamingen, die om te beginnen al niet in het Engels waren, raakte Van na een tijdje ontmoedigd, waarop hij zei dat hij genoegen zou nemen met wat Mudger maar kon opduikelen. Voornamelijk dankzij George Barbers inspanningen kon Mudger zorgen voor een tweepersoons-patrouillehelikopter, een Hughes 200, een van de types die door de Amerikaanse douane werden gebruikt om het smokkelen over de grens in de gaten te houden. Op het allerlaatst vroeg Mudger nog of een medicijnkist buiten op dit soort luchtvaartuig bevestigd kon worden. Dat kon.

Tran Le wilde weten wat een 'doelwit' was.

George kwam aanrijden en Mudger stapte in. Vietnam was in meer dan één opzicht een oorlog geweest die gebaseerd was op hybridisch gewauwel. Maar Mudger zag het belang daarvan op het meest fundamentele niveau wel in, op dat van de infanteristen, waar de soldaat stond en waar technisch idioom vaak het enige element van precisie was, de enige werkelijke schoonheid, die hij mee kon nemen naar de onduidelijke gebieden.

Kaliberwaarde, kruitlading, de namen van specifieke onderdelen. Oorlogscorrespondenten gebruikten ze volop in hun verslagen om het verhaal levendiger te maken, in een poging de schok van gewelddadige actie over te brengen door een aaneenrijging van letters en cijfers. Mudger hield ervan, zowel in ironische zin als op het meest alledaagse niveau. Hardop uitgesproken door zweterige mannen met camouflagevet, hadden deze nummerwoorden en nieuwe benamingen de onverwoestbare gratie van het strakke ritme van scanderen.

Wapens kregen een naam, een voornaam, een slangwoord, werden gedoopt, van een titel voorzien en vertaald. Beschermende kunstgrepen. Aspecten van een volmaakte voorstelling. Het reciteren van deze namen was de poëzie van de soldaat, zijn tegenjargon voor de dood.

'Ik geloof dat ik er beter wat vaart in kan zetten,' zei George, 'anders mis je je vliegtuig.'

Eigenlijk kon het Mudger niet schelen. Deze onderneming was slappe kost. Misschien was het waar wat men scheen te vermoeden. Zonder PAC/AAU achter hem gingen de zaken hollend achteruit. Er bestond geen twijfel over dat PAC/AAU zelf aan het onttakelingsproces meewerkte. Die hele zaak had nu afgehandeld dienen te zijn, zonder dat zijn aanwezigheid daarbij werd vereist. Die andere zaak, Van en Cao en de vereffening, was een nog grotere rotzooi, in eerste aanleg tenminste, en had het voorbeschikte karakter van een of ander klassiek epos, gemoderniseerd zodat er een helikopter aan te pas kon komen. Maar hij was degene die ervoor had gezorgd dat het doorging. Dat was dom. Hij wilde in zijn werkplaats in de kelder zijn, nu op dit moment, en met een tweezijdige hamer op een verhitte stalen plaat slaan.

De vroege mens die over de toendra zwierf. Je moet je wapen een naam geven voor je het kunt gebruiken om ermee te doden.

Lomax zat doodstil in het hokje van de kassier.

De gedachte kwam bij hem op dat het niet lang meer zou duren eer plekken zoals deze gezien zouden worden als de belichaming van een vergeten manier van leven. Kopen en verkopen en ruilhandel. De oude stad. De markt. Downtown.

Wat doen we met onze bossen, onze meren, onze wijken met pakhuizen? Dat zou men zeggen. Wat doen we met onze pakhuiswijken, onze goederenterreinen, onze parkeerplaatsen?

Hij voelde zich moe en hongerig en koud. De man die de kaartjes afgaf en het geld inde had een hoopje Ritz-crackers achtergelaten op een velletje vetvrij papier. Lomax schoof ze met zijn elleboog opzij. Voedsel van andere mensen. IJskasten van andere mensen. Hij was altijd een beetje onpasselijk geworden van de dingen die hij toevallig bij andere mensen in de ijskast zag liggen.

Hij hoorde een man schreeuwen. Het klonk als een verwensing. Eventjes kwam er een hoofd in zicht boven een geparkeerde auto ongeveer vijftig meter verderop. Daarna weer de stem, die verwensingen schreeuwde. Er verscheen nog iemand, die naar de auto liep.

Lomax zoog zijn adem naar binnen en haalde zijn automaat uit de holster aan zijn broekband. Hij legde zijn linkerhand op de kruk van de deur, klaar om die open te duwen als het nodig was. Ze zouden zijn silhouet kunnen zien in het flauwe licht van een straatlantaarn een eindje verderop. Hij bleef enkele minuten doodstil staan. Weer klonk er geschreeuw. Er was verder geen mens te bekennen. De oude stad. Het verlaten centrum.

De tweede gestalte liep weg in de richting van het pakhuis. Lomax opende de deur van het hokje. Er klonk een schot. Hij liep vlug naar de dichtstbijzijnde auto en dook erachter. Twintig meter van hem vandaan passeerde iemand die snel liep, het was een man, hij liep met gebogen hoofd, alsof hij tegen een straffe wind in liep. Lomax keek boven de kofferbak van de auto uit. Er liep iemand in de tegenovergestelde richting, langzaam. Ook een man. Hij verdween achter de goederenwagon.

Lomax zat drie volle minuten op dezelfde plaats te luisteren. Daarna liep hij de kant uit van de auto waar geschoten was. Hij hield zijn revolver tegen zijn dijbeen aan. Hij liet die arm stijfjes omlaag hangen, en zwaaide er op een onnatuurlijke manier mee heen en weer, en niet zoals met de andere. Hij zag zichzelf deze plek verlaten. Een sprong in de tijd. Hij zag zichzelf van boord gaan van een vliegtuig op National in Washington. Hij zag zichzelf appartementen verkopen aan de Golfkust.

Beide portieren stonden open. Op de vloer aan de bestuurderskant lag een man die moeizaam ademhaalde. Lomax hurkte er een eind vandaan, en richtte zijn wapen op het hoofd van de man.

'Wie ben je?'

Weer het moeizame ademen.

'Wie ben je?' zei Lomax.

'Rot op. Ik ben geraakt.'

'Ik weet dat je geraakt bent.'

'De kogel zit in mijn keel. Ik voel iets.'

Lomax leunde wat naar rechts om beter te kunnen zien. De man was in de linkerhelft van zijn gezicht, onder zijn kaakbeen, beschoten. Omdat de deuren open waren, brandde het licht in de auto en Lomax zag kruitpoeder om het gat in de kaak van de man. Zijn mond zat onder het bloed.

'Hoe heet je? Wie ben je?'

'Bemoei je met je eigen zaken. Laat me ademhalen.'

'Ik kan een ambulance voor je bellen. Wil je dat?'

'Als ik begin te kokhalzen, stop dan een vinger in mijn keel. Dat zou ik op prijs stellen. Ik haat het gevoel dat ik moet kokhalzen. Ik ben er doodsbang voor.'

'Ik beloof niets,' zei Lomax, 'tenzij je me vertelt wie je bent.'

'Ik heet Sherman Kantrowitz.'

'Wie ben je, Sherman? Wie zijn die andere mensen?'

'Ik ben de zoon van Sophie en Nat.'

'Wie waren die mensen?'

Weer de onregelmatige zware adem. Het proberen een ritme te vinden.

'Voor wie werk je, Sherman?'
'Ik wil slikken maar ik ben bang.'
Lomax zag zichzelf al achttien holes per dag spelen. De zon schijnt.
Er waait een zacht briesje vanaf de Golf.

Tran Le.

De weiden waren geelbruin en spaarzaam begroeid. Driekwart en
meer van de omtrek. De pure alcohol van winter in de lucht.

Tran Le stond voor het raam.

Haar ogen waren donker en groot en hadden een speciale, naar binnen gekeerde blik, met iets schuldigs erin, als van een kind dat altijd
op het punt staat gestraft te worden. Zonder die verzachtende diepte
had haar gezicht misschien te veel uit louter contouren bestaan. De lijnen van haar kaakbeenderen en haar wangen waren sterk en precies, en
haar mond was vol, breed, zilverroze en sensueel, en in een bepaald
licht een tikkeltje gulzig, een tikkeltje grof. Dat was ook een tegen-
wicht. Dat spotte met de kinderlijke ogen.

Ze liep van het ene raam naar het andere. De lampjes op het terras
zwaaiden heen en weer. Onder een boom stond een rieten stoel. Uit
een van de stallen stak de punt van een rode kano naar buiten. Ze liep
de kamer door naar de andere kant. In de vijver wervelden bladeren
rond. De pronkboon hing omlaag over de rand van een schuurtje. Het
was stil, een paar minuten voor zonsondergang, het licht in de weiden
vol zachte tinten. Ze keek naar de grazende pony's.

5 De taxichauffeur deed er ongeveer een minuut over om een kwitantie uit te schrijven. Moll zag twee mensen die hun honden uitlieten bij de goot blijven staan om hun huisdieren in de gelegenheid te stellen elkaar te besnuffelen. Grappig. Ze nam het bonnetje aan en ging de buitentrap op naar de voordeur van het herenhuis.

In de vestibule drukte ze op de bel en wachtte tot Grace Delaney haar met de zoemer binnen zou laten. Er gebeurde niets. Ze drukte nog een keer. Het was na elven maar het was vandaag maandag en dan bleef Grace altijd tot middernacht, of zelfs daarna.

Moll had de sleutels. Voordat ze de deur openmaakte, tuurde ze door het glazen paneel naar binnen, maar het ijzeren raster aan de andere kant van het glas belemmerde haar het zicht.

Ze ging het huis binnen en liep de trap op naar de tweede verdieping. Met haar hoofd naar links gedraaid, keek ze omhoog om de overloop en de volgende bocht in de trap te kunnen zien. Op de tweede verdieping zaten allebei de deuren op slot. Ze liep het laatste deel van de trap op. Er waren twee sleutels voor de deur van het kantoor. Bij de tweede poging stak ze de sleutels in de juiste sloten. Alleen één zat op slot.

Alle lampen brandden. Aarzelend ging ze naar binnen, onderwijl de naam van Grace roepend. Ze liep het voorste gedeelte door naar Graces kantoor. De gebruikelijke rommel. Drukproeven, brieven, foto's. Een flesje handcrème op de koffietafel. Een papieren bekertje nog bijna vol groentesoep.

Ze stond midden in het vertrek met een vaag voorgevoel. Er stond iets op het punt te gebeuren. Er zou zo dadelijk iemand verschijnen. Ze nam de telefoon van de haak en draaide Graces privé-nummer, al was het maar om die stemming te verjagen. Ze hoorde een cassettebandje, het klonk te hard en te onduidelijk: 'Dit is Grace Delaney. Ik ben er op het moment niet. Er is niemand hier. Na de pieptoon kunt u uw naam en telefoonnummer inspreken...'

Ja, natuurlijk. Niemand is waar hij hoort te zijn. Het drong tot haar door dat ze zich helemaal niet angstig had hoeven voelen. Hier viel niets te beleven, maar daarginds wel, waar iedereen was behalve zijzelf. Door een seksuele relatie met Earl Mudger te weigeren, had ze zich van de anderen afgesneden. Zo werkte het, of het nu opzet was of niet. Er dreigde hier geen gevaar. Er observeerde of luisterde niemand meer. Veiligheid. Waarom voelde ze zich dan zo teleurgesteld?

Ze deed beide sloten op slot en liep langzaam de trap af en het gebouw uit.

Grace Delaney zat naast de reusachtige Victoriaanse vogelkooi in de lounge van het Barclay, vlak bij Park Avenue. Ze keek een paar keer op haar horloge en na enige tijd ging ze naar een van de huistelefoons. Een man nam op.

'Ik controleer het ventilatiegat in de badkamer.'

'Eerst moet ik hierheen komen van je,' zei Grace. 'En dan laat je me wachten.'

'Ik ben net bezig de ventilatie te controleren.'

'Ik kom naar boven.'

'We willen zeker weten dat de kamer helemaal gezuiverd is. Of willen we dat niet soms?'

'Dat willen we.'

Een kwartier later stapte ze uit de lift op de twaalfde verdieping. De kamer lag aan de hoofdgang. Lomax liet haar binnen. De gordijnen waren dicht. Er brandde maar één lamp – een kleine tafellamp – en die had hij op de vloer gezet, kennelijk met het oog op een zo indirect mogelijke belichting. Hij hielp haar uit haar jas en hing hem in de kast.

'Wat een prachtige jurk.'

'Niet mijn allerbeste,' zei ze. 'Een relikwie.'

'Jij weet hoe je kleren moet dragen. Kleren zitten je als gegoten. Je weet wat je goed staat.'

Hij zat op de rand van het bed zijn schoenen uit te trekken.

'Je bent een New Yorkse,' zei hij. 'Een klassiek type.'

'Hou alsjeblieft je mond es.'

'Nee, heus, in de beste zin van het woord.'

Ze trok haar jurk uit en hing hem over een stoel.

'Ik had nooit gedacht dat ik nog eens naar bed zou gaan met een man die Clark's Wallabees draagt.'

'Ik draag ze niet in bed.'

'Het zijn tenminste geen Hush Puppies,' zei ze. 'Jezus, stel je voor.'
Lomax stond op om zijn broek uit te trekken.

'Wat is er mis met Clark's Wallabees? Het zijn heel goede schoenen.'

Twee kamermeisjes kwamen pratend en lachend langs de deur.

'Wat dacht je van roomservice, Gracie? Schotse whisky, of bourbon? Het is weer voor whisky. Het is er het seizoen voor.'

'Ik heb mijn flacon bij me.'

Ze zat voor de spiegel in haar beha, onderbroekje, kousen en jarretel. Ze hield een haarschuifje in haar mond terwijl ze haar haar weer in orde bracht. Eventjes bleef Lomax in zijn blootje staan; toen glipte hij onder de dekens terwijl hij naar haar keek.

'Moest je iets afzeggen?'

'Alleen Moll,' zei ze.

'Ik heb een vreselijk volle agenda.'

'Maar ik heb haar niet afgezegd, ik ben gewoon weggegaan. Ik wilde je aldoor al eens vragen, Arthur. Wie was die vriend van haar? Over welke vriend had ze het?'

'Je bedoelt van de verzameling.'

'Ik heb je al verteld dat ze iemand kende die haar toegang tot Percivals verzameling kon verschaffen.'

'Over hem praten we niet meer.'

'Waren ze minnaars?'

'Wis en waarachtig.'

'Waar is hij nu?'

'Dat doet er niet toe,' zei Lomax. 'Ver weg.'

'Je was toentertijd nogal geïnteresseerd, Arthur.'

'Dat was alleen om feiten te verzamelen.'

'En wat zijn de feiten?'

'Misschien heeft hij haar toegang verschaft, misschien niet. Ik heb er de laatste tijd niet meer aan gedacht. We gaan gewoon weer verder.'

Grace liep naar zijn kant van het bed. Hij legde zijn handen een hele poos op haar borsten, boven op de beha. Het leek een onderdeel van een bepaald programma te zijn. Daarna ging ze naar de badkamer en ze liet de deur openstaan.

'Wat is er in Dallas gebeurd, Arthur?'

Hij gaf geen antwoord. Ze kwam de kamer in met haar handtas. Ze haalde de zilveren flacon eruit en liep naar de andere kant van het bed. Ze ging zitten en trok haar kousen uit.

'Waarom staat die lamp op de vloer?'

'Voor de sfeer,' zei hij.

'Weet je zeker dat er geen afluisterapparaatje in zit?'

'Zo langzamerhand hoor ik wel te weten hoe je een kamer schoonmaakt.'

'Ge-voe-lig.'

'Klootzakken, het zou me niks van ze verbazen.'

Ze keerde zich naar hem toe terwijl ze boven op de dekens ging liggen, de flacon tussen hen in.

'Welke klootzakken?'

'PAC/AAU.'

'Zijn dat per slot van rekening niet jouw klootzakken? Sta je niet nog steeds in verbinding met ze?'

'Heb ik je dat verteld?'

'Zolang het maar niet de belasting is,' zei ze. 'Zolang je de belastingdienst maar van mijn lijf houdt.'

Lomax boog zich over haar heen om haar navel te likken. Iemand duwde een roomservicewagentje door de gang.

'Het houdt nooit op,' zei hij. 'Ik moet ze steeds weer van me afslaan. Belastingfraude is geen grapje.'

'De zakken.'

'Opzettelijk verzuim.'

'Bestaat er geen verjaringswet?'

'Niet voor fraude,' zei hij.

'Het is al weer jaren geleden.'

'Jij was politiek actief. Ze zijn dol op dat soort mensen en ze zijn dol op belangrijke gangsters. En ze zijn er dol op om hun rechtszaken omstreeks februari of maart aanhangig te maken. Dat boezemt het belastingbetalende publiek angst in. In die tijd verschijnen er foto's van je favoriete gangster die de trap afdaalt van het gerechtshof. Eind februari, begin maart.'

'Waarom nemen ze er geen genoegen mee om gewoon beslag te leggen op mijn bankrekening of mijn auto of wat dan ook?'

'In zaken zoals de jouwe vervolgen ze liever. Het hangt natuurlijk af van de hoeveelheid geld die ermee gemoeid is. Jij was bij een paar uiterst radicale avonturen betrokken, Gracie. Jij speelde met grote sommen geld. Opzettelijk verzuim. Veelvuldige belastingontduikingen. Verschrikkelijk stout meisje.'

'De beweging was iets levends,' zei ze droogjes.

'Ik zal jou eens iets levends laten zien.'

'Het was onze plicht om het systeem te verslaan.'

'Wil je iets levends zien?'

'Wat weten ze precies?'

'Ik heb je aangifteformulier gezien. Ze bewaren het formulier. Er zijn allerlei computergegevens. Maar ze bewaren het formulier. Er zijn duidelijke aanwijzingen van fraude. Zoals ik al zei, heb ik ze van me afgeslagen. Gelukkig voor jou is er een keten van wederzijdse belangen.'

Grace ging met het topje van haar wijsvinger langs zijn lippen. Ze dronk uit de flacon en gaf hem aan Lomax. Gedempte straatgeluiden. Hij nam verbaasd een slokje.

'Het is geen Schotse whisky.'

'Het is wodka.'

'Dit is weer voor whisky.'

'Wod-ka.'

'Zal ik roomservice bellen?' mompelde hij in zichzelf. 'Dan moet ik me wel aankleden.'

'Vertel eens over Dallas, Arthur.'

'Koud en donker.'

'Je zinspeelde er een pietsje op.'

'Je dwingt me ertoe. Het is niet te geloven waar jij me allemaal toe dwingt.'

'Waar we elkaar toe dwingen.'

'Dat komt omdat ik mijn geloof kwijt ben.'

'Het kan je geen ene reet schelen. Dat begrijp ik, schat.'

'Trek dat bovending es uit, waarom doe je dat niet?'

'Alles op zijn tijd, liefje.'

'Ik geloof niet meer. Eerst wel, maar nu niet meer.'

'Dat begrijp ik, jochie.'

Ze draaide zich naar hem toe en schoof wat zijn kant uit – in haar linkerhand de flacon, die ze op zijn borst legde.

'Het was eerlijk gezegd afschuwelijk,' zei hij.

'Jij vertelt zulke charmante verhalen.'

'Zeg dat wel.'

'Laat ik me even lekker warm en knus oprollen.'

'Er waren daar namelijk allerlei groepjes mensen die een gunstige positie probeerden in te nemen. Dat is de geijkte manier. Ik ging volgens plan ergens staan om op Earl te wachten. Daar kan je een hele dag werk aan hebben. Dat heb je met hem. Laaiend enthousiast. Kilometers in de omtrek verschroeide aarde. Maar een andere keer: waar is hij? Hij zegt dit en dat maar hij is niet waar hij zou moeten zijn, hij zit in Saoedi-Arabië voor een of ander leasecontract. Intussen zit ik bij een vent met een kogel in zijn keel. Het is pikdonker. Wat is er aan de hand? Na heel lang aandringen kom ik erachter dat hij freelance werkt voor Talerico, Vincent, een gangster van het middenkader. Iedereen zit achter hetzelfde aan. We wisten dat de senator geïnteresseerd was. We wisten dat Richie, dat joch, Armbrister, geïnteresseerd was. Nu zien we de maffia in hun volle renaissancistische glorie. Vervolgens komt er een auto de hoek om racen en ik duik uit het zicht. Ik zit onder een pick-up en heb het gevoel dat dit het begin is van een midlifecrisis.'

'De donkere nacht van de ziel,' zei Grace.

'Voor wat en voor wie?'

'Wanneer de priesters niet langer geloven, wat stelt het dan nog voor?'

'Het was natuurlijk Mudger. Hij zat gewoon achter in een taxi. Ik kroop onder de truck vandaan en ging naar hem toe. Vertelde hem wat ik wist. Hij stelde voor dat ik instapte, en dat deed ik, en toen reden we weg.'

'En lieten de man met de kogel in zijn keel achter.'

'Die dingen gebeuren, Gracie.'

'Noem me geen Gracie.'

'Wil je soms dat ik je bij de naam noem die Earl je geeft?'

'Wat is die?'

'Laat maar zitten.'

'Hoe noemt Earl me?'

'Trek je beha uit.'

'Pech gehad, mannetje.'

Ze dronk uit de flacon en ging weer liggen.

'Zal ik verdergaan?'

'Je zat in de taxi.'

'Hoe dan ook, Earl vertelde me dat hij ontgoocheld is. De hele zaak is een zootje. Laat die maffiosi de stomme film maar hebben. Hij hoeft hem niet meer.'

'Wat wil hij wel?'

'Hij wil een dierentuin opzetten. Hij wil ergens een groot stuk land kopen en er een soort safaripark op aanleggen. Rondlopende dieren, mensen met camera's, weet ik veel. Deels dierentuin, deels natuurlijke habitat. Hij weidde niet verder uit. Hij had dit pas tijdens de vlucht van San Antonio bedacht. Het heeft met Earls heimwee naar Vietnam te maken. Daar had hij een dierentuin.'

'Ik vraag me af of ik hem aardig zou vinden,' zei Grace. 'Moll wel en niet.'

'Jij vindt niemand aardig. Wie vind jij nou aardig?'

'Ze heeft een interessant artikel geschreven. Onevenwichtig en onsamenhangend als de pest. Maar eigenlijk haar beste stuk. Ik was er echt door van streek.'

'Earl noemt jou PTT.'

'Wat betekent dat?'

'Het is voor de grap. Het betekent niets. Earl heeft het bedacht. Eigenlijk wij samen.'

'Ik geloof niet dat ik hem aardig zou vinden.'

'Je zou de senator ook niet mogen. Jij mag niemand.'

'Ik ben oud en moe,' zei ze.

'De senator doet ook niet meer mee. Is nu in iets anders geïnteresseerd. Iets wat een beetje traditioneler is.'

'Wie kan het iets schelen? Zie ik eruit alsof het mij iets kan schelen?'

'Je bent nog jong,' zei Lomax. 'Ik ben oud. Ik voel me oud.'

'Jij bent jonger dan ik, Arthur, en zelfs dat kan me niet schelen.'

'Ik voel me oud. Ik ben het die oud is. Chronologie doet er niet toe. Als ik een hond was, dan was ik nu pas zes, chronologisch gezien, maar ik heb het gevoel dat ik al rijp ben voor de lijkwagen.'

Grace trok haar beha uit en ging op haar rug liggen. Lomax zette de flacon op het tafeltje naast het bed. Zijn radio-oppiepapparaat begon te piepen. Het was een apparaatje dat hij de laatste tijd overal mee naartoe nam. Op dit moment was het in de kast, in de zak van zijn jas. In tegenstelling tot de piepers die doorgaans gebruikt werden, werkte deze binnen een straal van zeshonderd kilometer vanaf het oorspronkelijke signaal. Het werd door een computer geactiveerd, en stelde Earl Mudger in staat om Lomax te bereiken, onverschillig waar hij zich bevond, binnen die straal. Wanneer het begon te piepen, moest Lomax een bepaald nummer bellen om de instructies te krijgen die er voor hem klaarlagen.

Na tien lange seconden hield het ding op. Grace keek hem aan en wachtte op zijn reactie.

'Ik zal je eens vertellen wie ik waardeer,' zei Lomax. 'Wie zijn de enige mensen die geloven in wat ze doen? De enigen die niet voortdurend bezig zijn zich aan te passen, voortdurend van koers te veranderen – deze kant op, die kant op. Die niet aldoor onder druk staan. Niet gedwongen worden om nieuwe posities in te nemen.'

'De maffia,' zei ze.

'Zij zijn serieus. Zij zijn met hart en ziel toegewijd. De enigen. Zij zien het doelwit duidelijk, recht voor zich. Zij weten waar ze bij horen. Ze hebben geen twijfels over het uitgangspunt.'

'Maken zij dan nog steeds een kans?'

'Zij zijn de mensen die die kans zelf maken,' zei Lomax. 'Er is alleen nog die ouwe zak, die kunsthandelaar, die waarschijnlijk zelf boven op het filmblik zit, en denkt dat hij alleen maar een veiling hoeft te organiseren.'

'Wat betekent PTT?'

Lomax wierp haar een ietwat bittere, geamuseerde blik toe. 'Weet je het zeker,' zei hij.

'Ja, zeg het maar, ik ben nieuwsgierig.'

Hij haalde zijn rechterhand van achter zijn hoofd vandaan en streek met zijn middelvinger eerst over de ene bakkebaard en daarna over de andere.

'Platte Tieten Teef,' zei hij.

Haar mond verstrakte. Ze rolde van haar rug op haar rechterzij, zwaaide haar linkerarm omhoog en diende hem een flinke swing pal boven zijn rechteroog toe. Vreemd genoeg kromp hij in elkaar alsof hij in zijn liezen was geraakt. Hij bedekte zijn rechteroog met beide handen en draaide zich om, nog steeds in elkaar gedoken, naar de rand van het bed.

'Die naam is maar een grapje,' zei hij.

De tweede mep, een hamerachtige linkse, trof hem achter zijn linkeroor. De radiopieper begon weer.

'Het stelt niets voor,' zei hij. 'Zo praten we gewoon met elkaar, met afkortingen, soms in codes. We hebben voor iedereen een andere naam. Er zijn veel ergere dan de jouwe.'

Grace lag weer achterover op het bed, en luisterde naar het apparaatje dat zijn reeks voorgeprogrammeerde piepjes uitstootte. Haar mond stond nog strak maar ze ademde regelmatig, alsof gewelddadige aanvallen wel vaker voorkwamen in haar leven.

Moll zat in bad en probeerde de bladzijden van de middageditie van de *Times* zo om te slaan dat ze niet nat werden.

Een interessant bericht achterin bij de overlijdensadvertenties.

Vandaag werd vernomen dat senator Lloyd Percival vorige week donderdag in het huwelijk is getreden in Bethesda, Maryland, enkele uren nadat zijn scheiding werd uitgesproken.

De bruid is Dayton (DeDe) Baker, 20, een stagiaire op de afdeling monsters aan het Medisch Museum van het Pathologisch Instituut van de Strijdkrachten, Washington, DC.

Grappig maar raadselachtig.

De plechtigheid werd in de meditatiesuite van de buitensociëteit van Stone Hollow geleid door dominee Penny W. Parker, oprichtster van de Humanistische Missie.

Jezus.

Het bericht, te midden van een typografische chaos, citeerde vervolgens de senator, 61, die zei dat hij zich vandaag 'als herboren en vol levenslust voelde – klaar om stoutmoedig nieuwe avonturen aan te gaan'. Hij werd samen met zijn vrouw geïnterviewd voordat het paar naar het vliegveld vertrok, op weg naar een niet nader aangeduide bestemming.

Toen Moll de volgende dag op kantoor was, kreeg ze plotseling de ingeving om in de avondeditie naar het verslag te zoeken. Ze ontdekte dat er in de eerste versie een alinea ontbrak. Ze vulde het overige in door de gang door te lopen en de dossiers van *Jachthond* erop na te slaan.

De vader van de bruid was wijlen Freeman Reed Baker, een bekende autoriteit op het gebied van Perzische kunst en cultuur. Hij was tevens de centrale figuur in een schandaal met betrekking tot de verdwijning, vijftien jaar eerder, van zeldzame voorwerpen van oude erotische kunst – geweven tapijten, stoffen, bewerkt metaal – uit een legendarische privé-verzameling in Isfahan.

Ik begin het te snappen.

Dr. Baker was in de tijd van de klaarblijkelijke diefstal speciale conservator van de zogenaamde Verboden Kamers, een afdeling van de verzameling die niet open was voor het publiek.

Uitermate sexy spul.

Drie jaar geleden stierf hij in Oost-Turkije een natuurlijke dood, nog steeds onder verdenking. De kunstschatten zijn nooit teruggevonden.

Toen ze weer in haar kamertje zat, vroeg Moll zich af of Lightborne het bericht had gelezen. In dat geval zou hij in gedachten nu wel afscheid nemen van Lloyd Percival. De senator had overduidelijk de vesting Berlijn, *Nazi's in beweging*, in de steek gelaten, en de geruststellende stilte van de woestijn verkozen. De kunst van mystici en nomaden. Ouderwetse geneugten.

6 Selvy vond een Sam Browne-koppelriem in een van de kluisjes in de lange barak. Hij gespte hem om. Het ding paste hem vrij aardig. Hij vond dat de schouderriem, die kruiselings over zijn borst liep, prettig zat. Hij dacht dat hij wel een manier kon bedenken om het hakmes eraan te bevestigen, want hij wist dat de oorspronkelijke riem ontworpen was door een eenarmige Britse generaal en bedoeld om er een sabel aan te hangen.

Hij stond voor de barak. Een heldere dag. Af en toe wat windhozen in de omgeving. Een herinnering. Een teruggespoelde opname. Hij keek naar een raaf die hoog naar de bergen vloog, voortgedreven door de wind, eerst geleidelijk stijgend, een ononderbroken en vertrouwd gegeven, en daarna bij tussenpozen deinend, eigenaardige stadia van snelle stijging, volkomen moeiteloos en schijnbaar voorbij de grenzen van wat in de fysieke wereld mogelijk is – subtiele overgangen, waardoor de waarnemer de ontbrekende segmenten van ruimte of tijd wil invullen.

Grote, hoogvliegende vogels waren de enige hier levende wezens die niet dat gevoel van verte opriepen. Of dat verbeeldde hij, Selvy, zich. Hij had ooit eens op een afstand van vijf meter blikken uitgewisseld met een roodstaartbuizerd die post had gevat op een boomstronk aan de rand van een stuk verlaten boerenland, misschien dertig kilometer van deze plek vandaan, tijdens schietoefeningen met echte ammunitie. En toen was hij in de transcendentale schoonheid van roofvogels gaan geloven.

Het was een dag als deze geweest. Een ochtend van verbazingwekkend licht. Helderheid zonder afgeleid te worden door een felle gloed. De hemel was verzadigd van licht. Alles was kleur.

Hij was twintig meter van de barak vandaan toen hij twee katten voor zijn voeten ontwaarde. Hij bleef staan en draaide zich om. Er kwamen er nog drie naar hem toe. Hij wist wat dat betekende. Nog meer katten kropen van onder de barak uit. Ze volgden hem en liepen hem miauwend voor de voeten. Er kwamen nu ook katten uit een andere richting, dichterbij, van de kant van de windmolen. Een beeld ontvouwde zich. Na tien stappen hurkte hij neer en ineens zaten ze boven op en rondom hem, krabbend, luid miauwend, minstens vijftien, volwassen en kleine katten, die zich lieten aaien en langs zijn benen wreven, of zich alleen maar spinnend uitrekten in de zon, of zijn kleren besnuffelden. Ze zagen er allemaal gezond en weldoorvoed uit.

Levi Blackwater was hier.

Toentertijd in de mijnen was hij meestal niet welkom geweest wanneer mannen bijeenkwamen. Een doodgewone jongen uit Ohio, met een naam uit het boek Genesis, die had gediend als technisch adviseur voor de ARVN, in de tijd dat de VS nog betrekkelijk kort in Vietnam waren. Hij werd door de Vietcong gevangengenomen tijdens een verkenningspatrouille en ze hadden hem gemarteld. Hij was op den duur van zijn bewakers gaan houden. Acht maanden opgesloten in een gevangenis in een VC-basiskamp in een mangrovebosje. Vissenkoppen en rijst. Ze hingen hem aan zijn voeten op. Ze duwden zijn hoofd onder water. Ze hakten twee vingers af.

Hoe meer ze hem martelden, hoe meer hij van ze hield. Ze hielpen hem. Hij beschouwde het als hulp.

Hij kookte, werkte in de wasserij en deed allerlei klussen bij de mijnen. De mannen kenden zijn voorgeschiedenis en meden hem. Selvy was een uitzondering. Hij ging naar Levi voor lessen in meditatie.

Moll stond wantrouwend tegenover zoektochten. Volgens haar was de diepere reden voor die langdurige en bezeten speurtochten doorgaans een essentieel gebrek in de zoekende persoon, een spirituele armoede.

Ze zat in het donker naar Odells gemorrel aan de projector te luisteren.

Nog deprimerender dan de aard van een bepaalde speurtocht was de eventuele uitkomst. Of mensen nu op zoek waren naar een bepaald voorwerp, of naar een innerlijke ervaring, of een antwoord, of een staat van zijn, het resultaat was bijna altijd teleurstellend. Aan het einde kwamen ze zichzelf tegen. Alleen maar zichzelf. Er waren er natuurlijk die vonden dat het puur om de zoektocht ging. De zoektocht was de beloning.

Lightborne zou het daar niet mee eens zijn. Ze was ervan overtuigd dat Lightborne een verkoopbaar product wilde. Hij deed dit niet om de existentiële verheffing.

Odell deed het licht aan en liep naar het doek om zich ervan te vergewissen dat het evenwijdig hing met de strook film wanneer die door het projectorvenster liep. Terwijl hij daarmee bezig was, wierp Moll een blik op Lightborne.

'Hoe was het toen u hier kwam?' vroeg hij. 'Regen of natte sneeuw? Ik moet een paar nieuwe laarzen kopen. Ik wil dit jaar een paar met een voering hebben. Ze zeggen dat het een slechte winter wordt, dat zijn de verwachtingen.'

Vanaf het moment dat Moll binnenkwam had hij nerveus gebabbeld. Odell had nu al twee keer het licht aangedaan om op het laatst nog iets af te stellen. Lightborne begon beide keren onmiddellijk te praten. In het donker hield hij zijn mond. In het donker beet hij op zijn knokkels.

Odell deed nogmaals het licht uit. Moll voelde weer die speciale verwachtingsvolle spanning die ze al sinds haar kindertijd kende – een leven in de film. Je zat vol afwachting van genot, een gevoel dat nergens anders mee te vergelijken was. Simpele mysteries zijn het diepst. Wat betekende deze volkomen veilige ontsnapping, dit geloof diep vanbinnen? En hoe was het mogelijk dat slechte, afgrijselijke, godsgruwelijke films nooit de opwinding en het vertrouwen leken te beschamen die ze voelde tijdens die luttele seconden voor het doek verlicht werd? De verwachting stond los van hetgeen erop volgde. Het was steeds te hernieuwen, het gevoel dat je bevrijd was van alle verplichtingen en voorwaarden van de niet-filmwereld.

Dat gold zelfs hier, terwijl ze op een harde rechte stoel in een verlopen galerie voor een klein filmdoek zat. Ze voelde het ondanks alles wat ze wist over de diverse onderhandelingen, procedures en methodes waarmee het verwerven van de film gepaard was gegaan.

Een tweedimensionale stad zou uit het donker oprijzen, zwevend in allerlei tijdsdimensies, die allemaal verschilden van het systeem waarin reële gebeurtenissen plaatsvinden. Toch begrijpen we ze zo makkelijk en zo goed. Alle ruimtelijke en tijdelijke codes van de stad zijn met ons verbonden, alsof ze afkomstig zijn van een plaats die wij nog van vroeger kennen.'Ik heb de telefoon laten afsluiten,' zei Lightborne. 'Een tijdelijke maatregel. Om bepaalde stemmen het zwijgen op te leggen.'

Hij wilde er nog iets aan toevoegen, maar zijn stem stierf weg en er klonk alleen nog het gezoem van de film die door het mechanisme van de zwarte projector liep.

Een lege kamer in zwart-wit.

Er zitten op enkele plekken barsten in het stucwerk. Op andere plaatsen is het helemaal verdwenen. Het licht in de kamer flikkert.

Er komen drie kinderen binnen. Een meisje van een jaar of elf draagt een stoel. Twee jongere kinderen, een jongen en een heel klein meisje, slepen een stoel tussen zich in.

De kinderen zetten de stoelen neer en lopen uit beeld.

Er is een storing. Het beeld verschiet alsof er tegen de camera is gestoten door een korte, gewelddadige handeling.

Even is het doek leeg.

De kamer weer. De camera staat nog op dezelfde plaats.

Er komt een vierde kind, een meisje, in beeld. Ze loopt door de kamer, klimt op een van de stoelen en gaat stijfjes zitten. Ze probeert een verlegen glimlach te onderdrukken.

De jongen en het oudste meisje brengen weer twee stoelen binnen. Er verschijnt een vrouw met een dodelijk vermoeid gezicht; ze loopt naar het kind op de stoel. De lichten flikkeren. Er verschijnt nog een meisje; ze ziet de camera en loopt snel uit beeld.

De jongen en het oudste meisje dragen weer twee stoelen naar binnen.

De camera beweegt niet. Hij kiest niet. Mensen komen in beeld en lopen er weer uit.

De vrouw zit naast het kleine meisje en aait afwezig over haar hand. De vrouw is blond en aantrekkelijk, en het is duidelijk te zien dat ze niet gezond is. Ze ziet er zwak uit. Je zou zelfs kunnen zeggen dat ze emotioneel lijdt. Het oudste meisje staat naast haar en praat. De vrouw knikt langzaam.

De jongen draagt weer een stoel naar binnen. Er komen nog drie volwassenen binnen, een man en twee vrouwen. Zij staan er onhandig bij; de man probeert de zitplaatsen te rangschikken. De jongen en het oudste meisje dragen weer twee stoelen de kamer in.

De kamer die eerst helemaal leeg was, is nu vol met stoelen en mensen.

De lichten boven het tafereel flikkeren.

'Wat vindt u ervan?' vroeg Lightborne.

'Ik weet niet wat ik ervan vind.'

'Weet u wie het zou kunnen zijn? Magda Goebbels.'

'Die eerste vrouw?' zei Moll.

'Het zouden haar kinderen kunnen zijn. Ik zeg "zouden kunnen", ik probeer ze een identiteit te geven. Er iets van te begrijpen.'

'Denkt u dat het de bunker is?'

'Het zou de kamer kunnen zijn die van de dokter was geweest. Hitlers kwakzalver kreeg toestemming te vertrekken. Goebbels nam zijn kamer in gebruik.'

'De drie anderen,' zei Moll.

'Ik weet het niet. De vrouwen zouden secretaresses kunnen zijn. De man, wie weet? Een chauffeur, een stenograaf, een bediende, een lijfwacht.'

'Magda Goebbels, denkt u.'

'Ik zeg "zou kunnen". Dit had ik niet verwacht. Ik had helemaal niet op iets dergelijks gerekend.'

Tot dusverre was er weinig gebeurd, maar Moll werd gefascineerd door iets in de film. Het leek in geen enkel opzicht op een speelfilm of documentaire; het had niets van een nieuwsreportage op de televisie. Het was primitief en abrupt, en toch hypnotiserend, niet zonder een vleugje mysterie.

Aan de gezichten en de kleren zag je onmiddellijk dat het zich in een andere tijd afspeelde. Dat effect werd versterkt door de slechte kwaliteit van de film, die met natuurlijk licht was opgenomen. Vale grijzen en het beeld dat af en toe vervaagde. Het ontbreken van een geluidsband. Lichtlekken in de camera, waardoor er flitsen op het doek verschenen. De film suggereerde omzichtiger tijden – donkere ogen en zorgelijke monden, dikke pakken, jurken van stoffen die elkaar overlapten, hortende en afstandelijke bewegingen.

Het doek wordt gevuld door vier volwassenen en vijf kinderen, allemaal gezeten. Ze kijken recht in de camera.

De tijd verstrijkt.

'Waardoor versprong het beeld ineens?'

'Het zou door de granaten kunnen komen,' zei Lightborne.

'Dat is de tweede keer.'

'De Russen liggen een halve kilometer verderop. Ze schieten om te pesten. Als het een echt bombardement was, zou er niet gefilmd kunnen worden. Nog afgezien van het gestage gedreun, zou de bunker vol rook en stof zijn.'

De blonde vrouw staat langzaam op en loopt uit beeld.

'Zij weet wat er gebeurt.'
'Wat bedoelt u?' vroeg Moll.
'De kinderen.'
'Wat gebeurt er dan?'
'Goebbels laat ze vergiftigen.'

Een andere kamer.
In deze kamer, die weliswaar klein en nauw is en er onaf uitziet, staan een bureau, een divan en stoelen. De muren zijn voorzien van lambriseringen. Boven het bureautje hangt een schilderij in een ovale lijst.
In een van de stoelen zit een vrouw tegenover een openstaande deur die naar een andere kamer leidt. Ze slaat de bladzijden van een tijdschrift om. Aan de manier waarop ze dat doet is iets van verlegenheid af te lezen. Ten slotte besluit ze om recht in de camera te kijken, vriendelijk glimlachend. Daardoor voelt ze zich meer op haar gemak.
Uit haar volgende reactie is op te maken dat iemand in het aangrenzend vertrek tegen haar praat.
Ze zit met haar benen over elkaar geslagen zonder acht te slaan op het tijdschrift waarin ze blijft bladeren. Een blonde vrouw, begin dertig, ze draagt een donker mantelpak, een armband, en schoenen die er duur uitzien. Haar mond is klein en zorgelijk (zelfs nu ze opgewekt is) en haar neus een beetje vormeloos. Haar wangen lijken bol door twee duidelijk zichtbare donkere lijnen.
Ze gebaart naar de openstaande deur.

'Waar zijn we?' vroeg Moll.
'Nog steeds in de bunker. Misschien is er een verband tussen de twee kamers. Zag u dat schilderij boven het bureau? Konden we het maar vanuit een betere hoek zien, het zou vanwege de ronde lijst zijn portret van Frederik de Grote kunnen zijn, en dat zou betekenen dat dit zijn woonkamer is.'
'Wiens woonkamer?'
'Het is mogelijk. Het zou kunnen. En door die open deur is dan zijn slaapkamer. Ik weet niet wie deze film opnam, maar mogelijk filmt hij in de ene kamer, stopt, en loopt dan naar de andere kamer.'
'Montage in de camera,' zei Moll.
'We krijgen alles te zien. Wat vindt u? We krijgen de enige opname van elk tafereel.'

'Het is in ieder geval niet professioneel. Maar ik kan niet zeggen dat ik dat erg vind.'

'De kinderen en de anderen zitten in de eerste kamer en wachten tot de camera terugkomt. Misschien lijkt het daarom zo echt. Het is echt. Het gebeurt. Ik had dit helemaal niet verwacht.'

Een andere vrouw komt de kamer in. De blonde vrouw uit het eerste deel. Magda Goebbels – als Lightbornes vermoeden juist is.

Ze geeft de jongere vrouw een bloem. Uitdrukking van verrukte verrassing. Het is een witte boutonnière. De vrouw gaat ermee naar de andere kamer.

Visuele storingen. Langsflitsende beelden.

'Waar kijken we naar?'

'Ik weet het niet,' zei Lightborne.

'Als dat Frau Goebbels is, die daar staat, wie is dan de vrouw die net wegliep?'

'Dat antwoord moet niet zo moeilijk zijn.'

'Ik wil het u horen zeggen.'

'Dat weet u even goed als ik.'

'Wie is ze?'

'Het is echt,' zei Lightborne. 'Ik geloof het. Zíj zijn het.'

De routine bleef.

In de late ochtendzon legde Selvy de bolo op een bank in het kamp die vol rommel lag. Hij ging op een omgekeerd krat zitten en begon met olie en een slijpsteen de onderkant van het lemmet te bewerken. Een witte kater rolde naast hem in het zand. Vlak voor hem strekte het barre land zich uit tot aan de voet van een enorme tafelberg, de glooiende hellingen bezaaid met rotsblokken.

Hij zag het als een herinnering, als een band die werd afgespeeld. De grens van de schijn. Binnen is volmaakte kleur, het gevoel van topografie als een ethisch diagram. Landschap is waarheid.

Toen hij na tien minuten slijpen opkeek, zag hij Levi Blackwater vanuit het zuidoosten aan komen lopen. Het moest hem zijn. Levi had lichamelijk altijd iets onevenwichtigs gehad. Niet zo uitgesproken als mank of zelfs maar lomp lopen. De rechterschouder was iets omlaaggezakt. Misschien was dat het. En het hoofd een beetje schuin. En de rechterarm hing iets lager. Dat zag hij allemaal toen Levi dichterbij kwam.

Het was een lange, kalende man, en hij droeg nog steeds dezelfde oude sportpet met luchtgaatjes. Hij was bleek, ziekelijk wit, zoals altijd. Een zachte babyhuid. Een beetje als de huid die van een ander deel van het lichaam is getransplanteerd. Hij stond nu glimlachend voor hem. Zandhozen tolden vijftig, zestig meter verderop rond.

'Ik ben hiernaartoe gekomen om de katten eten te geven.'

Alleen Levi kon over zijn komst naar deze afgelegen plek spreken als 'hiernaartoe komen'.

'Waar ben je als je niet hier bent?'

Levi glimlachte nog steeds en stond en profil, met zijn hoofd naar links, naar het kaalste stuk van de woestijn gewend. Hij kwam naar hem toe om hem de hand te schudden. Aan zijn rechterhand ontbraken twee vingers, door zijn gevangennemers eraf gehakt. Selvy was vergeten hoe direct de blik was waarmee Levi mensen aankeek.

'Ik heb altijd geweten, Glen, dat als er iemand terug zou komen, jij dat zou zijn.'

'Er is niet veel meer van over, hè?'

'Alles wat je nodig mocht hebben.'

'Ik blijf hier niet, Levi.'

Mensen gebruiken namen om iets mee te delen en Selvy geloofde dat die speciale naam, Glen, erop wees dat het Levi een enorm genoegen deed om hem te zien en dat hij er een nieuw niveau van ernst mee wilde uitdrukken. In het verleden had hij Selvy vaak met Howard, zijn zelden gebruikte voornaam, aangesproken. Een plagende intimiteit. Dat had Levi amusant gevonden. Dan zochten zijn ogen Selvy's gezicht af. Die priemende blikken, tegelijk nieuwsgierig en openhartig, irriteerden Selvy, nog meer dan het horen van de naam Howard. Maar hij had nooit geklaagd, omdat hij dacht dat dat een afstand tussen hen zou scheppen.

Levi was gemarteld. Had lange tijd doorgebracht in een donkere kamer niet veel groter dan een kast, en daaruit volgde dat hij dingen kon doorgeven, kennis kon overdragen, praktische en ook anderszins. Hij had toleranties gevonden, manieren voor de omgang met wat, op het laatst, zo geloofde hij, de klank van zijn eigen stem was. Hij was er sterker door geworden, of dat dacht hij, door pijn en gevangenschap te overleven, de werking van het ik.

'Is dit dan een halte? Op een langere tocht?'

'Zo zou je het kunnen noemen.'

'Een halte onderweg,' zei Levi.

Die woorden leken hem te bevallen. Zijn vochtige ogen staarden vanuit de schaduw die de klep van zijn pet wierp. Hij droeg een vuil gevechtsjack, dat op verschillende plaatsen was gescheurd.

'Ik zie dat je een wapen hebt meegebracht.'

'Antiek,' zei Selvy.

'We begonnen net goed op gang te komen toen je wegging.'

'Ja, dat weet ik.'

'We begonnen resultaten te zien, geloof ik. Ik ben blij dat je terug bent gekomen, ook al is het niet voor lang. Dat doet me genoegen. Je ziet er goed uit, Glen.'

'Ik drink al een tijdje niet.'

'Je zou moeten blijven, weet je. Je kunt hier iets leren.'

'Dat is waar. Dat geloof ik.'

'Hoe minder er is, Glen, hoe meer je op de proef wordt gesteld om die dingen te vinden die werkelijk bestaan. Vanbinnen en vanbuiten. Het werkt. Als je jezelf tot het kleinste onderwerp beperkt, dwing je je tot zo'n intense concentratie dat je er heel veel over kunt leren. Je wéét er al heel veel over. Je ontdekt dat je er al veel meer over weet dan je dacht.'

'Ja, dat geloof ik ook.'

'Als er geen grenzen zijn, zwalk je maar wat heen en weer. Dan ben je al verslagen voor je begint.'

'Daarom ben jij hier, Levi.'

'Wij beiden.'

'Steeds grotere beperkingen.'

'Om te leren. Om erachter te komen wat we weten. Toen jij vertrok, waren we net begonnen. Verdomd jammer dat je niet wat langer bent gebleven. Ik heb zo veel geleerd. Zo veel over alles.'

Hij zat gehurkt op het andere eind van de bank waar het mes lag op een paar lagen oude kranten, de enige dingen die Selvy had kunnen vinden die de slijpolie op konden zuigen. Levi liet een handvol zand langzaam op de grond stromen. De lucht betrok ineens. Zand steeg op in de wind. Duisternis kroop voorwaarts over de zuidwestelijke schijf van het land.

'Ik word telkens opnieuw geboren,' zei Levi. 'Ik herinner me andere levens.'

Staarde.

'Schepsel van het landschap.'

Glimlachte.

'Een gringo-mysticus.'

De wind tilde zand op met enorme, ruisende massa's. De bergen naar Mexico toe werden binnen een paar seconden in duister gehuld. De tafelberg op middellange afstand was nog steeds zichtbaar door de kleurvlekken hier en daar in de struiken op de hellingen, en de minerale glans van zwerfkeien.

'Ik voel mezelf geboren worden. Ik ben hier gegroeid. Ik weet zo veel. Ik ben nu zover dat ik het kan delen, Glen.'

'Ik volg nu een andere weg.'

'Je ging echt vooruit.'

'Ik heb me voorbereid, Levi.'

'Ja, dat zie ik.'

'Ik sta op scherp, ik ben klaar.'

'Dat accepteer ik niet.'

'Je weet hoe het eindigt.'

'Ik begrijp je niet.'

'Je weet wat je moet doen, Levi.'

'Hebben we het hierover gehad?'

Zand vloog over het kamp heen. Boven en om hen heen pakte het samen in wervelende wolken. De windkracht nam toe met een scherp, fluitend geluid. Levi zette zijn sportpet af en stouwde hem in zijn zak. Er zat een capuchon aan zijn jack bevestigd, die met een koord strak om het gezicht getrokken kon worden en een ritssluiting had die tot over de mond dicht kon. Levi trok die niet verder dan de punt van zijn kin op.

Selvy ving een geluid op dat niet door de wind kwam. Hij stond op en ontdeed zich van de Sam Browne-riem. Hij gooide hem in het zand. Een verschrikkelijk stupide idee. Hij moest toegeven dat hij een vage genoegdoening voelde toen hij de verwarring in de blik van de ander zag.

'Er is geen uitweg, Glen. Geen helder licht voor jou in deze richting. Je kunt je niet zo makkelijk van ervaring ontdoen.'

'In het Oosten is sterven een kunst.'

'Ja, heroïsch, een spirituele overwinning.'

'Jij hebt me die richting gewezen, Levi.'

'Tibet. Is dat het Oosten? Dat ligt toch voorbij het Oosten?'

'Een man kiest een plaats uit.'

'Maar dat is een onderdeel, slechts een onderdeel, van een veel langer proces. We begonnen het nog maar net te begrijpen. Er is nog zo veel meer. Jij denkt dat je op het punt staat bij een of andere ultieme waarheid uit te komen. Waarheid is een teleurstelling. Je zult alleen maar teleurgesteld worden.'

Selvy ging de lange barak in en begon een beddenlaken in repen te scheuren met de bedoeling er een soort masker van te maken, als elementaire bescherming tegen het opwaaiende zand.

Levi liep achter hem aan. Selvy zag hem de capuchon losmaken van zijn jack. Hij kwam naar hem toe en trok hem over Selvy's hoofd, waarna hij het koord langzaam dichttrok. In zijn ogen, altijd enigszins beladen met begrip, lag nu een diep, verdrietig en complex weten. Hij trok de ritssluiting onder aan de capuchon omhoog. Selvy voelde zich dwaas en hij draaide zich om naar de deur.

Buiten liep hij naar de bank en raapte de bolo op. Hij hoorde dat geluid weer. Daar was hij, kleurig, zwart en vuurrood, een kleine helikopter, die hierheen vloog, het was of hij tegen de wind duwde.

Het was de kleine hufters kennelijk ernst als ze in dit weer vlogen.

Hij liep ongeveer honderd meter van het kamp vandaan. Het zand prikte in zijn ogen. Hij hoorde de motor maar verloor de helikopter telkens uit het oog. Toen zag hij hem weer, links van hem, op roepafstand, waar hij bij een greppel landde, en waar de ronddraaiende bladen van de hefschroef keurig, levendig in de duistere windvlagen, langzaam tot stilstand kwamen.

De film liep nog steeds luidruchtig door de projector.

De eerste kamer.

Er zijn nu zes kinderen en vijf volwassenen, allemaal tegenover de camera gezeten. Onder de volwassenen bevinden zich de twee vrouwen uit de bloemenscène in de gemeubileerde kamer.

De kleinste kinderen zijn rusteloos. Een paar volwassenen zitten er met stijve glimlachjes bij; ze lijken op slachtoffers van langgerekte formaliteiten. Twee kinderen ruilen van plaats. Een vrouw draait zich om en fluistert iets.

Voor het eerst is de camera actief.

In een lange, langzame pan richt de camera zich ten slotte op een gestalte even voorbij de deuropening. Een man in een kostuum. Na een korte tijd van vervorming gaat de camera, beginnend bij de voeten van de man, langzaam langs zijn lichaam omhoog.

Overmaatse schoenen die bij de tenen lichtelijk omkrullen.

Een slobberbroek.

Een vest en een strakzittend jacquet.

Een donkere, smalle das.

Een puntboord.

Een gedeukte bolhoed.

Een witte bloem in de revers van het jacquet.

Een wandelstok bungelend aan zijn pols.

Deze beelden ademen de geheimzinnigheid van een gebeurtenis die de tijd overstijgt. Dat komt doordat de man die in de deuropening staat nog niet zichtbaar is voor het publiek van volwassenen en kinderen dichtbij. Het andere publiek, dat in de jaren zeventig in een donkere kamer in New York zit te kijken, is zich daarvan bewust, en heeft de eigenaardige gewaarwording dat zij dit eerder dan het publiek zien. Zij zien de man het 'eerst'.

'Is het?' vroeg Moll.

'Het zou kunnen.'

'Jezus, het is bijna charmant.'

'Maar heb ik dit nodig?'

'Hij ziet er zo oud uit.'

'Heb ik dit nodig?' zei Lightborne.

De camera is op het gezicht van de man gericht. Weer beweegt de camera om een medium shot te filmen.

Een nietszeggende blik.

Weinig of geen haar om de oren.

Het gezicht bleek en vol lijnen.

Een slappe mond.

Een zachte ronde kaak.

De beroemde snor.

Hij schudt zijn hoofd, bij wijze van erkenning van de aanwezigheid van de camera, die nu achteruitgaat. De man loopt op een rare mechanische manier naar voren. De camera neemt een panoramashot van het publiek. Op het moment dat de man de kamer inkomt, geven de volwassenen blijk van een enorm plezier, met de kennelijke bedoeling om de kinderen aan te sporen, die Charlie Chaplin misschien wel of misschien niet kennen.

De camera is weer op de acteur gericht en gaat achteruit naar een hoek van de kamer om als het ware vanuit de coulissen toe te kijken.

218

Het is een betrekkelijk kleine man met smalle schouders en brede heupen. Het is nu duidelijk te zien dat zijn pantomime, vanzelfsprekend als Chaplinesk bedoeld, uitvergroot en vervormd wordt door onwillekeurige bewegingen – een trillende arm, een knikkend hoofd, gestrompel onder het lopen.

'Wilt u dat ik u vertel wat dit is?'

'Hij is niet slecht, weet u,' zei Moll. 'Ondanks het gestrompel en zo. Hij doet het aardig goed.'

'Dit is een van haar eigen films.'

'Van wie?'

'We zagen haar hiervoor al.'

'Eva Braun, bedoelt u.'

'Dit is haar idee. Ze was dol op amateurfilms. Ze liet zichzelf filmen terwijl ze zwom, in het bos wandelde, ergens met hém stond. Hij komt in sommige voor.'

'Hij komt in deze voor.'

'Maar als ik het me goed herinner, hield hij niet van Chaplin. Ik geloof dat hij ergens heeft gezegd dat hij geen fan van Chaplin was.'

'Ik geloof dat het wederzijds was.'

'Aan de andere kant was hij een begaafde imitator. Hij imiteerde vaak.'

'Wie imiteerde? Zeg het dan.'

'Er waren niet alleen lichamelijke overeenkomsten. Tussen hem en Charlie.'

De figuur schuifelt naar de camera, zwaaiend met zijn stok. Achter hem, in een hoek van het beeld, kijkt een van de kleine meisjes ernstig toe.

Eventjes wordt de man overspoeld door licht – het gebleekte en kleurloze effect van overbelichting. Wanneer details en contrasten weer enigszins terugkeren, staat hij heel dicht bij de camera, en in zijn levenloze ogen smeult een glimpje vuur, iets van een glans. Een professioneel effect. Het is alsof de glans oorspronkelijk van een dichtbijzijnd spotlight kwam.

Ten slotte slaagt hij erin iets uit te drukken – een lief, halfslachtig, schuldig glimlachje. Charlies glimlach. Een precieze weergave.

'Ze zijn in dezelfde week van dezelfde maand van hetzelfde jaar geboren.'

'Heeft dat er wat mee te maken?'

'Enkele dagen na elkaar.'

'Maar maakt dat wat uit?'

'Het is een feit. Het is waar. Het is geschiedenis.'

'U bent overspannen, meneer Lightborne.'

'Niet dat ik ervan overtuigd ben dat hij het is. Het is hem niet. Hij kon zich helemaal niet in de zwerversfiguur inleven. Waarom doet hij dit?'

'Voor de kinderen, neem ik aan.'

'Aan wie verkoop ik dit?'

Driekwart shot. Eerst lijkt hij tegen het kleinste kind te praten, een meisje van een jaar of drie. Men kan zien dat hij alleen maar zijn lippen beweegt – een toespeling op stomme films. Men ziet een van de vrouwen glimlachen.

'Een vermenselijkte Hitler.'

'Het is afschuwelijk,' zei Lightborne. 'Wat doe ik met zoiets? Wie wil dit hebben?'

'Ik zou denken dat het aardig wat waard is.'

'Historisch. Historisch is het wat waard.'

'Het is bijna ontroerend.'

'Moet wel een van haar *home movies* zijn. De trut. Wat is er met haar aan de hand, is ze soms achterlijk? Het regent granaten en zij maakt films. Dat hele zootje was dol op films.'

'U weet het zeker van de kinderen.'

'Cyaankali.'

'Dus dat was het dan.'

'Ik had iets ruigs verwacht. Iets duisters en machtigs. De waanzin aan het eind. De perversiteiten, de seks. Kijk, hij draait met zijn stok. Wat een ramp.'

Flikkerende beelden.

'Ik heb dingen in gang gezet.'

Een nieuwe camerapositie.

Dit is de enige poging tot 'kunst'. De camera is op het publiek gericht. Het publiek probeert te doen alsof de Chaplinachtige figuur nog steeds achter de camera een voorstelling geeft.

Twee volwassenen blijven zitten, een niet-geïdentificeerde man en vrouw. Beiden staren plichtsgetrouw langs de camera, met geforceerde glimlachjes. Van de zes kinderen lijken er maar drie belangstelling te hebben voor de illusie. Een van de anderen knielt op de stoel met haar rug naar de 'actie' toe. Eén kijkt recht in de camera. De kleinste klimt van haar stoel af.

De ogen van de mensen kijken nu een andere kant op. Ze krijgen blijkbaar instructies van iemand achter de camera.

'Ik heb geweldige krachten in werking gezet.'

Ze applaudisseren zwijgend voor de schijnvertoning.

De capuchons van hun ski-anoraks waaiden telkens van hun hoofd af. Hij zag de feloranje voering.

Hij riep hun een kameraadschappelijke begroeting toe. *Hoi.* Harder. Nog eens. Hij zag hoe de linkercommando even de arm van de ander aanraakte. Nu zagen ze hem allebei. Ze draaiden zich tegen de wind in; hij had hem in de rug.

Ze kwamen naar hem toe als langlaufskiërs, in beslag genomen door efficiëntie en techniek, en leunden tegen de stormkracht in, elke stap een weloverwogen en haast rituele beweging, als met dwarse schreden en stokken.

Hij trok het onderste deel van de capuchon tot over zijn neus zodat alleen zijn ogen te zien waren. Met tussenpozen zag hij de felgekleurde voering. Hij had zijn voeten stevig in het zand geplaatst om zijn evenwicht niet te verliezen. Ze doken uit een werveling van zand op en waren met de volgende grote stap weer verdwenen.

Hij hield het lange mes tegen zijn buik aan. In zijn rechterhand het heft. De botte kant rustte lichtjes in zijn linker. Hij werd door de wind heen en weer gewiegd. Het geluid werd ondoordringbaarder.

Langzaam vooruitkomend, schijnbaar zonder te worstelen, kwamen ze weer te voorschijn, nog steeds met lege handen, zag hij. Een van hen trok de ritssluiting van zijn anorak omlaag, verdween, de ander verdween, de eerste was nu getransformeerd, een verschijning, opbollend fel nylon, de tweede kwam te voorschijn, trok zijn jack uit, dat zich eveneens met wind vulde, en nu kwamen ze sneller vooruit, bevrijd van het zwoegende tempo, de oranje voering opgebold door de wind, wapens in hun riemen. Deze onverwachte kleurenuitbarstingen. De schoonheid van roofdieren.

Een sterke gewaarwording dat er iets werd uitgebeeld. Een herinnering, een film. Een toevloed van dagdromen uit zijn puberteit. Hij had dit in de geest al wel honderd keer gezien, alleen nooit tot aan het eind.

Ze kwamen dichterbij, en nu kwamen er hakmessen met speerpunten in zicht. Een van hen liep een stukje naar opzij. Hij scheen te denken dat als hij maar langzaam genoeg liep, Selvy hem zou vergeten. De ander stopte duidelijk zichtbaar met manoeuvreren om, alsof die gedachte pas op het laatst bij hem opkwam, zijn anorak uit te trekken. Selvy zou hem willen vragen wat hij verdomme dacht dat hij aan het doen was.

Toen ze hem insloten, gebruikte Selvy een backhand. Alleen de beweging. Om een reactie uit te lokken. Hij draaide zich om zodat hij recht tegenover de man die hem naderde zou komen te staan, maar die kwam te snel, waardoor hij geen alternatieven meer had. Hij liet zich op één knie vallen en bracht daarmee de man uit zijn evenwicht. Op het gezicht van de commando stond te lezen dat hij zich zijn vergissing realiseerde. Met zijn vrije hand zette Selvy zich af tegen de grond, waardoor hij meer veerkracht kreeg. De adem van de ander stokte. Hij stak hem onder zijn ribben, en besefte dat hij te veel kracht had gebruikt.

Hij zat zelfs vast aan de man die hij had gestoken. Hij duwde zijn linkeronderarm omhoog tegen de borstkas van de commando, en drukte erop, ondertussen probeerde hij het mes er weer uit te trekken. De man zakte als een zoutzak in elkaar, Selvy gedeeltelijk meesleurend. Toen hij zich omdraaide en met het mes opstond, was het al te laat, en was de andere commando al boven op hem, alleen het wit van zijn ogen blonk en bij elke stoot vertrok zijn gezicht.

Hij zag zand op de wimpers van de ander. Een paar seconden hadden ze elkaar in een greep. De spanning vloeide weg uit Selvy's gezicht, en maakte plaats voor een diepe concentratie.

Op dit moment had hij behoefte aan een borrel.

Van verslapte geleidelijk zijn greep, en liet het lichaam op de grond glijden. Hij liep naar Cao, wiens mond wijd openstond. Zand scheerde met grote, vlakke massa's over de grond.

Het rondwervelende zand, dat deel uitmaakte van alles, niet te scheiden van de gebeurtenissen, woei nu een eind verderop – het landschap, het weer, ruwe deeltjes die tegen Vans gezicht en armen sloegen. Hij raapte zijn anorak op en trok hem aan.

Hij stak het hakmes weer in de schede. Hij rolde zijn spijkerbroek op en pakte een ander, kleiner mes, dat tegen zijn laars zat geklemd. Voorzichtig te werk gaand met het werktuig, sneed hij het koord van Selvy's capuchon door. Daarna sneed hij door de stof langs de ritssluiting. Hij borg het mes weer op. Met beide handen scheurde hij de capuchon open en trok hem over Selvy's hoofd.

Hij zat geknield, nog steeds zwaar ademhalend. De windkracht nam af. Hij zag de helikopter nu recht voor zich; de romp was even te zien. Op handen en voeten zocht hij naar de guerrilla-bolo. Die lag twee meter verderop, half bedolven in het zand. Hij trok hem eruit en sneed er het hoofd van de dode man mee af.

Het was iets wat hij al eerder had gedaan en wat hij anderen had zien doen. Hoofden op stokken op het middaguur in het slijk van rijstvelden. Een ongemak bestemd voor de geesten van specifieke vijanden.

Hij sleepte Cao's lichaam naar de helikopter. Het weer werd rustiger en hij zag de tafelberg waar hij bijna tegenaan was gevlogen voordat hij landde. Hij liep terug om het hoofd van de andere man op te halen, maar eerst maakte hij een plunjezak leeg om het erin te vervoeren.

Hij dacht dat Earl het wel zou willen hebben. Als bewijs dat de vereffening had plaatsgevonden.

'Er is nog een filmrol,' zei Odell. 'Waar gaat iedereen naartoe?'

Moll liep naar de deur. Lightborne ging rond om de lichten aan te doen. Hij bleef even staan naast een één meter hoog vruchtbaarheidsbeeld – hout en paardenhaar.

'Ik wist dat het niks zou zijn. Een document met gebaren. Ik was altijd het meest sceptisch van iedereen. Dat zei ik ook steeds. Maar werd er naar me geluisterd? Of bleven ze me opbellen? Interlokaal, plaatselijk, uit vliegtuigen. Ik ben een handelaar in snuisterijen. Het is toch te gek voor woorden dat ik mijn telefoon moet afsluiten om bepaalde dingen niet te hoeven horen.'

Hij ging naar een wandschakelaar toe, en streek met zijn hand door een lok gelig haar boven zijn rechteroor. Nadat hij het licht had aangedaan, glipte hij achter de afscheiding naar zijn woonruimte. Hier deed hij ook de lampen aan. Daarna ging hij op zijn bed naar het zwarte rolgordijn zitten staren.

Odell stond op van zijn stoel naast de projector om de deur voor Moll Robbins van het slot te doen. Hij droeg witte katoenen handschoenen, belangrijk voor het hanteren van een *masterprint*. Toen ze de deur uit ging, wees hij op het filmdoek.

'Wie zijn die mensen?' vroeg hij.

Lightborne hoorde Odell de deur van de galerie sluiten en naar de projector lopen. Blijkbaar ging hij er de tweede filmrol op zetten. Enkele ogenblikken later gingen de lichten in de galerie één voor één uit. Lightborne bleef op zijn bed zitten. Buiten hoorde hij een geluid, het leek maar een meter of twee van hem vandaan. Hij tilde het rolgordijn op. Het was halftwee 's middags en een man met een donkere bril zat op zijn brandtrap.

Het was Augie de Muis. Hij zat tegenover het raam met zijn rug tegen de verticale spijlen aan, zijn knieën opgetrokken, zijn handen in de zakken gestouwd van zijn lange, eigenaardige, koolzwarte jas met grote knopen, als van een rabbijn. Hij had een klein, puntig gezicht. Zijn haar was donker en wild. Hij zat voortdurend te snuiven, en iedere keer dat hij zijn neus optrok, draaide hij zijn hoofd naar links alsof hij zijn neus aan de versleten revers van zijn jas wilde afvegen; maar zo kon hij er niet bij, en in plaats daarvan wreef hij er met zijn kin langs – een kleinigheid die hem leek te ontgaan.

'Wat wil je?'

Augie hield zijn hoofd schuin. Het raam was dicht en hij kon niet horen wat er gezegd was. Lightborne overwoog de kamer uit te rennen. Hij overwoog Odell te roepen. Maar de man zat er alleen maar. Vanwege zijn gemoedelijke houding besloot Lightborne ten slotte om het raam open te schuiven.

'Wat wil je?'

'Ik hoor je niet.'

'Wat wil je?'

'Je ziet dingen. Er is hier niemand.'

'Op klaarlichte dag,' zei Lightborne, die niet precies begreep wat hij bedoelde.

Augie leek de opmerking als een compliment op te vatten.

'De mensen kunnen ons door die ramen zien.'

'Ze zien jou. Ik ben er niet. Ze zien een of andere oude man die zijn lippen beweegt.'

'Is dit soms een nieuwe pleisterplaats voor zwervers? De straten voldoen niet meer. Moet ik dat hieruit opmaken?'

'Zie je die bril die ik op heb?'

'Ik kan mijn collega roepen, die in de kamer hiernaast is.'

'Dit heet een schietbril,' zei Augie.

Beneden in Houston Street keek Moll naar een zwerm duiven die over een twee verdiepingen hoog gebouw vloog en de steegjes erachter indook. Een paar seconden later zag Lightborne dezelfde duiven omzwenken en snel naar een naburig dak vliegen.

'Heb ik iets voor je?'

'Ik begin iets te verstaan,' zei Augie.

'Heeft iemand jou naar mij gestuurd om iets op te halen? Gaat het daarom? Een artikel?'

'Ik begin nu vorm aan te nemen.'

'Is het iets wat in een rond blik past?'

'Nu begin je me te zien,' zei Augie. 'Ik ben net van mijn buitenhuis hier aangekomen.'

Lightborne hoorde iets achter zich. Het was Odell, die aan deze kant van de afscheiding stond. Augie raakte niet van zijn stuk toen hij nog iemand zag. Hij zat te snuiven, met zijn handen nog steeds in de zakken.

'Hoe gaat het nu verder?' vroeg Lightborne. 'Moet ik nu mijn collega vragen om het te gaan halen en het naar jou toe te brengen terwijl ik hier als verzekering blijf? Hij weet hoe hij ermee om moet gaan. Moet het zo gaan?'

'Nee.'

'Hoe dan?'

'Jij nodigt me binnen.'

'Dat kunnen we doen,' zei Lightborne. 'We kunnen het binnen doen. Goed, zeker. Maar alleen ervan uitgaand dat je me vertelt wie jou heeft gestuurd.'

'Hé zeg, ik kom niet op auditie.'

'Ik vind het misschien niet zo erg om het artikel af te staan. Maar ik wil graag de gelegenheid krijgen om te horen wie de ontvanger is.'

Augie liet zijn hoofd opzij vallen en sloot tegelijk zijn ogen. Uit vermoeide teleurstelling. Ik kom hier om een eenvoudige klus te klaren, leek hij te denken, en dan beginnen zij moeilijk te doen, maken ze hun kloterige opmerkingen. Hij deed zijn ogen weer open en wachtte lange tijd voor hij zijn hoofd optilde.

'Misschien heb je gezien hoe ver mijn handen in deze zakken steken. Zo goed als mijn halve armen zitten erin. Dat komt omdat de zakken er voor het gemak uit gescheurd zijn. Wat mijn handen daarin vasthouden, voor het geval je je afvraagt hoe groot het is, om dat vast te houden, heb je twee handen nodig, en dan heb ik het niet over een pik. Weet je wat een pik is?'

'Dat weet ik,' zei Lightborne zuchtend.

'Ik houd geen pik vast.'

Hij nodigde Augie uit binnen te komen. Tot zijn verrassing leek Odell de aard van de situatie te begrijpen, en hij zei niets. Ze gingen met z'n drieën naar de galerie. De tweede rol draaide. Een van de vrouwen uit het eerste deel – niet-geïdentificeerd – leerde het oudste meisje walsen, en leidde haar stijfjes rond. Even kwamen twee kleinere meisjes in beeld die voor de camera wegrenden.

Lightborne deed de twee dichtstbijzijnde lampen aan en vroeg Odell om de vertoning te stoppen en alles weer in te pakken. Augie de Muis slenterde rondsnuffelend door de galerie, met allebei zijn handen nog in de zakken, waar hij de afgezaagde wat-het-dan-ook-moge-zijn vasthield.

Lightborne vroeg zich af of ze hem de schuld zouden geven van wat er op de film stond. Het enige dat hij kon doen was mogelijke verkoopadressen voorstellen. Ze konden het misschien aan een van de televisiekanalen kwijt voor een nieuwsreportage. Ze konden het aan het Whitney Museum of aan de Canadian Film Board verkopen. Hij zou ze een lijst met namen geven. Wat kon hij verder nog doen? Kon hij tegen ze zeggen dat mensen het leuk vinden om zich te verkleden? Kon hij tegen ze zeggen dat geschiedenis echt is?

Moll had zin om te lopen. Na de regen eerder die dag was het warmer geworden en de zon scheen volop. Film in de middag. De onaangename verrassing van het zonlicht als je weer buitenkwam. Wat is dit voor een stad? Waarom zijn die mensen zo klein en zo lelijk? Moet je de harde oppervlakken zien, het schaamteloze vlees van lichamen.

Toen ze bij 10th Street kwam, leek een limousine haar te naderen, die langzaam zuidwaarts reed op 5th Avenue en op de stoeprand afkwam. Ze voelde dat ze hierop reageerde.

Dagen later, toen ze voor haar huis probeerde een taxi aan te houden, zag ze opnieuw een lange zwarte auto haar richting uit komen. Ze was ervan overtuigd dat deze zou stoppen. Ze wachtte tot het achterportier langzaam geopend werd. Het regende een beetje en de ruitenwissers beschreven twee bogen op de voorruit.

Maar de auto reed door, regendruppels glommen op de carrosserie. Ze zag hem aan de overkant van Central Park West de dwarsstraat inslaan, waar hij tussen de bomen verdween.

Levi Blackwater keek naar het stoffelijk overschot vanaf een kleine heuvel ongeveer zestig meter verderop. Hij zat onbeweeglijk op zijn hurken en helde een beetje naar voren op zijn tenen. Zijn linkerhand, alsof die apart handelde, onafhankelijk van hetgene waarop hij zich concentreerde, raapte een hoopje los zand op.

Het land was een geschuurd verfoppervlak. De macht van stormen om te polijsten en te vernieuwen, dacht hij, was nooit eerder zo duidelijk te zien geweest. De hemel was ongerept. Dingen bestonden. De dag was afgestemd op de pure tonen van zijn en gewaarwording.

Door de laatste hevige windvlagen was het lichaam gedeeltelijk bedolven. Levi wist wie het was door de kleur van de broek en de ene roestrode laars die nog te zien was. Hij wist ook wat hij met het lichaam moest doen. Hij herinnerde zich dat.

Je benadert de dood met een heldere geest. Je kiest de juiste plek. Ze hadden daar dikwijls over gesproken. Glen had het vaak over puur landschap gehad. Hij hield van de woestijn. Er is een juiste plaats en een juiste manier wanneer je het aardse niveau verlaat.

Levi wist alles van Glen. Zijn kindertijd en puberteit op legerbases. Zijn vaders gestage opklimmen tot hogere rangen – de mooiere huizen, grotere tuinen. Zijn moeders meelijwekkend afdrijven naar apathie, vergeetachtigheid, stilte. Glen sprak met een intense onthechtheid over die dingen, was toen al bezig het hele proces van scheiden te leren. De twee mannen kampeerden in de woestijn en praatten tot de met sterren bezaaide dageraad.

Glen wilde rechtop zittend begraven worden. Hij zou wat een 'openluchtbegrafenis' werd genoemd, krijgen. Geen kist of lijkwade voor het lichaam. Geen begrafenis in de letterlijke zin. Levi zou hem op een houten vlonder of primitieve verhoging plaatsen die hij zelf zou maken. Aan de lucht overgelaten worden, aan de grote hoogvliegende vogels. Ze hadden het er vaak over gehad.

Levi moest iedere keer bijna giechelen als Glen dit te berde bracht. Het was zo'n oversimplificatie. Er werd zo veel buiten beschouwing gelaten.

Toch zou hij doen wat zijn vriend had gevraagd. Glen geloofde op zijn eigen, buitenissige manier. Hij geloofde gemakkelijk en kritiekloos, accepteerde dingen met een snelle en heimelijke heftigheid. Het was een neiging die Levi gehoopt had te beteugelen, als hij de kans kreeg.

Hij liet het zand door zijn hand glijden. Hij stond op, zijn pet diep in de ogen, en liep met zijn scheve tred langzaam naar het lichaam.

Glen zou zijn openluchtbegrafenis krijgen, ja. Maar eerst zou Levi gaan zitten en scanderen, om de ontsnapping, de scheiding van de overledene van zijn lichaam te sturen, zoals hem dat was geleerd door de meesters van de besneeuwde bergen.

Dit was een taak voor de lama, en dus heel aanmatigend van Levi, maar hij wist tenslotte hoe het scanderen ging, en zijn hart was vol liefde voor de wereld.

Het was een dag van oerlicht, in een volmaakte kleurschakering. Geen stem zou het op die wijze kunnen uitdrukken. Een raaf wiegde in de wind.

Na het scanderen zou hij proberen zich ervan te vergewissen dat de geest inderdaad was vertrokken. Levi wist niet precies hoe hij dat moest doen. Maar hij geloofde dat hij wel iets zou voelen, dat iets hem zou zeggen dat hij op de juiste weg was. Hij wist hoe je begon. Je begon met een paar slierten haar uit de schedel van de dode te trekken.